BIBLIOTHÈQUE DU VOYAGEUR

LE GRAND GUIDE DE MONTRÉAL

Traduit de l'anglais et adapté
par Valérie Pousse

GALLIMARD

CEUX QUI
ONT FAIT CE GUIDE

Gagnon

Les éditions Apa, installées à Singapour, ont décidé de consacrer un ouvrage à la deuxième ville francophone du monde après Paris, Montréal, sur laquelle il n'existe aucun guide en français. Le *Grand Guide de Montréal* vient ainsi s'ajouter au volume déjà paru de la Bibliothèque du Voyageur sur le Canada.

La coordination éditoriale de cet ouvrage a été confiée à **Stephen Scharper** et **Hilary Cunningham**. S. Scharper, qui travaillait alors aux éditions Orbis Books et Twenty-Third Publications, a écrit de nombreux articles dans des publications religieuses et laïques, et suit les cours de l'université McGill de Montréal pour une thèse de théologie. Sa femme, H. Cunningham, qui a participé à la rédaction du *Grand Guide du Canada*, et qui est titulaire d'un doctorat d'anthropologie culturelle, a écrit « Le parc du Mont-Royal », « L'oratoire Saint-Joseph », « Des Habitants et de leurs habitudes », « Les femmes en Nouvelle-France » et « Foi et religion ».

Scharper

Cunningham

Lysiane Gagnon, qui a participé à la rédaction de l'introduction, est journaliste. Originaire de Montréal, elle a longtemps tenu une chronique pour *La Presse*, grand quotidien francophone, et collabore à des magazines et des émissions de radio et de télévision. Auteur de plusieurs livres, dont *Chroniques politiques*, elle a obtenu deux prix nationaux décernés par la presse.

Mark Kingwell, journaliste et docteur en philosophie politique de l'université de Yale, a écrit « Des Indiens aux Français », « L'arrivée des Britanniques », « Conflits et confédération », ainsi que plusieurs passages du guide sur l'histoire contemporaine de Montréal. Ce grand amateur de sport est aussi l'auteur de « Petite sociologie du hockey sur glace ».

Écrivain de fiction dont les œuvres sont largement publiées, **Charles Foran** est diplômé de l'université de Toronto, ainsi que de l'University College, à Dublin. Ses articles paraissent dans de nombreux journaux canadiens (*Montreal Gazette, Canadian*

Foran

Ladky

Parfitt

Sher

Lyon

Forum, Globe and Mail, Saturday Night). Il est l'auteur de l'itinéraire « Le Vieux Montréal ». Sa femme, **Mary Ladky**, qui a également étudié en Irlande, et qui a ensuite enseigné aux États-Unis et en Chine, a rédigé les itinéraires sur « Le centre-ville », « La grande Dame de la rue Sherbrooke » et « Westmount et Outremont ».

Matthew Parfitt, amoureux de Montréal et amateur de baseball, a su décrire avec justesse les jardins, parcs, stades et quartiers de la ville dans laquelle il débarqua, à huit ans, de l'un des derniers paquebots transatlantiques. Outre sa participation à la rédaction du *Grand Guide du Canada*, il a publié des articles dans de nombreux périodiques et bulletins.

Emil Sher, natif de Montréal, a dépeint avec justesse la communauté juive dans laquelle il est né et a grandi. Ses essais ont paru dans de nombreux journaux (dont *The Globe and Mail* et *Compass*), et ses œuvres ont été diffusées par la CBC (Société Radio Canada).

Nancy Lyon, chroniqueuse de voyage pour la *Montreal Gazette*, vivant à Montréal, n'a pas hésité à descendre les rapides de la rivière Rouge et de la Batiscan, ou à parcourir à vélo les routes de l'Estrie, pour le chapitre sur les environs de Montréal.

Louise Legault, qui vit à Montréal où elle écrit des articles de voyage, laisse transparaître son amour pour cette ville dans son article sur les festivals. C'est aussi elle qui a réuni les informations sur le magasinage – shopping. **Katherine Snyder**, qui connaît parfaitement Montréal, et **Joanna Ebbutt**, écrivain et rédactrice spécialisée dans les voyages et le tourisme, se sont chargées du reste des informations pratiques. La plupart des photographies sont dues à **Carl** et **Ann Purcell**, photographes et rédacteurs installés dans la région de Washington.

C. Purcell

A. Purcell

Enfin, les rédacteurs de ce guide remercient, pour leur précieuse contribution, Archives Canada, le Temple de la renommée du hockey canadien, Gilles Bengel, de la Chambre de commerce de Montréal, ainsi que Diane Di Tomasso, de la Délégation du Québec à Londres. Pour l'édition française de ce guide, les éditions Gallimard ont confié la traduction-adaptation à **Valérie Pousse**, qui vit à Montréal et qui a déjà traduit plusieurs ouvrages de la Bibliothèque du Voyageur. Le suivi éditorial a été mené à bien par **Pierre-Gilles Bellin**.

Legault

TABLE

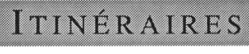

TABLE

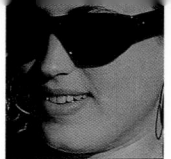

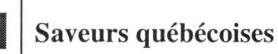
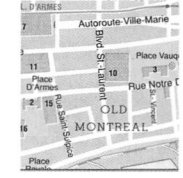

TABLE

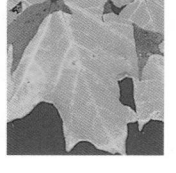

TROIS « VILLES » ET DEUX LANGUES

Montréal est-elle française, écossaise ou anglaise ? Est-elle victorienne ou de style « Nouvelle-France » ? Est-elle l'une de ces métropoles reproduites – presque à l'identique – à travers les espaces immenses de l'Amérique du Nord, ou une ville à dimension humaine ? Est-elle terrienne, îlienne, fluviale ou océanique ? Un port, une ville « terrestre », une capitale administrative, une cité secondaire ? Elle est un peu tout cela et c'est cette nature « multiple » qui la rend si attachante...

La ville de toutes les villes

Montréal, port de mer... Expression apparemment paradoxale, puisqu'il faut descendre le Saint-Laurent pendant 300 km avant qu'il ne s'évanouisse dans les eaux froides de l'Atlantique (qu'il rejoint par un estuaire interminable). Mais Montréal n'existerait pas sans cette voie d'eau qui porta, en 1642, les fondateurs de la modeste petite ville française de Ville-Marie.

Les navires transocéaniques ont, depuis les origines de la ville, toujours remonté le fleuve. Ils ont longtemps déchargé ici, puisque Montréal était le point de « rupture de charge » obligatoire, l'endroit où il fallait débarquer la cargaison, en raison des redoutables rapides de Lachine qui ferment la voie d'eau en amont... Depuis le creusement d'un canal, achevé en 1825, les mêmes bateaux continuent souvent sans s'arrêter jusque dans les Grands Lacs – le canal faisant aujourd'hui 8 m de tirant d'eau, les navires de haute mer peuvent se rendre jusqu'à Thunder Bay, « le » port du Canada moderne (et anglophone), sur le lac Supérieur. Étape sur la route maritime de l'ouest, sur la route des Grands Lacs, Montréal était aussi le port de départ de la route du sud, celle qui conduisait, toujours

Pages précédentes : le pont Jacques-Cartier ; la Couronne de lumière, une sculpture de Raymond Mason sur l'avenue conduisant à la rue McGill College ; vue du port ; calèche attendant les touristes ; en hiver à traîneau. A gauche, une terrasse de café ; à droite, jeune élève d'une école religieuse.

par voie d'eau, vers New York. Aujourd'hui, le trafic montréalais reste d'une vingtaine de millions de tonnes par an ; le port possède environ 25 km de quais, sur lesquels transitent près de 400 000 conteneurs par an.

Montréal, une île ou une ville ?

Montréal est également, à plusieurs titres, une île : géographiquement, puisqu'elle est bâtie entre le Saint-Laurent et la rivière des Prairies, ce qui la protégeait (très relativement) des attaques indiennes et anglaises ; démographiquement, puisqu'elle est un

« îlot » de peuplement dans ce que certains auteurs, paraphrasant le livre *Paris et le désert français*, ont cru pouvoir qualifier de « désert canadien » tant elle domine de son poids toutes les autres villes québécoises et les espaces environnants.

Mais son statut de capitale économique ne s'accompagne plus du statut de capitale nationale, qui lui a été retiré au profit d'Ottawa. Et même son statut de capitale économique du pays lui échappa dans les années 50 au profit cette fois de Toronto l'anglophone.

Cette île qu'est Montréal tient pourtant fermement à la terre ferme. Si l'on considère que *« la mise en valeur de l'espace canadien est un peu assimilable à une gigantesque bataille du rail* » (Henri Rougier, *in Encyclopaedia Universalis*), Montréal a été l'une des étapes majeures de cette guerre menée pour rentabiliser et inclure dans le commerce international des céréales la profusion de terres agricoles du pays.

Seul l'avion a échappé à la métropole : Toronto est la plaque tournante du pays, son trafic dépassant celui des aéroports de Montréal, Vancouver et Calgary réunies. Dérive inquiétante, qui laisse la ville en dehors de l'énorme expansion du trafic aérien, aujourd'hui essentiel pour l'avenir des zones urbaines.

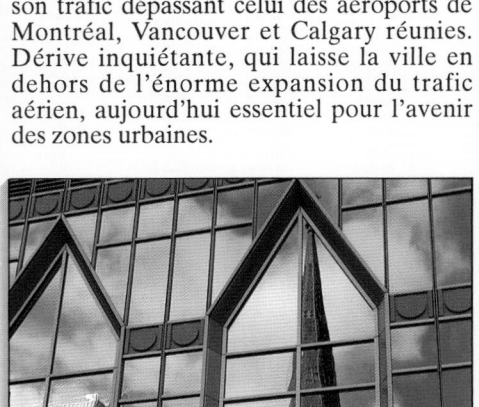

Trois villes en une

Au fur et à mesure qu'il se développe, le mouvement d'urbanisation semble « s'auto-générer » inépuisablement... Dans le relatif désert humain qui l'entoure, Montréal tend à concentrer les fonctions industrielles, mais surtout de services, pour la vaste zone qu'elle innerve. Ce phénomène attire les ruraux et les immigrants.

Dans la revue *Historiens et géographes* consacrée à Montréal (septembre-octobre 1991), André-Louis Saguin explique : « *Malgré la signification de l'industrie à Montréal et son importance pour le Canada, seulement 25 % des actifs montréalais tra-*vaillent dans le secteur secondaire tandis que 50 % œuvrent dans les services. En d'autres mots, la moitié des Montréalais travaille l'un pour l'autre.* »

Cette logique d'attraction mise en place, Montréal a explosé hors de ses limites initiales, lesquelles lui avaient été assignées au temps de la Nouvelle-France. Lorsqu'on se trouve sur les docks, là même où débarquaient les immigrants, le regard est irrésistiblement attiré par le mont Royal, une très haute colline verdoyante en été, capuchonnée de neige en hiver. C'est ici, entre le Saint-Laurent et cette « Petite Montagne », que fut fondée la première Montréal, cette ville si adorablement française, avec ses maisons de pierre, ses petites chapelles et ses étroites rues pavées, ses noms rappelant la Nouvelle-France (place d'Armes, Bonaventure, rue Notre-Dame, place des Arts, oratoire Saint-Joseph...)

Le Vieux Montréal reste une cité au charme indéniable, où il fait bon vivre, où la voiture n'est pas la reine incontestée de l'asphalte. Le soir, les Montréalais déambulent dans ses rues animées, sans craindre pour leur portefeuille, fait qui confère à leur ville un caractère d'exception dans le palmarès des grands centres urbains du continent. Terrasses de cafés bondées, croissants à la parisienne, conversations en français n'y ont rien d'exotique.

Tant que dura le régime français, Montréal vécut à l'ombre de la ville de Québec. Ce n'est qu'après la conquête anglaise et l'arrivée des marchands écossais que la ville prit son essor et devint la grande métropole du Canada. De cette ère restent les magnifiques bâtiments victoriens du quartier des affaires où fleurirent les premières grandes entreprises canadiennes du XIXᵉ siècle, et le campus de l'université McGill, l'ancêtre des universités du Canada, dans la rue Sherbrooke. A tel point que les Montréalais qui visitent Londres sont frappés par la ressemblance entre les deux cités, de l'architecture à l'urbanisme en passant par la statuaire.

Une rue, la rue Sherbrooke, marque la limite de cette zone ; cette artère, qui passe devant le mont Royal, selon une orientation « ouest-est », semble se prolonger indéfiniment... Elle coupe le second grand axe de la ville, le boulevard Saint-Laurent (la « Main ») qui, tracé au cordeau, file vers le nord. C'est le long de ces deux voies que la ville a grandi, jusqu'à occuper la majeure partie de l'île de Montréal.

Entre le boulevard Saint-Laurent, la rue Sherbrooke et l'autoroute de Ville-Marie s'est édifié le quartier des affaires : gratte-ciel à l'américaine, en verre fumé ou en béton, qui rappellent, avec le Saint-Laurent en premier plan (bleu à la belle saison, blanc en hiver), la physionomie si typique des villes des Grands Lacs ; mais l'originalité de ce quartier est d'abriter, entre ses fondations, la plus grande ville souterraine du monde où, protégés des rigueurs de l'hiver, s'affairent les Montréalais – des milliers de magasins, deux gares ferroviaires, des

La fracture fondatrice : le problème des deux langues

Montréal est un îlot linguistique dans un continent où la culture anglo-saxonne règne en maître incontesté. Avec plus de 3,1 millions d'habitants, et 70 % de la population qui a le français pour langue maternelle, elle est la deuxième ville francophone du monde après Paris.

Dans ce petit monde qu'est Montréal, les francophones ont leurs quartiers et les anglophones les leurs. La zone francophone s'étend à l'est du boulevard Saint-Laurent, tandis que l'ouest est plutôt anglophone.

dizaines de kilomètres de couloirs souterrains, des jardins d'hiver, des hôtels, des parkings permettent de manger, de dormir et de se distraire.

A ces deux trames urbaines s'en est juxtaposée une troisième, celle grâce à laquelle toutes les villes nord-américaines se sont immensément étendues, les autoroutes permettant l'étalement des banlieues résidentielles. Les deux rives du Saint-Laurent sont désormais submergées par ce que les géographes appellent, en raison de son caractère envahissant, la « flaque urbaine ».

A gauche, l'église du Christ ; ci-dessus, le Montreal Trust Building.

Mais le monde montréalais, s'il juxtapose la carte des langues la nuit, la superpose le jour ! *« Par expérience personnelle d'ancien Montréalais, je dirai que si elles existaient, les cartes du parler nous apprendraient que le français domine maintenant dans le centre souterrain, mais que les gratte-ciel sont encore aux mains de l'anglais »*, dit ainsi André-Louis Saguin.

Montréal est aussi italienne, portugaise, grecque, chinoise, vietnamienne, haïtienne, libanaise et juive (séfarades et ashkénazes y cohabitent en toute sérénité). Citronnelle, feuilles de vigne, *falafels*, oursins, kiwis se côtoient sur les étals et dans les assiettes, avec les pâtes fraîches ou les baguettes parisiennes, sans oublier les « meilleurs *bagels* du monde », ces délicieux petits pains saupoudrés de sésame ou de pavot que l'on savoure tout frais sortis des fours à bois des rues Fairmount et Saint-Viateur.

Un statut unique

Avec près de 7 millions d'habitants, le Québec est la deuxième province du Canada après l'Ontario (9,5 millions).

Dans cette fédération qu'est le Canada, le pouvoir est divisé entre un gouvernement fédéral et 10 provinces. Chaque province, qui possède son parlement, jouit de pou-

L'émancipation des francophones

En 1760, la conquête britannique changea le visage du continent. Soudain privés de leur élite rentrée en France, les Canadiens français se replièrent sur eux-mêmes, sous la protection de la seule institution qui leur restait, l'Église catholique – qui joua longtemps un rôle prépondérant dans le maintien de l'identité culturelle québécoise.

Dans cette région où la terre – et donc la nourriture – était disponible en abondance, les 60 000 Canadiens français de 1763, sous l'influence d'une morale nataliste, sont à l'origine des 6 millions des francophones

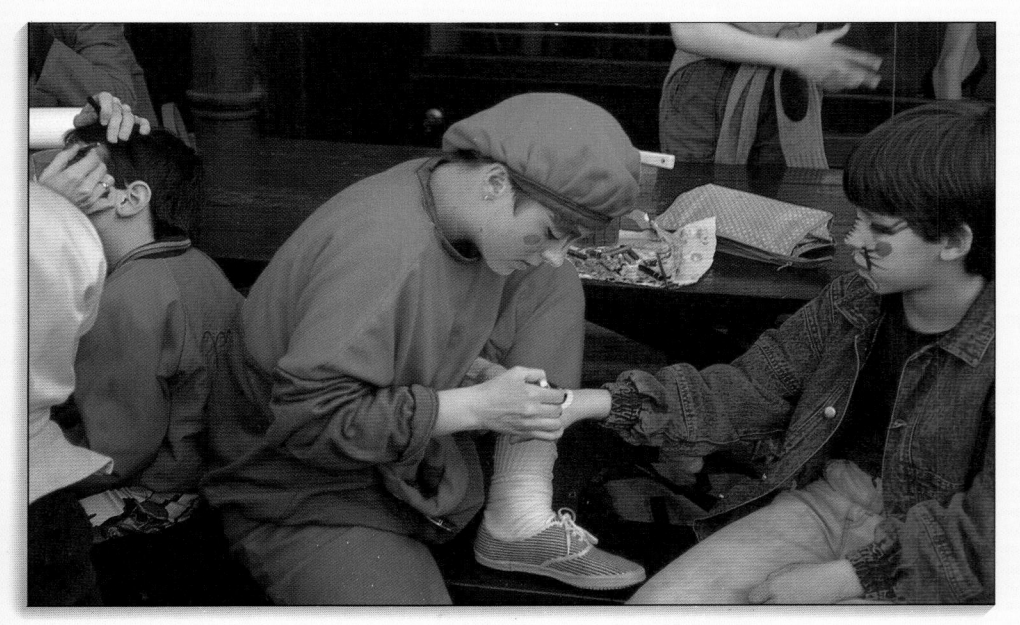

voirs considérables, notamment pour l'éducation, la santé, les affaires sociales et, dans une large mesure, pour l'économie.

Au Québec, unique province où les francophones sont majoritaires, les gouvernements successifs ont, au fil des ans, acquis des pouvoirs spéciaux supplémentaires garantis par des accords signés avec le gouvernement fédéral d'Ottawa.

Ainsi, le Québec est la seule province de la fédération à prélever ses propres impôts et à entretenir à l'étranger un réseau de délégations fonctionnant selon le principe des consulats – si l'indépendance de droit est encore loin, l'indépendance de fait semble proche.

actuels (l'immigration venue de France a été pratiquement nulle). Pendant longtemps, les Canadiens francophones furent sous-éduqués et utilisés comme main-d'œuvre à bon marché.

Mais, à partir de la fin des années 50, les Québécois modernisèrent leur système d'éducation, prirent de plus en plus de responsabilités dans la vie publique et économique, s'émancipant à la fois de la tutelle anglophone et de celle de l'Église.

Jadis dénommée la « ville aux cent clochers », Montréal devint, à partir des années 70, le fer de lance de la Révolution tranquille, ainsi nommée parce qu'elle bouleversa, sans violence, la province et le pays.

Témoignant de ces changements, beaucoup de monastères, couvents et séminaires furent lotis, et de nombreuses églises se virent transformées en centres récréatifs. La traduction politique de cette évolution a cependant été limitée. En 1980, lors d'un référendum, le projet sécessionniste proposé par le gouvernement provincial de René Lévesque ne recueillit que 40 % des voix. Cependant, en 1995, un nouveau projet ne fut rejeté qu'à une très faible majorité. La soif d'autonomie, dans les limites d'une démocratie parlementaire, est donc loin d'être satisfaite. Malgré l'adoption de lois sur la langue par plusieurs gouvernements provinciaux, qui imposent le français comme seule langue des panneaux d'affichage, de nombreux francophones sont hantés par la peur de l'assimilation, d'autant que le taux de natalité du Québec est l'un des plus bas du monde.

Conséquence ? Lors de l'été 1996, le gouvernement provincial apporta des amendements à la Charte de la langue française, vieille de dix-neuf ans, rétablissant notamment la Commission de protection de la langue française. Ces batailles juridico-politiques rappellent que Montréal reste une ville où les tensions sont vivaces, des tensions non pas raciales mais linguistiques, plus souvent potentielles que réelles, et que les Montréalais apprivoisent, jour après jour, en jonglant avec l'art, maîtrisé depuis longtemps, du compromis.

L'anglais contre le français

Au Québec, comme au Canada, les deux langues officielles sont le français et l'anglais. Cependant, l'importante minorité anglophone (15 % de la population, soit 500 000 personnes) bénéficie d'un réseau étendu d'écoles, d'universités et d'hôpitaux anglophones (à la charge des contribuables) – il est donc tout à fait possible de vivre à Montréal en ne parlant que l'anglais.

Quant aux 15 % d'allophones, immigrés plus ou moins récents, ils se sont intégrés au fil des ans à l'un des deux grands groupes linguistiques, le plus souvent à celui des anglophones, si puissante est l'attraction de l'anglais. D'une manière générale, la plupart des immigrants préfèrent s'installer à

A gauche et à droite, lors d'un des nombreux festivals de Montréal.

Montréal ou dans les environs, faisant de cette métropole et de sa région un îlot bilingue en terre québécoise.

Côte à côte mais jamais ensemble

Anglophones et francophones : si la coexistence a presque toujours été pacifique, bien qu'elle a eu son lot de violence et de terrorisme, notamment dans les années 60, les communautés francophones et anglophones, les *« deux solitudes »* du romancier canadien Hugh MacLennan, ont évolué dans leur propre direction, créant deux sociétés parallèles.

Elles ont grandi côte à côte sans jamais se mélanger, possèdent leurs écoles, leurs collèges, leurs universités, leurs hôpitaux, leurs journaux, leurs romanciers, leurs théâtres, leurs chanteurs (comme Leonard Cohen pour l'une, Robert Charlebois pour l'autre), leurs cafés, leurs communautés d'affaires, leurs prolétariats et leurs bourgeoisies. Une minorité seulement des mariages est mixte, et, dans ces couples, une des deux langues prend généralement le pas sur l'autre. Et, même si les Montréalais sont pour la plupart bilingues, leurs réseaux d'amis et leurs activités ne couvrent généralement pas les deux communautés. Même les noctambules vivent en parallèle. Les anglophones se retrouvent dans les pubs et discothèques des rues Crescent et Bishop, alors que les francophones hantent les terrasses de cafés et les bistrots de la rue Saint-Denis.

Cependant, ces pôles sont loin d'être des ghettos et de nombreux Montréalais aiment à l'occasion se promener de « l'autre côté », touristes d'une nuit dans leur propre ville, le temps d'un verre ou d'une sortie en discothèque. Francophones et anglophones se rencontrent au travail, dans le cadre de leurs affaires, dans le métro ou au centre Molson où ils encouragent avec le même enthousiasme « leur » équipe de hockey, les Canadiens de Montréal, où les joueurs fran-

une minorité. Les anglophones, majoritaires au Canada, sont minoritaires au Québec et voient leur nombre diminuer, jusqu'à craindre pour la survie de leurs institutions. Les francophones, majoritaires au Québec, sont minoritaires en Amérique du Nord, et estiment leur langue de plus en plus menacée.

Si français...

Si l'expansion économique de la ville a été stimulée par une « éthique » des affaires très imprégnée de protestantisme, l'influence française, elle, a marqué le style de

cophones ont longtemps régné en maîtres incontestés.

Cette division mine évidemment le potentiel culturel de Montréal, et les malentendus engendrés par l'ignorance de l'autre attisent les tensions linguistiques. Le français, longtemps considéré comme la « langue des paysans », domine depuis le début des années 70. Une partie des anglophones refuse cette évolution; de leur côté, les francophones n'ont pas oublié les brimades du passé. Pour attirer à elles les nouveaux immigrés, les deux communautés se battent, en brandissant les armes de la loi et de l'administration. Paradoxalement, chacune des communautés se perçoit comme

vie montréalais. Quand, à Toronto la rigoriste, les bars ferment à 2 h, les bars montréalais restent ouverts jusqu'à 3 h.

Les Montréalaises ont la réputation d'être les femmes les plus élégantes de l'Amérique du Nord. Les francophones, hommes comme femmes, consacrent plus d'argent aux vêtements et à la décoration de leurs intérieurs que toutes les communautés du continent. En témoigne le nombre d'importateurs de meubles milanais installés à Montréal, nettement supérieur à celui de New York.

Montréal est la seule ville d'Amérique où la cuisine française n'est pas réservée à une sortie particulière, mais fait partie de la vie quotidienne. Lorsque les Montréalais invitent, le repas à cinq composantes sera toujours accompagné d'un vin, généralement importé de France ou d'Amérique du Sud – le vin canadien étant encore peu prisé.

... et si canadiens

Les petits pays sont certainement moins ethnocentriques que les grandes puissances, et cela est vrai du Canada. L'élite montréalaise a toujours été l'une des plus cosmopolites du monde, bien avant l'apparition de la notion de « village global ». Elle lit *Le Nouvel Observateur* et le *New Yorker*,

bénéficie d'une chaîne diffusant les meilleures émissions de France, de Belgique et de Suisse.

Avec ses quatre universités (deux françaises et deux anglaises), ses quatre quotidiens (trois français et un anglais), ses trois hebdomadaires (un français et deux anglais), avec sa littérature, de la prose mordante d'un Mordecai Richler (anglophone) au lyrisme d'un Réjean Ducharme, avec son théâtre d'avant-garde provocateur et sa vibrante industrie du film qui récolte régulièrement des prix, Montréal est une ville « de culture ». Les Québécois francophones se montrent réticents vis-à-vis des

Marguerite Yourcenar, Milan Kundera et Tom Wolfe, avec l'ouverture d'esprit qui découle de la pratique de deux langues et de plusieurs cultures.

Peut-on parler de deux cultures, ou d'une sorte de biculture ? Les films américains et européens sortent sur les écrans en même temps qu'à New York. La télévision compte deux chaînes publiques en français et deux en anglais, deux chaînes privées en français et une en anglais ; le téléphile anglophone peut capter tous les grands réseaux américains, mais son homologue francophone

A gauche, enseigne d'une librairie alternative ; ci-dessous, la rue Saint-Denis en hiver.

importations américaines – Montréal est l'une des rares villes du monde où, dans les années 80, Dallas ne trônait pas en tête des séries télévisées les plus populaires. Ici, les émissions aux plus forts taux d'écoute sont produites sur place.

Cette créativité, dont les racines plongent dans les bouillonnements de la Révolution tranquille, est rendue possible par l'engagement des gouvernements québécois et canadien en faveur du film et des arts. Cette effervescence est également due au fait que les francophones, isolés par la langue, mais trop nord-américains pour ne dépendre que de la France, ont dû créer leurs propres références.

LES GRANDES DATES

Vers l'an 0. Traces d'occupation amérindienne sur l'île de Montréal.

Jusqu'au XVIᵉ siècle. Apparition d'un village onnontagué sur le site de Montréal.

1534. Premier voyage de Jacques Cartier.

1535-36. Deuxième voyage de Cartier qui remonte le Saint-Laurent jusqu'à Hochelaga. Il appelle la montagne au-dessus de l'agglomération le mont Royal.

1541-42. Troisième voyage de Cartier, accompagné de colons et de bétail. Fondation de Charles-Bourg.

1604. Fondation de Port-Royal en Acadie.

1608. Samuel de Champlain fonde Québec.

1611. Champlain explore les environs du mont Royal et défriche la place Royale.

1612. Champlain est nommé lieutenant de la Nouvelle-France.

1614. Fondation de la Compagnie des Marchands qui obtient le monopole de la traite des fourrures en Nouvelle-France.

1615. Arrivée des récollets. La première messe catholique en Amérique du Nord est célébrée sur l'île de Montréal.

1620. La Compagnie de Caen obtient le monopole de la traite des fourrures.

1625. Arrivée des jésuites.

1627. Abolition de la Compagnie de Caen et création de celle des Cent-Associés par Richelieu. Colonisation de la Nouvelle-France réservée aux seuls catholiques.

1629. Québec aux mains des Anglais.

1632. Par le traité de Saint-Germain-en-Laye, la France récupère la Nouvelle-France et l'Acadie.

1640. La Compagnie des Cent-Associés cède l'île de Montréal à la « Société de Notre-Dame de Montréal pour la conversion des sauvages ».

1642. Fondation de Ville-Marie par Paul Chomedey de Maisonneuve.

1644. Fondation de l'Hôtel-Dieu.

1645. La Communauté des Habitants obtient le monopole de commerce de la compagnie des Cent-Associés.

1657. Arrivée des sulpiciens à Ville-Marie.

1658. Création de la première école et fondation de la Congrégation de Notre-Dame.

1672. Création des premières rues par Dollier de Casson.

1689-97. Première guerre avec les colonies britanniques.

1701-13. Deuxième guerre intercoloniale.

1716. Fortification de Montréal.

1754-63. Troisième guerre anglo-française. Victoire française de Fort Necessity.

1759. Victoire du général Wolfe sur les troupes du marquis de Montcalm lors de la bataille des Plaines d'Abraham, à Québec.

1760. Signature de la reddition de la Nouvelle-France à Montréal.

1763. Par le traité de Paris, la France cède le Canada à l'Angleterre.

1774. Octroi de l'acte de Québec : agrandissement des territoires de la province de Québec, liberté de religion, rétablissement des lois civiles françaises, reconnaissance de la langue française, possibilité pour les Canadiens français de faire partie du gouvernement civil de la province.

1775. Début de la guerre d'indépendance américaine. Tentative d'invasion de Québec par les Américains.

1776. Les Américains tentent sans succès de convaincre les Canadiens français d'adhérer à la cause de leur révolution.

1778. Première parution de la *Gazette littéraire* de Montréal.

1792. Premières élections législatives au Bas-Canada.

1812-1814. Guerre anglo-américaine. Les Américains tentent, en vain, d'envahir le Haut-Canada. Victoire de Salaberry à la bataille de Châteauguay.

1817. Fondation de la Banque de Montréal.

1824. Inauguration du canal de Lachine.

1829. Fondation de l'université McGill.

1832. Auto-administration de Montréal.

1833. Élection de Jacques Viger, premier maire de Montréal. Choix par la ville de ses armes et de sa devise (*Concordia salus*).

1834. Présentation à l'assemblée des 92 résolutions du Parti patriote dénonçant les griefs de la population francophone.

1837-38. Rébellion des Patriotes. Louis-Joseph Papineau condamné à l'exil.

1840. Acte d'union : le Haut et le Bas-Canada forment désormais la province du Canada, ou Canada-Uni.

1849. Émeutes à la suite de la loi d'indemnité aux sinistrés de 1837-38. Incendie du parlement.

1852. Montréal détruit par le Grand Feu.

1859. Construction du nouvel Hôtel-Dieu.

1856. La loi rendant les maires éligibles au suffrage universel bloquée par la Couronne.

1861. Apparition des premiers tramways à Montréal.

1867. Nouvelle constitution canadienne réunissant le Nouveau-Brunswick, la Nouvelle-Écosse, l'Ontario et le Québec. Pierre Joseph Olivier Chauveau devient le Premier ministre du Québec.
1874. Création de la Bourse de Montréal.
1884. Fondation à Montréal du journal *La Presse*.
1886. Départ du premier train transcontinental reliant Montréal à Vancouver.
1889. Première automobile à Montréal.
1917. L'opposition des Canadiens français à la conscription provoque des émeutes.
1929. Le crash de la Bourse et la Grande Dépression affectent la ville. Inauguration

du pont sur le Saint-Laurent, baptisé pont Jacques-Cartier en 1934.
1940. Le droit de vote est accordé aux Québécoises.
1942. Lors d'un plébiscite, le Québec s'oppose à 71,2 % à la circonscription, alors que les huit autres provinces se montrent favorables à 80 %. Camillien Houde, maire de Montréal, est interné sans procès dans un camp de prisonniers jusqu'en 1944 pour s'être opposé à la circonscription.
1954. Élection de Jean Drapeau à la mairie de Montréal.

Pages précédentes : le port de Montréal au XIXᵉ siècle.

1959. Inauguration de la voie maritime du Saint-Laurent.
1960. Le Parti libéral, dirigé par Jean Lesage, est porté au pouvoir. Commencement de la Révolution tranquille.
1962. Début de la construction du métro.
1963. Premiers actes de violence du Front de libération du Québec (FLQ). Entre 1963 et 1968, le FLQ revendique de nombreux attentats à la bombe et attaques à main armée dans la région de Montréal.
1967. Montréal accueille Expo 67 que visiteront plus de 50 millions de personnes. Du balcon de l'hôtel de ville de Montréal, de Gaulle lance « Vive le Québec libre ».
1970. Lors de la crise d'octobre, le FLQ enlève l'attaché commercial britannique à Montréal, James Cross, et le ministre du Travail, Pierre Laporte. Laporte est assassiné et Cross relâché une fois la garantie obtenue par les kidnappeurs qu'ils pourront s'enfuir à Cuba.
1976. Victoire du Parti québécois de René Lévesque aux élections provinciales. Jeux Olympiques d'été à Montréal.
1980. 60 % de non au référendum demandant aux populations d'accorder au gouvernement provincial mandat pour entreprendre des négociations devant mener à la souveraineté-association pour le Québec.
1985. Démission de René Lévesque après la victoire du Parti libéral.
1987. Rédaction d'une entente de principe sur les conditions posées par le Québec pour signer la loi constitutionnelle d'avril 1982. Signature, au lac Meech, de l'accord reconnaissant au Québec le statut de société distincte par le Premier ministre, Brian Mulroney et les dix Premiers ministres provinciaux.
1990. Le Manitoba et Terre-Neuve refusent de ratifier l'accord du lac Meech.
1993. Le Bloc québécois, séparatiste, dirigé par Lucien Bouchard, devient le parti officiel d'opposition au Parlement fédéral.
1994. Robert Bourassa cède les rênes du Parti libéral à Daniel Johnson. Victoire du Parti québécois de Jacques Parizeau aux élections générales du Québec.
1995. Référendum sur la souveraineté du Québec : 50,6 % de non. Parizeau démissionne. Jean Chrétien promet des réformes. Adoption d'une motion sur la société distincte du Québec.
1996. Lucien Bouchard reprend la tête du Parti québécois.

DES INDIENS AUX FRANÇAIS

Environ 40 000 ans avant Jacques Cartier, des peuplades venues d'Asie découvrirent l'Amérique en empruntant le détroit de Béring, alors émergé. De là, elles auraient suivi vers le sud un passage entre le glacier qui recouvrait les montagnes rocheuses et celui qui s'étendait vers l'ouest, jusqu'à l'océan Atlantique, avant de se répartir sur tout le continent. Vers 8 000 av. J.-C., le climat se radoucit et elles occupèrent les terres laissées libres par le retrait des glaces.

C'est ainsi que les Iroquois (ou Iroquoiens) – les Onondagas, les Cayugas, les Senecas, les Mohawks, les Oneidas –, les Hurons et les Algonquins (ou Algonquiens) – les Montagnais, les Micmacs, les Cris et les Ouatais – s'installèrent dans le nord-ouest du continent. Le domaine boréal et arctique fut occupé par les Inuits (« les hommes »). Au sud s'implantèrent quelques groupes sioux. Vers 1570, les tribus iroquoises, dont les rapports intertribaux avaient été jusqu'alors fondés sur la loi du talion et la vendetta, s'unirent dans une ligue, dirigée par un conseil d'une cinquantaine de membres.

Ces communautés possédaient certaines valeurs spirituelles, comme la croyance en un monde peuplé d'esprits et dominé par un créateur suprême – le Maître de la vie, chez les Iroquois. Les cérémonies étaient dirigées par les chamans, qui présidaient aux sacrifices – ceux-ci pouvant être pratiqués, chez les Iroquois, sur des prisonniers de guerre – et entraient en transe. Tous les Indiens croyaient en une force spirituelle (appelée *orenda* par les Iroquois, *wakanda* par les Sioux), contenue dans toute chose, et que chacun pouvait accumuler ou perdre. Les Amérindiens considéraient que des esprits mauvais étaient à l'origine de la plupart des maladies : l'une des cérémonies de guérison les plus spectaculaires était pratiquée par les Iroquois, chez lesquels une « Société des visages faux » intervenait avec des masques hideux, censés tromper les esprits et les forcer à quitter le corps du malade.

A gauche, le lac des Deux-Montagnes; à droite, Samuel Champlain, le père fondateur de Montréal, en 1611.

Algonquins et Iroquois

Les Iroquois croyaient, en plus des esprits et dieux communs à la plupart des peuples amérindiens, à trois déesses, les « Trois Sœurs », respectivement nommées « Maïs », « Courge » et « Haricot ».

Ces figures féminines protégeaient une société où l'ascendance maternelle – et non paternelle – transmettait le nom et les privilèges et où le mari venait, le jour du mariage, habiter chez sa femme. Elles témoignent aussi de l'importance de l'agriculture chez ces semi-sédentaires, qui cultivaient la terre sur les berges du fleuve

Saint-Laurent. Les familles vivaient, au nombre d'une dizaine à une vingtaine, dans les « longues maisons » (de 15 à 30 m), constructions en écorce d'orme maintenues par une charpente de pieux et regroupées en villages ronds entourés de palissades. Ces bâtisses étaient déplacées tous les quinze ans environ, en fonction de l'épuisement des sols. Les Iroquois, restés des chasseurs, traquaient l'orignal, le caribou, le cerf de Virginie, qui leur fournissaient viande et peau.

Chez les Algonquins, le gibier venait en premier dans le régime alimentaire, suivi par le poisson, le maïs, les fruits sauvages et le sirop d'érable. Leurs habitations étaient carrées avec un toit en écorce d'orme, ou coniques et couvertes de chaume. Les groupes algonquins se retrouvaient brièvement en été pour pratiquer le troc et célébrer des fêtes communautaires.

L'arrivée des Européens

Les Vikings auraient abordé les côtes du Labrador et de Terre-Neuve dès le Xe siècle. Ces Scandinaves, à l'apogée de leur puissance et de leur technique navale, surent profiter des distances relativement réduites entre l'Islande, le Groenland et l'Arctique canadien, et d'un radoucissement du climat.

Mais la faiblesse économique et démographique des zones de départ – une quinzaine de milliers de personnes réparties de l'Islande au Groenland – ne permettait pas de soutenir un effort de colonisation durable. Enfin, le retour du froid provoqua l'abandon des bases groenlandaises et la fermeture des voies maritimes.

En 1453, la prise de Constantinople par les Turcs multiplia les intermédiaires commerciaux sur les routes des épices, poussant les pays européens à chercher de nouvelles voies maritimes vers les Indes. La technique navale européenne entrait alors dans son âge d'or : l'invention de la boussole, du gouvernail d'étambot, l'association de la voile carrée et de la voile latine (afin de permettre la remontée au vent) rendaient possible le voyage au long cours et permettaient d'éviter le saut de terre à terre, qui avait caractérisé la progression scandinave. Ce summum de la construction navale que représentait la caravelle permit à l'Espagne et au Portugal de se tailler, à la fin du XVe siècle, des empires en Amérique centrale, du Sud, et de multiplier les comptoirs commerciaux le long des côtes africaines, indiennes et indonésiennes. L'Amérique du Nord, délaissée par les Hispaniques, fut explorée par la France, l'Angleterre et les Provinces-Unies (actuels Pays-Bas).

Cabot (1497), au service de l'Angleterre, Verrazano (1524), au service de la France, ouvrirent la voie aux pêcheurs bretons, basques et portugais, qui cherchaient de nouveaux sites de pêche pour nourrir l'Europe affamée. Ces derniers découvrirent ainsi les immenses bancs de morue qui fréquentent les eaux au large de Terre-Neuve. Si la plupart pratiquaient la pêche verte, c'est-à-dire la salaison des poissons à bord, certains travaillaient selon les procédés de la pêche sèche et construisaient des séchoirs à terre. Ainsi furent créées les premières installations européennes, qui n'étaient que semi-permanentes, et furent noués les premiers contacts avec les Amérindiens. Contacts souvent fatals puisque, préservés par l'isolement des épidémies qui ravageaient périodiquement l'Eurasie, les Indiens ne purent résister aux maladies transmises par les Européens, notamment la grippe, la variole et la tuberculose. Une cinquantaine d'années plus tard, les Iroquois avaient pratiquement disparu des basses terres du Saint-Laurent.

Jacques Cartier

En 1534, Jacques Cartier fut chargé par François Ier de « découvrir les îles et pays où on dit que l'or abonde », ainsi qu'une route septentrionale vers l'Asie.

Après avoir contourné Terre-Neuve par le nord, il dépassa les îles de la Madeleine et s'engagea dans la baie des Chaleurs, espérant y découvrir un passage vers l'Ouest et le Pacifique. Déçu, il longea la côte vers le nord et pénétra dans la baie de Gaspé (qui a donné son nom à la Gaspésie) où il prit possession du territoire. Il remonta ensuite le Saint-Laurent.

Sur l'île de Bacchus (aujourd'hui l'île d'Orléans), il rencontra Donnacona, chef iroquois de territoires nommés « Canada » (terme qui signifie « village » ou « groupe de cabanes »), et dont la capitale, Stadaconé, était située à Cap-aux-Diamants (lieu dit qui deviendra le site de la ville actuelle de Québec). Il rentra en France avec les deux fils du chef indien.

La découverte de Montréal

Cartier revint au Canada dès 1535. Averti par ses guides de l'existence d'un village en amont, il appareilla, malgré les réticences

tagués lui montrèrent les impressionnants rapides qui empêchaient toute remontée en amont.

La troisième expédition dut attendre une trêve dans la guerre que se livraient Charles Quint et François Ier. Si elle fut confiée à un proche du roi, Jean-François de La Rocque de Roberval, ce sont les cinq navires chargés d'hommes et de bétail et commandés par Jacques Cartier qui arrivèrent les premiers au Canada, en 1541.

Inquiet de la réaction des Indiens à l'annonce de la mort en France de leur chef Donnacona, Cartier établit un fortin, à peu de distance en amont du site où il avait

de Donnacona, qui voulait être le seul à rester en relation avec les Français.

C'est ainsi qu'il découvrit, sur ce que l'on nomme aujourd'hui l'île de Montréal, le village de Hochelaga (« lieu du castor »), composé d'une cinquantaine de grandes maisons communes entourées d'une palissade circulaire. Il y fut accueilli avec chaleur par des Iroquois de la nation onontagué.

Du haut d'une éminence, que Cartier baptisa mont Royal en l'honneur de son roi (et qui deviendra mont Réal), les Onon-

A gauche, Montréal en hiver; ci-dessus, groupe de cabanes indiennes, avec la ville européenne en arrière-plan.

hiverné lors de son précédent voyage, et qu'il nomma Charlesbourg-Royal. Mais les relations avec les Iroquois s'envenimèrent rapidement et, malgré les efforts de Cartier et de Roberval, il fallut rapatrier d'urgence les colons.

A leur retour, une autre déconvenue attendait les rescapés : Cartier présenta au roi de France ce qu'il croyait être des diamants et de l'or mais qui, une fois examiné, se révéla n'être que du mica et de la pyrite de fer.

Cela déclencha la risée des milieux cultivés parisiens, et notamment de la cour, qui inventèrent aussitôt l'expression *« faux comme un diamant du Canada »*.

Du succès de la fourrure...

La traite de fourrure modifia l'histoire de l'Amérique du Nord en permettant à la Nouvelle-France de prendre son essor.

Les fourrures furent d'abord ramenées en France en petites quantités par les pêcheurs de morue qui, pratiquant la pêche sèche, employaient des Indiens pour traiter et conditionner le poisson. Ces autochtones – dont certains avaient appris le français et le basque – échangeaient des peaux, notamment de castor, contre des produits européens – chaudrons de cuivre, haches, couteaux et perles en verre.

COURREUR DE BOIS.

La fourrure connut un succès immédiat en Europe, où on le transformait en feutre pour les chapeaux. Des trafiquants débarquèrent. Bientôt, ce commerce, d'abord simple activité de troc, devint une véritable industrie.

Mais, pour s'assurer un approvisionnement régulier, les Français durent conclure des alliances avec les Amérindiens et furent entraînés dans les luttes intertribales. Alliés aux Montagnais, aux Algonquins et à la confédération huronne, ils durent faire face aux redoutables Iroquois, refoulés après des guerres meurtrières aux sources de la rivière Richelieu et dans la région des Grands Lacs.

... aux débuts de la colonisation

La réussite de la traite de la fourrure ne tarda pas à attirer l'attention du pouvoir royal sur la Nouvelle-France. Cependant, il fallut attendre la signature de l'édit de Nantes, en 1598, pour que la France pacifiée retrouve les moyens financiers et la volonté politique d'une ambition nord-américaine – les échecs au Brésil (1555) et en Floride (1564) détournant, au moins temporairement, les colonisateurs des Tropiques.

Dès 1604, les efforts de colonisation se portèrent sur l'Acadie où Pierre du Gha de Monts, nommé lieutenant général de la Nouvelle-France, créa un premier village ; mais il fallut bientôt l'abandonner pour un second, Port-Royal, également implanté sur la côte, et fondé par Samuel de Champlain, principal collaborateur de du Gha de Monts.

Selon une tradition remontant au Moyen Age, des monopoles étaient concédés par le roi à des compagnies commerciales « à charte », pour l'exploitation ou la commercialisation d'une ressource outre-mer. Comme dans les sociétés anonymes, les participants y investissaient leurs fonds en commun ; mais, à la différence de ces dernières, les compagnies bénéficiaient d'une véritable « délégation de souveraineté », consistant en un monopole commercial et en des privilèges territoriaux (des régions entières devenaient leur propriété) et fiscaux (exemption de certains droits d'entrée et de sortie des biens). En contrepartie, on pouvait leur demander de peupler leurs territoires, d'y entretenir les troupes, d'y bâtir des forts et d'y rendre la justice. Armateurs, marchands et fonctionnaires s'y associaient avec des nobles (lesquels, s'ils ne pouvaient commercer sans déroger, pouvaient acquérir des parts de compagnies).

Du Gha de Monts fonda la première compagnie à charte de la Nouvelle-France pour la traite de la fourrure, avant de se voir retirer le monopole dès 1607, puis de le reprendre en 1608. La même année, à la recherche de nouvelles fourrures, Champlain remonta le Saint-Laurent et construisit, le 3 juillet, un petit poste à Kebec (« l'endroit où la rivière se rétrécit », en amérindien), où il installa 28 colons.

Le premier hiver dans l'« Abitation » fut terrible : Champlain vit périr 16 de ses hommes, emportés par le scorbut. Les autres tentatives de colonisation demeurèrent vaines, comme celle menée dans la région de Tadoussac par le Normand Pierre de Chauvin auquel, en 1600, Henri IV concéda un monopole pour la fourrure.

Il ne demeura de cette tentative qu'une alliance établie avec les Montagnais locaux, sur un chemin stratégique pour la traite. De son côté, Samuel Champlain signa un pacte avec les Etchemins, les Montagnais et les Algonquins.

Il se trouva alors engagé dans de nouvelles guerres contre la fédération iroquoise, qui contrôlait un immense territoire. Les combats le menèrent le long de la rivière des Iroquois (aujourd'hui rivière

Les aléas de la colonisation

Comme la route de la fourrure, qui passait par l'Acadie, était mise en danger par les Anglais, il devint nécessaire de la déplacer plus au nord.

Champlain, gouverneur de fait (mais non de titre) de la Nouvelle-France, décida de construire, avec une poignée de colons, un avant-poste le plus loin possible sur le fleuve Saint-Laurent, en aval des énormes rapides qui avaient arrêté Cartier, là même où se dressait jadis le village amérindien de Hochelaga – déserté depuis quelques décennies par ses 1 500 habitants.

Richelieu) jusqu'au lac qui porte son nom, où il remporta avec ses alliés indiens la victoire de Ticonderoga.

Une deuxième victoire renforça les liens avec les Montagnais du Saint-Laurent, les Algonquins de la rivière des Outaouais et les Hurons des Grands Lacs. Avec ces tribus, les Français contrôlaient un territoire immense, représentant un capital de fourrures dont on pouvait penser qu'il ne serait pas épuisé avant plusieurs décennies.

A gauche, l'un de ces innombrables trappeurs, ou « courreux » des bois, qui décimèrent la faune de la région ; ci-dessus, trappeurs préparant leur repas.

Il nomma l'endroit l'île de Montréal, dont le nom apparut pour la première fois sur une carte en 1612. Il fit défricher la forêt et créa une « place Royale ». Mais ni les marchands locaux, ni le roi, ni les milieux économiques métropolitains ne voyaient l'intérêt d'investir dans la création d'un village aussi éloigné de Québec, et Champlain dut bientôt abandonner.

A partir de 1615, quatre franciscains réformés de l'ordre des récollets s'installèrent à Québec et tentèrent, sans succès, d'évangéliser les Indiens du Saint-Laurent ; les jésuites, qui arrivèrent en 1625, eurent quelques martyrs mais ne firent guère de chrétiens. Deux décennies après sa création, Québec restait un poste de traite. En même temps, les bénéficiaires du monopole de la traite se succédaient rapidement et échouaient tout aussi vite : après la Compagnie de du Gha de Monts, il y eut la Compagnie des marchands, suivie par la Compagnie de Canada – fondée en 1614 par des marchands de Rouen et de Saint-Malo –, puis la Compagnie de Caen (1620).

Une vraie politique de colonisation pour le Canada

La Compagnie des Cent-Associés fut créée en 1627 par Richelieu, désireux d'accroître

En 1628, la flottille envoyée par la compagnie fut interceptée par les Anglais, qui occupèrent l'année suivante Port-Royal et Québec, qu'ils ne rendirent à la France qu'en 1632. En 1633, Champlain regagna le Canada et fit reconstruire l'« Abitation » à Québec. L'année suivante, arrivèrent les premières familles de colons. Champlain s'éteignit en 1635.

La création de Ville-Marie

Les Hollandais voulurent, à la suite des Anglais, agrandir leurs territoires au détriment de la Nouvelle-France. Ils équipèrent

la puissance de la France coloniale. Elle jouissait d'une seigneurie sur laquelle elle avait l'obligation d'amener, avant l'année 1643, 4 000 colons. Pour la première fois, la Nouvelle-France était considérée comme un territoire à peupler.

Mais, la même année, le roi réserva le peuplement de la Nouvelle-France aux seuls catholiques (quelques protestants furent néanmoins tolérés). C'est pourquoi le Canada ne fut jamais un refuge religieux, à la différence des colonies britanniques et hollandaises voisines où, pour cette raison, le nombre de colons augmentait rapidement, et qui devenaient de plus en plus menaçantes.

les Iroquois d'arquebuses et les lancèrent contre les Français. Ceux-ci durent fortifier leurs postes et villages, et établirent quelques fortins en bois le long du Saint-Laurent.

Cependant, le Canada était de mieux en mieux connu en France, grâce aux *Relations* des jésuites, qui décrivaient scrupuleusement leurs missions. Il attira un groupe de catholiques qui y voyait le lieu idéal pour réaliser son rêve d'une société authentiquement catholique. En 1639, alors que la Contre-Réforme battait son plein en Europe, Jérôme Le Royer de La Dauversière, les barons de Fancamp et de Renty et l'abbé Jean-Jacques Olier, futur fondateur de la Congrégation de Saint-Sulpice, formèrent la « Société de Notre-Dame de Montréal pour la conversion des sauvages », dont le but était de rassembler les Amérindiens dans l'île de Montréal.

Dès l'année suivante, la Compagnie des Cent-Associés céda l'île à la Société de Notre-Dame. Celle-ci confia la fondation de Ville-Marie à un laïc à la réputation de dévot, Paul Chomedey de Maisonneuve. Malgré le gouverneur, qui jugeait l'entreprise risquée, Maisonneuve et 54 personnes – dont 4 femmes – s'installèrent dans l'île en mai 1642. En décembre 1642, de terribles inondations faillirent emporter Ville-Marie,

rent à partir de 1645, année où Jeanne Mance créa l'Hôtel-Dieu. En 1658, Marguerite Bourgeoys fonda une école pour les jeunes Françaises et les jeunes Indiennes. En 1653, les sulpiciens remplacèrent les jésuites.

Ville-Marie, quoique presque uniquement fondée dans des desseins apostoliques – fait unique dans l'histoire de la Nouvelle-France –, était idéalement située sur les routes de la fourrure, même si la proximité des Iroquois en faisait « *l'avant-poste le plus périlleux de la Nouvelle-France* ». Réputation non usurpée, puisque, entre 1643 et 1650, ces Indiens tuèrent plus de 50 colons dans une communauté qui en

miraculeusement épargnée. En action de grâce, Maisonneuve fit ériger quelques mois plus tard une croix au sommet du mont Royal. Mais les céréales apportées d'Europe refusaient de s'acclimater et, à chaque fonte des neiges, les inondations ruinaient les efforts des colons.

Le temps de la fondation

Les ordres religieux, qui joueront un rôle primordial dans la vie de la cité, s'installè-

A gauche, Montréal en 1791 ; ci-dessus, Paul de Chomedey de Maisonneuve avec ses collaborateurs.

comptait moins de 150. En 1645, la Compagnie des Cent-Associés, acculée à la faillite, céda son monopole à la première société coloniale de la Nouvelle-France, la Communauté des Habitants, qui devait verser au trésor royal 1 000 livres par an en fourrures de castor, pourvoir aux dépenses administratives et faire venir 20 personnes chaque année – les « Habitants » étaient le nom que les colons définitivement installés au Canada s'étaient donné, par opposition aux fonctionnaires, aux militaires et aux trafiquants de passage.

En 1651, les réseaux de la traite furent bouleversés une nouvelle fois : les Iroquois, à la recherche de nouveaux territoires de chasse, attaquèrent et détruisirent le pays des Hurons – la Huronie, à proximité des Grands Lacs – qui détenait le monopole local de ce commerce. Les Français, qui avaient conclu de nouvelles alliances avec les Outaouais voisins, durent repartir en guerre. En 1660, Adam Dollard des Ormeaux et 16 de ses compagnons furent massacrés, lors d'une attaque indienne peut-être liée à une tentative de vol de fourrures par les Européens.

La réorganisation de la Nouvelle-France

En 1663, Louis XIV prit officiellement possession de toutes les terres canadiennes et retira leur monopole et leurs privilèges aux compagnies de traite des fourrures.

Le roi réorganisa également les seigneuries et décida que leurs titulaires, dès qu'ils failliraient à leurs obligations, seraient déchus de leurs privilèges. L'île de Montréal fut partagée entre plusieurs seigneurs. Chacun avait l'obligation de peupler son domaine et le répartissait entre les colons. A cet effet, il le divisait en morceaux longs et étroits, appelés « rangs » (cf p. 56), alignés le long du fleuve Saint-Laurent (ou de tout autre cours d'eau) – cette ancienne division est toujours visible au Québec. Dans un pays où la voie d'eau était la meilleure des routes, il fallait en effet que chaque Habitant ait accès à une rivière. Pour un loyer nominal d'« *un demi-sou plus une pinte de blé par acre* », chaque Habitant disposait d'une parcelle sur laquelle il construisait sa demeure et créait un chemin. Le seigneur se réservait un terrain au centre de son domaine où il faisait construire un moulin, ainsi qu'un manoir où les censitaires venaient payer leur dû. Ainsi se multiplièrent, aux alentours de Montréal, les belles demeures en pierre.

Louis XIV dota la Nouvelle-France d'un gouvernement à deux têtes : les activités militaires et les affaires extérieures dépendaient du gouverneur ; la justice, la police et les finances étaient dirigées par l'intendant. Malgré les conflits de prérogatives que ce système engendra, la Nouvelle-France y gagna en organisation. Le gouverneur présidait, avec l'évêque, le Conseil souverain, un parlement colonial inspiré des parlements métropolitains, dont le rôle était de rendre la justice. Louis XIV fit adopter la coutume de Paris par la Nouvelle-France, ainsi dotée d'un corps unique, complet et réputé de lois civiles et criminelles.

Enfin, à Ville-Marie, une milice fut organisée. De son côté, l'Église atteignit, avec ces réformes, l'apogée de sa puissance, devenant un grand propriétaire terrien. Grâce à Colbert et à l'intendant Jean Talon, qui favorisa l'autosuffisance de la colonie, la Nouvelle-France connut, à la fin du XVIIe siècle, une période d'expansion territoriale et économique sans précédent.

Montréal et la traite de fourrure

Montréal prit part à cette prospérité : l'arrivée de troupes françaises, en 1665, entraîna un afflux de richesses, favorable au commerce ; un traité de paix signé en 1701 avec les Iroquois assura au négoce de la fourrure la stabilité qui lui avait manqué.

Vers 1660, des « courreux » des bois, maîtres dans l'art du canotage et du piégeage, partirent négocier directement avec les Indiens ou chasser en forêt. Ces Français, qui s'étaient parfaitement adaptés à la nature canadienne, avaient adopté les coutumes indiennes – et avaient souvent épousé des autochtones. (Rançon de leur assimilation, ils n'étaient pas toujours considérés comme Français par les citoyens de Montréal.) Ramenant au port de Montréal des canots chargés de fourrures, ils favorisèrent son essor, ce qui attira de nouveaux colons. Pour peupler le pays, le roi envoya les « filles du roi » – des orphelines dont il avait pris en charge l'éducation et qu'il avait pourvu d'une modeste dote.

A la fin du XVIIe siècle, alors que la Nouvelle-France s'étendait vers l'ouest et le sud, Montréal se développait. En 1672, Dollier de Casson établit le premier tracé des rues. En 1689, on commença à creuser le canal de Lachine, pour contourner les rapides du même nom. Entre 1717 et 1741, les fortifications furent relevées jusqu'à 5 m de hauteur. Pour empêcher les incendies, les édifices en bois furent interdits dans l'enceinte, et la ville se dota de maisons en pierre au toit en ardoises, en tuiles ou en fer-blanc. Au milieu du XVIIIe siècle, Montréal était, avec Québec, l'un des fleurons de la Couronne française en Nouvelle-France.

Français capturés par les Iroquois au milieu du XVIe siècle.

FOI ET RELIGION

La foi intense de la France du XVIIe siècle, marquée par la création de nombreux ordres religieux et groupes évangéliques laïcs, s'était propagée jusqu'à la Nouvelle-France, que les pouvoirs royal et religieux considéraient comme un avant-poste de la Contre-Réforme menée par les catholiques contre l'émergence rapide et durable du protestantisme.

L'Église catholique conquit ainsi une influence sans précédent et sans équivalent dans toute l'Amérique du Nord, et qu'elle conserva jusque dans les années 70. En témoigne toujours la toponymie si riche en connotations religieuses, et jusqu'au surnom de Montréal, « la ville aux cent clochers ».

Les jésuites furent les premiers religieux à fouler le sol de la Nouvelle-France. Installés dès 1611 en Acadie, ils s'implantèrent peu à peu le long du Saint-Laurent. Quand les Anglais se retirèrent du Canada, après l'avoir occupé de 1629 à 1635, les jésuites se « partagèrent » la colonie avec les capucins : ces derniers se chargèrent de l'Acadie, où ils se vouèrent essentiellement aux colons ; les premiers exercèrent leur ministère dans le reste de la Nouvelle-France – alors en pleine expansion territoriale –, où ils se consacrèrent tant aux Indiens qu'aux colons. Propagandistes efficaces, ils firent connaître leurs œuvres en Amérique du Nord grâce aux *Relations*, 41 petits volumes de notes descriptives publiées entre 1632 et 1673. Ils suscitèrent de nombreuses vocations et bénéficièrent de généreuses donations. Avec huit seigneuries, ils furent bientôt les principaux propriétaires fonciers de la colonie.

Mission et exploration étant étroitement liées, ces voyageurs infatigables reconnurent une grande partie du réseau hydrographique de la Nouvelle-France. Les explorations de Charles Albanel et de Jacques Marquette les amenèrent jusqu'à la baie James et au Mississippi. Les « Robes noires », comme les surnommaient les Amérindiens, implantèrent de nombreuses missions à l'intérieur du pays, notamment chez les Hurons. Les pères arrivaient dans les tribus amies, s'y installaient, se déplaçaient avec elles, apprenaient leur langue, les évangélisaient, les sédentarisaient quand cela était possible – en 1637, ils créèrent ainsi un village indien, ou « réduction », celui de Sillery – et les soignaient – pour cela, ils bâtirent l'hôtel-Dieu de Québec, en 1639. Ils eurent leurs martyrs, comme le père Jean de Brébœuf, tué par les Iroquois. Ces grands pédagogues furent aussi à l'origine de la première institution d'enseignement post-secondaire fondée en Amérique du Nord, à Québec – et qui, fait exceptionnel pour ce continent, était aussi ouverte aux Indiens.

Quand Ville-Marie fut créée, en 1642, par la « Société de Notre-Dame pour la conversion des sauvages de la Nouvelle- France en l'île de Montréal », les fonctions curiales furent tout naturellement confiées aux jésuites. Mais, en 1657, la congrégation des prêtres de Saint-Sulpice, à l'origine de laquelle on trouve Jean-Jacques Olier, fondateur de la Société de Notre-Dame, vint s'installer à Ville-Marie pour assurer à son tour le ministère spirituel.

En 1659, Mgr Pierre de Laval fut nommé vicaire apostolique pour la Nouvelle-France. Il remplaça au sommet de la hiérarchie ecclésiastique le père supérieur des jésuites qui vit son ordre se spécialiser dans l'évangélisation des peuples indiens. En 1663, les Messieurs de Saint-Sulpice devinrent propriétaires de l'île de Montréal. Principale communauté d'hommes de la ville, ils laissèrent une marque indélébile. C'est François Dollier de Casson, leur père supérieur, qui, en 1672, traça les premières rues et conçut le projet d'un canal qui permettrait aux bateaux de contourner les rapides de Lachine. Cet homme de grande stature, tant physique que morale, construisit le séminaire sulpicien de la place d'Armes. Commencé en 1680, c'est le plus vieil édifice de Montréal et l'un des plus anciens d'Amérique du Nord. En 1663, l'instauration par Louis XIV, avec le soutien de l'évêque, d'un Conseil souverain chargé de maintenir l'autorité royale et de surveiller le développement économique de la colonie, scella l'union entre l'Église et l'État en Nouvelle-France.

Si les communautés masculines étaient chargées du ministère spirituel, les communautés de femmes s'occupaient de l'éducation des filles et de la santé. Mais, à la différence de leurs homologues masculins, elles recrutèrent précocement au Canada – les hommes préférant le métier des armes. Dès le XVIIIᵉ siècle, la majorité des religieuses étaient nées dans la colonie, même si les pionnières venaient de France.

Jeanne Mance, membre actif de la Société de Notre-Dame de Montréal, arriva en Nouvelle-France avec les premières « montréalistes », aux côtés de Chomedey de Maisonneuve. Ce dernier fonda en 1642 l'hôtel-Dieu – dont la direction fut ensuite assurée par les Hospitalières de Saint-Joseph. Une autre religieuse, Marguerite Bourgeoys, créa, en 1658, une école destinée aux filles et aux garçons. Établie dans la colonie depuis 1653, il lui avait fallu attendre cinq années avant que des enfants survivent et atteignent l'âge de la scolarisation. On doit aussi à Marguerite Bourgeoys la création de la congrégation de Notre-

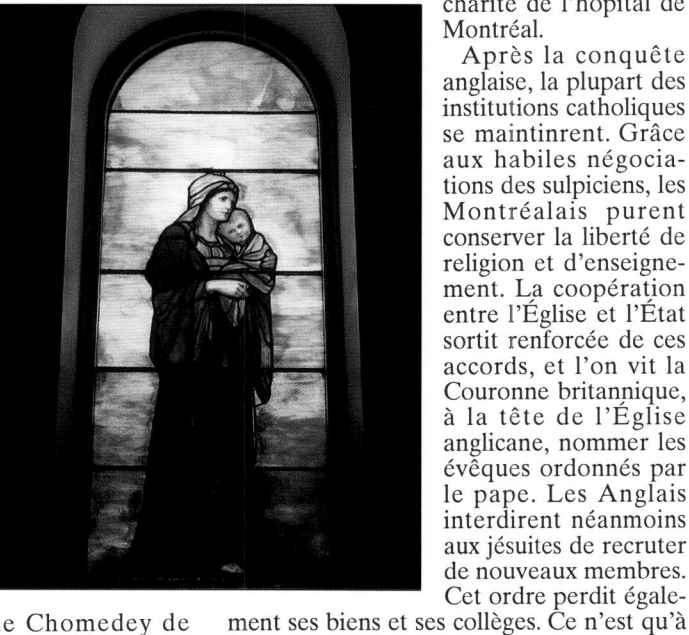

Dame, une communauté de religieuses enseignantes qui établit des écoles primaires et s'occupa des 800 « filles du roi » qui débarquèrent entre 1665 et 1673. Surnommée la « mère de la colonie », Marguerite Bourgeoys recruta comme professeurs des Françaises et des Canadiennes, organisa un pensionnat, fonda une école pour les Indiennes dans la réserve sulpicienne de La Montagne, ainsi qu'une école des arts domestiques. Considérée par ses pairs comme une sainte, elle mourut en 1670 et fut canonisée en octobre 1982. Marguerite d'Youville, autre grande figure féminine, est à l'origine, en 1737, des Sœurs grises, ou Sœurs de la charité de l'hôpital de Montréal.

Après la conquête anglaise, la plupart des institutions catholiques se maintinrent. Grâce aux habiles négociations des sulpiciens, les Montréalais purent conserver la liberté de religion et d'enseignement. La coopération entre l'Église et l'État sortit renforcée de ces accords, et l'on vit la Couronne britannique, à la tête de l'Église anglicane, nommer les évêques ordonnés par le pape. Les Anglais interdirent néanmoins aux jésuites de recruter de nouveaux membres. Cet ordre perdit également ses biens et ses collèges. Ce n'est qu'à la fin du XVIIIᵉ siècle que fut réorganisé un réseau de collèges classiques enseignant la littérature, la rhétorique et la philosophie, qui forma la plupart des hommes influents du Québec moderne.

Selon certains historiens, c'est une véritable théocratie que mirent en place les évêques, notamment ceux de Montréal, tels Mgr Lartigue (1777-1840) ou Mgr Bourget (1799-1885). Partenaire du pouvoir politique, l'Église québécoise a géré, en plus de l'école, les institutions sociales et a longtemps bénéficié du soutien populaire, conforté par l'extrême nationalisme du clergé qui exaltait la mission civilisatrice des francophones en Amérique du Nord.

A gauche, un Christ « catholique », dans le quartier de Saint-Denis ; ci-dessus, vitrail de style Tiffany dans l'église réformée Erskine and American United Church.

L'ARRIVÉE DES BRITANNIQUES

A la veille de la guerre de Sept Ans (1756-1763), la Nouvelle-France était vingt fois moins peuplée que la Nouvelle-Angleterre. Les Canadiens français étaient 85 000, concentrés pour l'essentiel le long des rives du Saint-Laurent, alors que les habitants de l'Amérique du Nord britannique étaient plus d'un million.

Les Anglais peuplaient une Nouvelle-Angleterre coincée entre le littoral atlantique et les Appalaches, les Français tenaient les immenses territoires compris entre cette dernière chaîne de montagnes et le Mississippi. Aussi la France bloquait-elle toute possibilité d'expansion territoriale aux futurs États-Unis. La présence de la France avait cependant, pour la Grande-Bretagne, un avantage : la valeur militaire des Canadiens et leur alliance avec un nombre considérable de tribus indiennes, inquiétaient les Américains, qui avaient un ardent besoin de la protection des troupes britanniques. La catholicité des Français, leur « papisme », achevait de diaboliser ces derniers aux yeux des anglicans et des protestants.

Pour un Choiseul, Premier ministre français, l'abandon du Canada par la France comportait au moins un avantage : en supprimant le danger canadien, il rendait inutile la présence des troupes britanniques sur le sol américain, et entraînerait l'indépendance de la plus riche, la plus belle et la plus grande des colonies britanniques. Un Voltaire, quand il s'intéressait au Canada, se contentait d'écrire qu'il n'était pas nécessaire de se battre pour ces « *quelques arpents de neige* ». Pour la métropole, seuls les bancs de morue au large de Terre-Neuve représentaient une ressource stratégique – la fourrure et le bois canadiens ne pesant guère dans la balance des échanges. Face au Canada, la Nouvelle-Angleterre bénéficiait d'une économie structurée et diversifiée : pêche,

Pages précédentes : statue de la reine Victoria, veillant sur ses sujets francophones. A droite, les troupes britanniques entrant dans Montréal ; à gauche, le chef indépendantiste québécois Louis-Joseph Papineau.

construction navale, bois, fourrure, transport maritime au nord, polyculture au centre, traite des esclaves, tabac, indigo et coton au sud – autant d'activités qui avaient une valeur inestimable pour la Grande-Bretagne.

La conquête

Les colonies françaises et anglaises entrèrent en conflit quelques années avant le début de la guerre de Sept Ans. Il s'agit d'abord d'escarmouches, mais qui entretinrent un pesant climat d'insécurité. La guerre ouverte éclata en juillet 1754.

Les troupes britanniques, parmi lesquelles combattait George Washington, furent défaites dans la vallée de l'Ohio, cet affluent du Mississippi le long duquel la France avait édifié un chapelet de fortins. Mais une autre offensive fut lancée par les Anglais vers le lac Champlain, tandis qu'ils réglaient *manu militari* le problème que leur posaient les habitants francophones de la prospère et paisible Acadie. Les Acadiens dépendaient en effet de la Couronne d'Angleterre depuis le désastreux traité d'Utrecht (1713), qui avait mis fin à la guerre de succession d'Espagne au cours de laquelle France, Angleterre, Espagne et Prusse s'étaient affrontées. Pris entre leur allégeance de cœur, et leur allégeance juridique, les Acadiens représentaient aux yeux des Anglais une population susceptible de s'insurger. Aussi furent-ils tous déportés hors d'Acadie. Jusqu'en 1758, les Français parvinrent à contenir les armées anglaises, en remportant les batailles d'Oswego et de Carillon. Mais la France perdit le contrôle des océans et le Canada se retrouva isolé. L'habileté tactique dont avaient fait preuve jusqu'alors les Français ne pouvait remédier durablement à l'écrasante supériorité numérique britannique. En juin 1759, le général James Wolfe entreprit le

se ruèrent sur Montréal. Les hommes de James Murray remontèrent le Saint-Laurent depuis Québec ; les soldats de Haviland suivirent la rivière Richelieu ; les troupes d'Amherst arrivèrent par le lac Ontario. Cerné par 18 000 hommes, conscient de l'inutilité d'une résistance, le marquis de Vaudreuil, gouverneur de la Nouvelle-France, capitula le 8 septembre 1760.

Le régime militaire

De la capitulation de Montréal à la fin de la guerre de Sept Ans en Europe, la Nouvelle-France fut soumise à un régime mili-

siège de la ville de Québec. Le marquis de Montcalm, défendant un site réputé inexpugnable, ne s'était pas préoccupé de renforcer la défense naturelle que constituait la falaise bordant l'un des côtés de la colline sur laquelle se dressait la forteresse. C'est ainsi que les troupes de Wolfe, après avoir escaladé cet obstacle, parvinrent sur la plaine d'Abraham et battirent les hommes que Montcalm engagea sans attendre les renforts qui lui auraient certainement permis de l'emporter.

Au cours de cette brève bataille, les deux généraux perdirent la vie. Après la reddition de Québec, puis une ultime et infructueuse offensive française, les Anglais

taire, mais sous des conditions souvent considérées comme avantageuses pour les « Canadiens » – du moins si on les compare au sort des Acadiens, encore très présent dans les esprits. Les Anglais évitèrent de bouleverser les structures sociales, s'appuyèrent sur l'Église et les élites locales, et ne demandèrent pas à la colonie d'entretenir les forces d'occupation. Ils hâtèrent même le départ des troupes américaines, pour lesquelles ils éprouvaient un très relatif respect, fort éloigné de la réelle admiration qu'ils avaient pour leurs adversaires de la veille. Les Canadiens furent déclarés libres de rentrer en France. Mais seuls les hauts fonctionnaires, certains nobles ainsi que des marchands convaincus de ne plus pouvoir bénéficier des contrats gouvernementaux choisirent de quitter le pays. Les Habitants, cultivateurs, artisans ou commerçants, restèrent, rassurés par une capitulation qui leur garantissait « *l'entière et paisible propriété et possession [des] biens, seigneuriaux et roturiers, meubles et immeubles, marchandises, pelleteries et autres effets, même [des] bâtiments de mer* ».

La structure administrative des trois gouvernements (Québec, Trois-Rivières et Montréal) resta inchangée et Montréal fut confiée à Thomas Gage. Même si elle ne fut pas reconnue officiellement, la coutume de

L'acte de Québec

En 1763, la signature du traité de Paris mit fin au régime militaire. Par ce traité, la France cédait la Nouvelle-France, Terre-Neuve, le Cap-Breton et la rive gauche du Mississippi à l'Angleterre, mais conservait Saint-Pierre-et-Miquelon, ainsi qu'un droit de pêche et de séchage du poisson sur les côtes du Labrador et de Terre-Neuve. Les Canadiens disposaient de dix-huit mois pour quitter le pays s'ils le désiraient.

La « Province of Quebec », nouvelle dénomination du territoire laurentien, fut placée sous le régime de la Common Law

Paris continua à être observée. La vie religieuse ne connut guère de changement. Mais les protestants, qui n'avaient été que tolérés et avaient été écartés des postes importants, devinrent les intermédiaires privilégiés entre Anglais et Canadiens. A Montréal, le huguenot Cramahé fut ainsi nommé secrétaire du gouvernement. Seule nouveauté, le commerce était désormais libre et sans impôts. La traite de la fourrure se poursuivit, à ceci près que les acheteurs finals étaient maintenant anglais.

A gauche, quand la glace devient un produit commercial; ci-dessus, le Saint-Laurent en été, lorsqu'il est libre de glace.

britannique. Si la religion catholique était reconnue, dans la pratique, aucun catholique ne pouvait aspirer à des charges publiques importantes – puisque, à l'instar des hauts fonctionnaires britanniques, il ne lui était pas possible de prêter le serment du Test, lequel nie la transsubstantiation de l'Eucharistie, l'autorité du pape et le culte de la Vierge et des saints.

La vie quotidienne changea peu. Le gouverneur Murray, puis son successeur, Carleton, surent s'adapter, sans hésiter parfois à passer outre certaines directives, notamment lorsqu'ils autorisèrent le retour de l'évêque Jean-Olivier Briand. En 1774, l'Angleterre, inquiète de l'atmo-

LES FEMMES
DE NOUVELLE-FRANCE

« Au Canada, il est de notoriété publique [que les femmes] affichent un air d'importance, voire de supériorité », écrivait des Québécoises, en 1807, un observateur anglais. De nombreux voyageurs furent en effet surpris de l'indépendance et du poids des Québécoises chez elles.

Si, selon la loi française, beaucoup de ces femmes avaient dû immigrer avec leurs maris, elles étaient nombreuses à être volontaires, qu'il s'agisse des religieuses ou des 800 filles du roi, ces orphelines élevées par la Couronne et arrivées au Québec entre 1663 et 1673.

Parmi ces dernières, la plupart était bien éduquées et formées à de nombreux métiers. Elles apportaient avec elles des dots royales qui, modestes selon les critères de la France, représentaient de jolies fortunes au Québec. Et, comme la jeune colonie était, à ses débuts, à très forte majorité masculine, ces femmes très convoitées étaient dans une avantageuse position.

Parmi les autres figures féminines de la Nouvelle-France, les religieuses tenaient les premiers rôles. C'était elles qui avaient fondé la plupart des hôpitaux et des écoles, qui donnaient aux filles les moyens de l'autonomie en imposant leur éducation obligatoire – fait nouveau sur une terre française. Aussi des générations de Québécoises reçurent-elles une instruction et un métier. En outre, il semble que les habitants de la Nouvelle-France aient été peu bridés par les attitudes puritaines qui s'ancrèrent si fermement dans la colonie britannique voisine.

Dans le mariage, il était impératif de protéger les biens et l'indépendance de la femme. Aussi, à cette occasion, la communauté jouait-elle un rôle important : les contrats de mariage étaient non seulement signés par les familles entières des époux, mais aussi par tous les invités au mariage, dans une cérémonie dont les aspects publics l'emportaient sur les aspects privés.

A ce sujet, en 1807, le même Britannique notait : *« La loi faisant du mariage un partenariat et créant la communauté de biens est sanctionnée par l'ensemble de lois françaises connu sous le nom de coutume de Paris, qui est le livre de référence du juriste canadien ; le fait que la femme puisse, par mariage, jouir de la moitié des biens de son mari et qu'elle ait acquis une indépendance par rapport à celui-ci est peut-être à l'origine de la grande influence dont jouit le beau sexe en France [et dans le Nouveau-Monde] ».*

Mais la communauté avait aussi son mot à dire dans le choix des époux : que celui-ci lui déplaise et, dans la tradition médiévale européenne du charivari, les jeunes gens se précipitaient à grands cris autour de la maison des nouveaux mariés, organisant un tapage qui durait parfois plusieurs nuits. Pour les ménages à l'union bien acceptée, le charivari se limitait à la nuit de noce.

Au Québec, comme en Europe, foyer et lieu de travail ne faisaient qu'un. En ville, les femmes étaient rebouteuses, relieuses, cardeuses, blanchisseuses, perruquières, vendeuses, marchandes de fruits et de légumes, prêteuses sur gage, enseignantes, infirmières, voire maçons. A la campagne, elles participaient aux travaux des champs aux côtés des hommes, préparaient le savon et les bougies et, partout, étaient chargées des soins du ménage. Elles disposaient de peu de temps pour leurs enfants, souvent confiés à une nourrice – habitude souvent fatale, car ce mode de garde s'accompagnait d'une forte mortalité pour des raisons d'hygiène et de nutrition. Quant aux garçons, après dix ans, ils entraient en général comme apprentis chez un artisan.

sphère de révolte qui régnait en Nouvelle-Angleterre, et soucieuse de renforcer son autorité sur le Canada, vota l'acte de Québec. La loi du Test était remplacée par un serment de fidélité au roi. Il permettait ainsi aux catholiques, qui obtenaient le droit d'exercer leur religion « sous la suprématie du roi », d'accéder à la haute fonction publique (à l'immense scandale des protestants et des anglicans). L'acte, outre qu'il confirmait le droit de perception de la dîme par le clergé, maintenait le régime seigneurial, mais modifiait les frontières de la Province. Il créait un double système judiciaire, le pénal relevant du

chands anglophones de Montréal, leurs idées rencontrèrent peu d'écho. Lorsque le conflit éclata, les forces américaines entrèrent au Canada. Après un premier échec, le général Montgomery s'empara de Montréal. La présence des Américains, qui voulaient *éclairer l'ignorance [des Canadiens] et leur apprendre les bienfaits de la liberté »*, ne dura que quelque mois. L'influence de la révolution américaine allait marquer la ville d'une autre – et paradoxale – façon : après la déclaration d'indépendance, environ 10 000 loyalistes, pour la plupart anglicans, vinrent se réfugier au Canada.

droit anglais, le civil de la coutume française. Un Conseil législatif, gouvernant la Province, était établi – mais les membres en étaient nommés par la Couronne, aucune assemblée élue n'étant prévue.

La guerre d'indépendance américaine

Avant que n'éclate la guerre d'indépendance américaine, les insurgés tentèrent de convaincre la province de Québec de se rebeller. Mais, hormis chez les riches mar-

Ci-dessus, découpe de blocs de glace en hiver, sur le Saint-Laurent gelé.

Les années fastes

Avec l'arrivée de ces nouveaux immigrants, Montréal, jusqu'alors ville exclusivement française, devenait également une ville anglophone. Elle attira alors de nouveaux Anglo-Saxons, qui rejoignirent les soldats anglais et les anciens esclaves qui s'étaient enfuis des plantations du Sud américain. On les appela les « voyageurs » ou les « mangeurs de lard » (parce qu'ils adoraient le bacon).

Si les trappeurs restaient autochtones, les « voyageurs » se chargeaient du transport des fourrures des postes de transit jusqu'aux grands centres commerciaux, une activité qui était devenue essentielle. En effet, il y avait deux frontières au Canada : la frontière agricole, qui représentait la limite des terres cultivées et s'étendait progressivement vers l'ouest ; la frontière des fourrures, très loin en avant de la première, qui suivait la fuite du gibier devant les chasseurs.

Seuls ces négociants, aidés par les grandes compagnies anglaises, étaient en mesure de fournir les importants capitaux nécessaires pour pallier ces distances accrues. Les petits marchands francophones ne purent soutenir cette concurrence et fermèrent boutique. On vit égale-

En 1783, Simon McTavish et des marchands associés fondèrent la Compagnie du Nord-Ouest, une coopérative de traite des fourrures dont l'objectif était de lutter contre l'hégémonie de la Compagnie de la baie d'Hudson, si lucrative pour les Britanniques. Pendant plus de quarante ans, les deux compagnies se livrèrent une rude concurrence dans l'Ouest et le Nord du Canada avant de fusionner en 1821.

Les imposantes demeures des nouveaux maîtres de la fourrure étaient situées en retrait de la ville, sur les collines de Westmount et sur le Mont-Royal – un quartier synonyme encore aujour-

ment arriver des marchands écossais, qui tinrent rapidement le haut du pavé. Le cœur de Montréal se déplaça du vieux port vers le centre actuel.

L'ère des Écossais

Les Simon McTavish, Joseph Frobisher, William McGillivray, James McGill et Simon Fraser dominèrent la vie sociale et commerciale de Montréal. Certains entreprirent des voyages de découverte vers l'ouest, comme en témoignent les noms des rivières et des régions de cette partie du Canada qu'ils furent les premiers à explorer.

d'hui de richesse. Même si ces « lords des lacs et des forêts » écossais, ces « nababs hyperboréens » parlaient anglais entre eux, la plupart étaient bilingues, à la fois par nécessité commerciale – les « courreux » des bois étant francophones – et, par héritage historique – celui de la Auld Alliance, qui lia la France et l'Écosse contre les Anglais. La plupart de ces Écossais, tels McTavish, McGill et Frobisher, se marièrent avec des Canadiennes françaises.

A la fin du XIXe siècle, 70 % de la richesse du pays était détenue par ces quelques grandes familles. En 1786, l'Anglais John Molson ouvrit la première brasserie d'Amérique du Nord, posant la première pierre d'un empire qui allait jouer un grand rôle dans la vie montréalaise au cours des deux siècles à venir. Il lança aussi une petite compagnie maritime qui allait connaître une croissance rapide pendant le demi-siècle suivant avec, notamment, le lancement, en 1809 et 1812, de deux vapeurs qui remontaient le Saint-Laurent à une vitesse record pour l'époque.

La dynastie des McGill fut à l'origine de la première université de Montréal, la Royal Institution for the Advancement of Knowledge, bâtie en 1821 sur des terres léguées par James McGill. Notable exception, *La Gazette littéraire de Montréal* fut

sentative, mais le gouverneur conservait d'importants pouvoirs avec, notamment, le droit de s'opposer aux mesures votées par l'assemblée.

L'essor du bois

Au début du XIXᵉ siècle, l'Angleterre fut coupée de ses fournisseurs scandinaves de bois par le blocus continental imposé par Napoléon Iᵉʳ, et dut demander au Canada de l'approvisionner. Commença pour ce dernier pays une période de prospérité, au cours de laquelle apparurent ces métiers qui font toujours partie du folklore : les

fondée en 1778 par un francophone, Fleury de Mesplet – il s'agissait néanmoins d'un journal bilingue.

Sous la pression des marchands anglophones et des immigrants loyalistes, Londres rappela l'acte de Québec et vota en 1791 l'acte constitutionnel par lequel la province de Québec fut divisée en deux : le Haut-Canada (actuel Ontario), pour les Anglais, et le Bas-Canada (actuel Québec), pour les Français. L'acte dotait également le pays d'une assemblée repré-

A gauche et ci-dessus, la cathédrale Sainte-Marie, haut lieu du catholicisme dans une Amérique du Nord protestante et anglicane.

bûcherons qui, au printemps, quand les cours d'eau sont gonflés par la fonte des neiges, se transforment en *draveurs* (de l'anglais « drive »), pour conduire, sur l'eau, les billes de bois jusqu'aux grands cours d'eau ; les *cageux* qui, de là, dirigeaient les troncs rassemblés en radeaux, parfois munis de voile, jusqu'aux centres industriels.

Desservie par le Saint-Laurent, idéalement placée au départ des grandes routes transocéaniques, l'économie montréalaise se diversifia dès 1803, avec la construction d'une première usine de papier. Montréal, désormais, était une ville active d'environ 10 000 habitants.

LES HABITANTS
ET LEURS HABITUDES

Les débuts de la Nouvelle-France furent difficiles : fonctionnaires, religieux, marchands, artisans, tous repartaient en France dès la fin de leur engagement ; quant aux agriculteurs où, plutôt, aux colons qui débutaient dans ce métier, ils ne parvinrent d'abord pas à acclimater les plantes métropolitaines ; beaucoup ne survécurent pas aux hivernages ou repartirent. Puis, peu à peu, des familles s'établirent. Ces nouveaux autochtones furent ainsi surnommés les Habitants.

On les reconnaissait à leurs vêtements taillés dans l'« étoffe du pays », en fait un mélange de laines, et à leur *tuque*, le bonnet rouge dont ils étaient coiffés. Un quart d'entre eux demeuraient en ville, un chiffre énorme pour l'époque. Si Québec, la capitale, rappelait beaucoup la France, par son aspect et l'habillement de ses habitants, Montréal, plus à l'intérieur du continent, était davantage ouverte aux influences amérindiennes et américaines, et moins « française ».

A la campagne, les Habitants vivaient sur les « rangs » (voir p. 42), une bande de terre dont le petit côté, qui donnait sur une rivière ou un fleuve, mesurait de 200 à 250 m, et le grand un millier de mètres. Au XVIIIᵉ siècle, la croissance démographique aboutit au défrichage d'une deuxième rangée de parcelles, puis d'une troisième. Ces parcelles devinrent l'unité sociale fondamentale du Canada français, et leur uniformité engendra une *« égalité sociale unique entre les maisonnées »*. Celle-ci fut certainement à l'origine de la forte solidarité qui liait les Habitants – solidarité sans équivalent dans le reste du pays.

L'assistance mutuelle ne semble d'ailleurs pas avoir perdu de sa force aujourd'hui, comme en témoigne le formidable élan de solidarité qui permit de réunir des fonds importants lors des inondations de 1996 survenues dans la région de Saguenay et du lac Saint-Jean.

Les colons étaient liés à leur seigneur (ou censitaire) par contrat notarié. Leurs obligations étaient scrupuleusement détaillées : en plus du loyer (le cens), ils versaient des rentes (en général un jambon par an et une baratte de beurre) ; ils étaient soumis, 3 à 4 jours par an, à la corvée, pour construire des édifices, créer et entretenir les chemins situés au bout de leur propriété ; ils avaient, enfin, l'obligation d'exploiter leurs terres. Mention non anecdotique, car les Habitants préféraient, pour beaucoup, courir les bois ou vivre en ville : fait étonnant pour les XVIIᵉ et XVIIIᵉ siècles, l'exode rural en Nouvelle-France a été très précoce, si bien qu'il fallut, vers 1750, une ordonnance de l'intendant Jean Bigot pour le limiter (et, de tout temps, les autorités durent menacer de confisquer les terres laissées en friche).

Pourtant, comparés aux paysans français, les Habitants bénéficiaient de superficies de terres importantes, de ressources en bois plus grandes et de la liberté de chasse (droit seigneurial sur le Vieux Continent).

Dans la majorité des cas, les parcelles étaient divisées en trois : dans la partie proche de la maison, et donc de l'eau, se trouvait le potager ; puis venait une grande bande de terre cultivée, suivie de prairies et de pâturages, et, enfin, un « boisé » où les Habitants faisaient provision de bois de chauffage, à la fabrication d'outils et à la construction. Chaque groupe de parcelles possédait sa ferme, son école, sa chapelle et sa laiterie. La communauté entretenait ses pauvres grâce aux *guignolées* (collectes). C'est à elle qu'incombaient également la construction des maisons, des granges et des bâtiments collectifs, ainsi que les déménagements, la coupe du bois, la moisson ou le défrichage. La vie sociale était intense :

un cercle réunissait les fermières ; les voisins, et notamment le plus proche, le « premier », jouaient une rôle essentiel. Le chef de la maisonnée voisine était invité à la plupart des réunions de famille, associé à toutes les décisions importantes, et apportait son aide en cas de nécessité.

En retour, il recevait toujours une miche de pain le jour de la cuisson du pain ou un morceau de viande pendant la saison de l'abattage. Du fait de leur mode de vie, les Habitants ont peu souffert de l'avènement des grands domaines et de la stratification sociale rigide souvent liée à cette organisation agraire.

Les rives du Saint-Laurent étaient propices à la production laitière, grâce à de riches herbages et à un climat où les vagues de chaleur, susceptibles de gâter les produits laitiers, étaient rares. En outre, les légumes et les fruits croissaient facilement (mais pas les céréales). En plus de ses vaches, le paysan possédait un bœuf pour le trait, des cochons et des poules, mais peu de moutons. En 1709, une ordonnance lui défendit de posséder plus de deux chevaux et un poulain.

Au menu du paysan québécois, proche de celui du paysan français, figuraient en

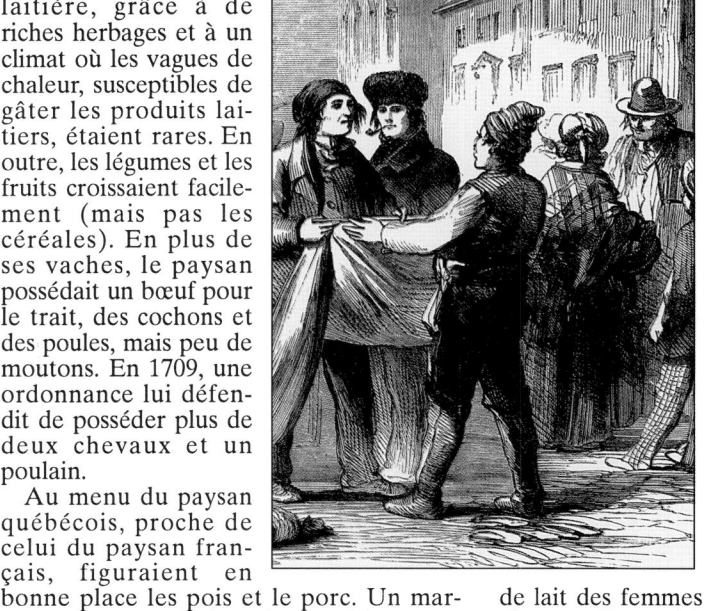

bonne place les pois et le porc. Un marchand du XVIIIᵉ siècle a ainsi noté la recette de la soupe aux pois : « *Le chaudron en aluminium dans lequel ils [un groupe de marchands de fourrure] cuisinaient leurs repas pouvait contenir de huit à dix gallons [une cinquantaine de litres]. Il était suspendu au-dessus du feu, rempli d'eau presque jusqu'à ras bord. Chaque homme y versait sa pinte de pois secs, soit la ration journalière autorisée. Quand les pois éclataient, on y ajoutait deux ou trois livres de porc découpé en lanières, pour donner du goût. L'ensemble était porté à ébullition, puis laissé à bouillir ou à mijoter jusqu'au lever du jour. Le cuisinier y ajoutait alors des biscuits émiettés et appelait tout le monde au petit déjeuner. Le*

mélange, maintenant gonflé, atteignait les bords de la gamelle et était si épais qu'une cuillère s'y serait tenue debout... Les hommes s'asseyaient alors en cercle et se servaient dans la gamelle avec une grande célérité » (Edith Fowke, *Folklore du Canada*).

Les habitants complétaient leur régime par du gibier, notamment des lièvres et de la venaison, ainsi que par d'abondantes quantités de poisson pêché dans le Saint-Laurent. Les anguilles, considérées comme un luxe rare en France mais particulièrement abondantes en Nouvelle-France, étaient mangées crues, fumées, séchées ou bouillies. Après avoir vendu le meilleur de leurs prises, les pêcheurs jetaient le reste dans des *chaudrées* (chaudrons), où les femmes le mettaient à bouillir sur la plage, l'accommodant avec un mélange de crème, de cidre, de porc salé et d'oignons – recette qui, reprise par les Anglais, devint une spécialité de la Nouvelle-Angleterre (*clam chowder*). Les plats de gibier et à base de produits laitiers étaient souvent accompagnés de baies sauvages et de légumes du jardin, carottes, oignons, navets et, surtout, pommes de terre et chou – censé guérir les maladies vénériennes, augmenter les montées de lait des femmes et ralentir la chute des cheveux. Le petit déjeuner était composé de crêpes, de pain, de porc salé et de cidre (jusqu'à l'avènement du café et du thé). A midi, le repas comprenait une soupe aux pois avec des patates sautées et un légume. Vers 16 heures, on finissait les restes du déjeuner avec une salade de concombre et du pain recouvert de graisse de porc ou de beurre. Le dernier repas se prenait vers 20-21 heures et était constitué d'un bol de pain cuit dans du lait et du sucre, servi avec du cidre (plat qui se consomme toujours). Lors des fêtes, on mangeait des tourtières, des ragoûts de boulettes, des saucisses, de la sauce aux oignons, des bonbons au sirop d'érable et des beignets.

CONFLITS ET CONFÉDÉRATION

Le continent nord-américain put demeurer, jusqu'en 1812, à l'écart du conflit mondial qui opposait la France et l'Angleterre. Mais Londres insistait pour que les États-Unis ferment leurs frontières au commerce avec l'Europe sous domination napoléonienne.

Or, l'ancienne colonie britannique menait une politique de stricte neutralité depuis 1787, à l'instigation de George Washington. En 1812, les Britanniques pénétrèrent sur le pierre du système financier canadien. Plus anecdotiquement, à partir de 1815, les rues furent éclairées par des lampes fonctionnant à l'huile de baleine, de loup marin ou de morue – amélioration apportée, selon un arrêté, « *afin que les femmes puissent rendre visite plus fréquemment à leurs amies* ».

La guerre avait également souligné la difficulté d'amener la flotte anglaise de haute mer sur les Grands Lacs par le Saint-Laurent, que coupaient en amont de Montréal les rapides de Lachine. Le 17 juillet 1821, deux siècles après le projet du sulpicien visionnaire Dollier de Cassons, débutaient les travaux d'un canal, achevé

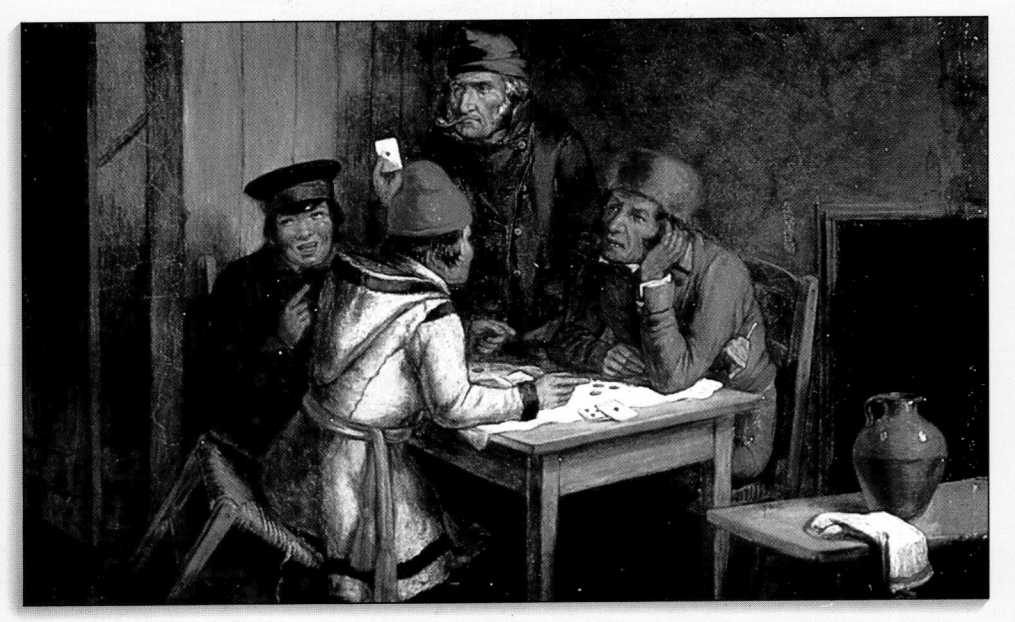

territoire américain, incendièrent la capitale fédérale, acheminèrent une flotte sur les Grands Lacs. Les Américains ripostèrent : ils entrèrent au Canada et livrèrent bataille aux marches de Montréal, à Châteauguay (26 octobre 1813). Ils furent repoussés par les Canadiens – anglophones et francophones unissant leurs efforts –, commandés par Charles de Salaberry. En 1814, un traité mit fin aux hostilités.

La mutation de Montréal

La guerre accéléra la transformation de Montréal qui fut dotée, dès 1817, d'une banque (la Banque de Montréal), première en 1825. En 1833 se tint la première séance du Conseil de ville, au cours de laquelle un maire, Jacques Viger, fut élu. C'est à lui que l'on doit le premier recensement de la population et le don d'un terrain sur lequel on aménagea, entre les années 1860 et 1890, le parc le plus populaire de Montréal (devenu depuis la place Viger). Viger choisit également la devise de la ville, *Concordia salus* (« Dans l'harmonie, le salut »), et les armes municipales, qui allient les symboles de la France, de l'Angleterre, de l'Écosse et de l'Irlande.

Mais cette modernisation, industrielle, financière, urbaine et institutionnelle, laissait irrésolu le problème linguistique.

Les intérêts en présence

Le rappel de l'acte de Québec, en 1791, suivi du vote par le parlement de Westminster d'un nouvel acte divisant l'ex-Nouvelle-France entre un Haut et un Bas-Canada (aujourd'hui l'Ontario et le Québec) était contraire aux intérêts de la minorité anglo-saxonne, représentée par les réformistes anglophones que commandait William Mackenzie.

Celui-ci était convaincu que les anglophones deviendraient bientôt majoritaires grâce à l'immigration. Aussi considérait-il comme inutile la création d'un Haut-Canada pour qu'il se transforme, à brève échéance, en une nation indépendante – en fait, les Britanniques avaient tout simplement commis une magistrale erreur politique en créant les deux provinces ! Contre eux, ils trouvaient non seulement les réformistes de Mackenzie, mais surtout la poignée de grandes familles anglo-saxonnes qui contrôlaient le Bas-Canada et qui distribuaient privilèges et contrats à une clientèle choisie. Légalement, si le Parti patriote dominait l'assemblée législative, celle-ci était bloquée dans toutes ses initiatives par le Conseil exécutif et le Conseil législatif du Bas-Canada, tenus par les anglophones.

Canada anglophone, et comme dangereuse celle d'un Bas-Canada réservé aux francophone. Ces derniers risquaient en effet de demeurer majoritaires à l'échelle réduite de leur nouvelle province – ce qui leur donnerait le pouvoir, si toutefois les institutions politiques se démocratisaient.

En face de lui, Louis-Joseph Papineau, chef du Parti patriote du Bas-Canada (ou Parti canadien) était convaincu que Londres avait sciemment créé le Bas-

Pages précédentes : la mode était aussi importante en 1897 qu'aujourd'hui. A gauche et ci-dessus : scènes de la vie quotidienne des Canadiens francophones, par Cornelius Kreighoff.

Papineau et ses partisans rédigèrent 92 résolutions qui demandaient, notamment, la dissolution de ces instances – le Conseil exécutif était surnommé ironiquement par eux le « Château Clique », allusion au château Saint-Louis où siégeait le gouvernement de Québec. Papineau exigeait un conseil de représentants élus qui remplaceraient les membres nommés. Mais les autorités refusèrent toute concession.

Le désespoir de la population francophone monta encore lorsque deux épidémies de choléra, en 1832 et en 1834, provoquèrent de nombreux décès. En 1837, des assemblées populaires se formèrent, interdites par le gouverneur, sir Gosford. Dans la paisible rue Saint-Jacques, le 6 novembre, une violente émeute éclata entre des membres du Doric Club anglais et des patriotes de l'association des Fils de la Liberté.

Les Britanniques l'emportèrent et, dans leur élan, saccagèrent la maison de Papineau et les bureaux du *Vindicateur*, un journal patriotique. L'accalmie de deux semaines qui suivit n'empêcha pas sir John Colborne, commandant en chef des troupes royales et installé au château Ramezay, de décréter la loi martiale.

En réponse, les francophones engagèrent le combat armé contre les Anglais, ce qui déclencha une sévère répression. De nombreux patriotes, dont Papineau, se réfugièrent aux États-Unis. Ceux qui ne parvinrent pas à franchir la frontière furent capturés ; 12 de ces prisonniers, pour la plupart des jeunes hommes que l'on avait vus coiffés du bonnet blanc incliné sur le côté, symbole des radicaux, furent pendus haut et court en place publique. Quelque 70 autres furent bannis et Montréal vit s'éloigner une longue chaîne de prisonniers, conduits au quai Bonsecours, d'où ils furent embarqués pour les bagnes de Nouvelle-Galles du Sud ou de Tasmanie (en Australie).

Cette sévérité était habituelle de la part de magistrats appelés à statuer dans une ville frontière. En 1817 encore, le sacrilège, le vol à l'étalage et le vol de cheval étaient considérés comme des crimes et punis par la peine de mort. Pour les délits mineurs, le pilori était de rigueur, mais les juges avaient également l'habitude de marquer les petits délinquants au fer rouge. L'instrument, en forme de couronne, était maintenu sur la paume, le temps de répéter trois fois « Vive le roi » (en fait, il s'agissait souvent de *God save the King*, car les archives montrent que la majorité des criminels jugés à cette époque étaient des Britanniques ou des loyalistes américains).

L'acte d'union

Lord Durham, le nouveau gouverneur de l'Amérique du Nord britannique, fut chargé par son gouvernement d'enquêter sur les rébellions.

L'association masculine du Club des raquettes, ou le meilleur prétexte pour se retrouver entre amis.

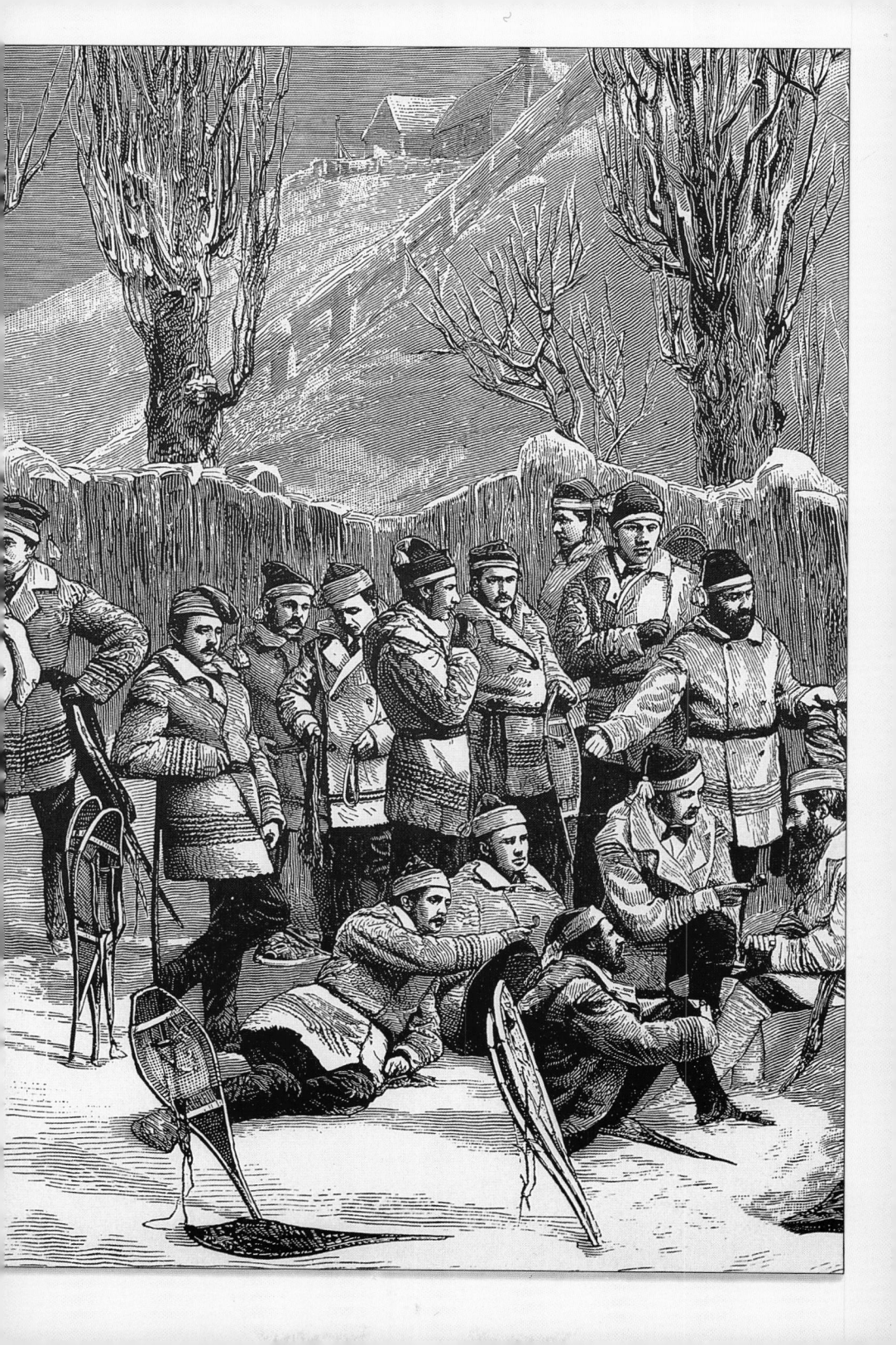

En 1840, à la suite de ses recommandations, Français et Anglais, ces *« deux nations qui se font la guerre au sein d'un seul État »*, furent regroupés par l'union du Haut et du Bas-Canada, sous le nom de Canada-Uni, avec pour objectif avoué l'assimilation forcée des francophones.

Le pays fut doté d'un parlement, avec l'anglais pour langue officielle. Les Français, pourtant majoritaires, avaient le même nombre de sièges que les Anglais. Enfin, en 1843, Montréal, cité la plus importante et comptant le plus grand nombre d'anglophones du Canada, remplaça Québec comme capitale.

Destruction, expansion, tension

En 1849, alors qu'un vent révolutionnaire secouait l'Europe, l'adoption d'une loi indemnisant les victimes de la rébellion de 1837-1838 provoqua de nouvelles émeutes au cours desquelles le parlement fut brûlé.

Après cet incident, celui-ci siégea alternativement à Toronto et à Québec, puis se fixa à Ottawa. Un journal de Boston donnait une sombre image de la Montréal des années 1840 : *« [La ville] a un aspect maussade [...] le transfert du siège du gouvernement a entraîné le déménagement de quelque 4 000 habitants [...] un magasin sur trois cherche un propriétaire et les maisons vides attendent désespérément des occupants. »* En 1847, pour ajouter à ce tableau, le typhus tua plus de 6 000 habitants ; en 1852, le Grand Feu détruisit 1 200 bâtiments, dura vingt-six jours et laissa 9 000 Montréalais sans domicile. Quant au commerce de la fourrure, il déclinait inexorablement.

Mais la famille Molson renforça ses lignes de bateaux à vapeur entre Montréal et Québec : le vieux port fut rénové par de jeunes entrepreneurs énergiques, comme l'Anglais John Ostwell qui, à 19 ans, se vit confier la conception du bâtiment des douanes. Un nouvel édifice fut érigé pour la Banque de Montréal sur la place d'Armes par l'Écossais David Rhind, qui s'inspira de la Banque d'Écosse à Édimbourg. Le chemin de fer, promis au moment de l'union, arriva en 1853, avec l'inauguration de la ligne du Grand-Tronc entre Montréal et Portland (Maine), suivie, en 1856, de la liaison avec Toronto. L'ouverture de Montréal sur l'extérieur culmina quand le Canada signa un traité commercial avec le voisin américain. Les structures économiques issues du passé féodal furent modernisées en 1854, date de l'abolition de la tenure seigneuriale. Montréal était alors sur le point de devenir *« la première ville en taille et en importance commerciale de l'Amérique britannique »* et la rue Saint-Jacques n'avait rien à envier à Wall Street. En 1860, le prince de Galles et futur Édouard VII, âgé de 19 ans, inaugurait le palais de Cristal et le pont Victoria, premier pont canadien sur le Saint-Laurent.

Mais, en 1866, le traité de réciprocité commercial avec les États-Unis fut annulé et provoqua un début de récession. Ces mêmes années virent également les incursions armées des Fenians, ces patriotes irlandais qui tentaient d'affaiblir l'Angleterre en s'attaquant au Canada.

La fédération

Une partie des Canadiens étaient désireux de ne pas entrer en conflit avec leur voisin, dont l'influence les inquiétait. Ils se souciaient aussi de la défense de leur pays dont la faiblesse avait été soulignée par les attaques irlandaises. La plupart d'entre eux étaient conscients de la nécessité de fonder une union qui rassemblerait les colonies britanniques. Une identité nationale se constituait lentement : fait significatif, les anglophones, qui s'étaient jusqu'alors appelés les British Americans, commencèrent à se nommer les Canadians (tandis que les francophones ajoutèrent « français » à « Canadiens » pour se désigner).

La rivalité entre francophones et anglophones s'était atténuée : l'union s'était muée en une cohabitation plus fédérale qu'intégrative et, surtout, les dirigeants francophones avaient renoncé à la lutte armée. En 1864, des représentants de la Nouvelle-Écosse, du Nouveau-Brunswick et de l'Ile du Prince-Édouard se réunirent à Charlottetown, capitale de cette dernière région, pour réfléchir à la fondation d'un

rence tenue à Québec. Le 1er juillet 1867, l'acte de l'Amérique du Nord britannique entrait en vigueur (il est toujours le fondement de la constitution canadienne). Il reconnaissait l'usage du français et de l'anglais et répartissait les pouvoirs entre les provinces, compétentes notamment pour l'éducation, et le gouverneur fédéral. Apparurent alors le Parti libéral et son grand rival, le Parti conservateur.

Le développement de Montréal

Chassés de leurs îles par la crise ou la famine, 800 000 immigrants d'origine bri-

État. Les dirigeants du Bas et du Haut-Canada, invités comme observateurs, plaidèrent si bien leur cause que les délégués laissèrent entrer le Canada-Uni dans la confédération. A la tête du groupe se trouvait John Mac Donald, futur Premier ministre du Canada, dont le portrait orne aujourd'hui les billets de 10 dollars. Un traité fut conclu au terme de ce qu'un journaliste du Nouveau-Brunswick, opposé à ces tractations, qualifia de « grande beuverie intercoloniale ». Les clauses de l'accord furent ensuite ratifiées lors d'une confé-

A gauche, les effets du dégel sur le Saint-Laurent; ci-dessus, parc à Montréal.

tannique et irlandaise transitèrent par le port de Québec entre 1815 et 1850.

Les immigrants devaient d'abord subir une quarantaine à Grosse-Ile, près de Québec, destinée à empêcher les épidémies de typhus, de choléra et de variole. Dans ce vase clos, de nombreux immigrants périssaient, affaiblis par un voyage en mer dans des conditions souvent lamentables – les navires utilisés étaient souvent d'anciens négriers (!), reconvertis dans cette lucrative activité depuis l'interdiction de la traite des Noirs. En tout, ce sont quelque 50 000 colons anglo-saxons qui s'établirent au Bas-Canada. Dans la même période, la population de Montréal passa de 9 000 à plus de 50 000 habitants. A partir de 1831, et pendant trente-cinq années, la population de la ville allait devenir majoritairement anglophone.

De nombreux immigrants s'engagèrent comme dockers au port de Montréal ou comme ouvriers dans les nouvelles usines. Dans un mouvement inverse, nombreux étaient les francophones des régions rurales qui partaient tenter leur chance dans les usines du nord des États-Unis. La population se répartissait selon l'origine linguistique : les francophones s'installaient à l'est, les Irlandais se regroupaient dans le sud-ouest, les Anglais et Écossais se concen-

XIXe siècle et le début du XXe siècle furent, pour Montréal un âge d'or, grâce à l'avènement du chemin de fer, l'amélioration des routes et des canaux et, surtout, l'extraordinaire expansion démographique. La production industrielle avait détrôné l'artisanat et la ville vivait de son port par lequel transitaient bois et céréales, et autour duquel s'installèrent industries textiles, mécaniques et agro-alimentaires – ainsi qu'un peu de sidérurgie. Les logements ouvriers, surtout occupés par les francophones, s'étendaient à leur périphérie.

Des élites traditionnelles francophones, seule l'Église avait maintenu sa position,

traient à l'ouest. Mais les Canadiens francophones, à l'instigation de l'Église catholique, lancèrent la « guerre des berceaux » : grâce à leur très fort taux de natalité, non seulement ils ne furent jamais noyés par la vague anglo-saxonne mais, dès 1866, Montréal retrouvait une majorité de Canadiens français – aidé par le ralentissement de l'immigration britannique et irlandaise et l'accroissement de l'exode rural.

Montréal dans la seconde moitié du XIXe siècle

Malgré l'annulation du traité avec le voisin méridional, les dernières décennies du

grâce à un renouveau de la foi à partir de 1840, mais surtout grâce au rôle éducatif et social qu'elle jouait. Elle avait également su maintenir un subtil équilibre entre la coopération avec le pouvoir anglophone et anglican et la défense des valeurs francophones et catholiques – francophones, mais non françaises... Le clergé était en effet farouchement canadien-français et, avant le triomphe des Britanniques, il avait mené une longue lutte pour imposer ses prêtres à la place des prêtres métropolitains.

La fête de la Saint-Jean-Baptiste, le 25 juin, est l'occasion pour les Québécois francophones de célébrer leur identité.

LES JEUX
EN NOUVELLE-FRANCE

Jadis, jeux de cartes, danses et chants occupaient les longues veillées de l'hiver boréal auxquelles assistaient familles et voisins. Le *ruine-babine*, l'harmonica local, le violon, parfois un harmonium, accompagnaient les chanteurs ou les danseurs de gigue et de rigaudon ; deux cuillères frappées l'une contre l'autre remplaçaient, le cas échéant, les instruments. Encore aujourd'hui, de nombreuses fêtes de famille n'auraient de raison d'être sans les tables de joueurs de cartes et les chansons à réponses. Créations d'une société rurale et religieuse très inventive et souvent pleine d'humour, la plupart de ces jeux requièrent de l'endurance et du caractère ; d'autres sont des satires sociales, comme celui du « Jugement dernier » qui tourne en dérision un mythe religieux populaire (tout en contribuant à l'ancrer fortement dans les mentalités, par son caractère spectaculaire) ; certains sont gentiment indécents, d'autres sont assez crus, tel le « concours de pets ». Ces jeux, parce qu'ils transmettaient les valeurs communautaires, étaient éducatifs ; et, par le défoulement qu'ils organisaient, ils permettaient de resserrer des liens mis à mal par la promiscuité et le long hivernage. S'ils étaient principalement destinés aux hommes, dont ils mettaient en valeur la force physique, ils donnaient parfois des rôles essentiels aux femmes. En voici une petite liste.

La serviette. Deux joueurs s'assoient par terre, les pieds de l'un entre les jambes de l'autre, chacun tenant une serviette dans sa main droite. Pendant que l'un se roule sur le dos, l'autre lui donne des coups de serviette sur les fesses. Les rôles sont inversés jusqu'à ce que l'un des joueurs abandonne.

Le pouce. Un joueur se suspend par un bras à une poutre. Il doit s'y hisser de façon à pouvoir embrasser son pouce, autant de fois qu'il lui est possible.

Le mouton mort. Un des joueurs est couché par terre fait le mort. L'autre doit le hisser sur ses épaules.

L'enfileur. Le joueur, assis sur une bouteille couchée, les jambes croisées, doit enfiler du fil dans une aiguille sans faire rouler la bouteille.

Le duel de fourchettes. Les deux joueurs ont les pieds attachés ensemble et les mains liées sous leurs cuisses, avec toutefois un certain jeu. Chacun tient une fourchette entre ses mains et pique l'autre. La vaincu est celui qui abandonne.

Le balai. Deux joueurs, assis par terre face à face, les semelles de leurs chaussures l'une contre l'autre, attrapent un balai tenu à l'horizontale. Chacun le tire à lui jusqu'à ce que le plus faible tombe.

Demande de faveurs à la Vierge Marie. Une femme se couvre la tête avec un voile et s'assied sur une chaise, jouant le rôle de Marie. Un joueur s'approche et lui demande une faveur. Après avoir entendu sa requête, la Vierge demande au requérant de s'approcher et lui crache dessus l'eau qu'elle gardait secrètement dans la bouche.

Le Jugement dernier. Sur une table, on pose une couverture dont un bout touche le sol. Une autre couverture est placée par terre, dont un bout passe sous la table et un autre sous les pieds de l'accusé. Le juge est assis derrière la table et un joueur dissimulé dessous. On fait comparaître la personne. Quand la condamnation est prononcée, le joueur caché tire la deuxième couverture et fait tomber le coupable.

Le médecin. La personne jouant le médecin est invitée à quitter la pièce. On la rappelle pour qu'elle soigne un enfant malade. Pour cela, on lui remet une cuillère dont le manche est brûlant.

La pesée du lard. On place une couverture sur la tête du joueur qui va être pesée. Pendant que deux joueurs font semblant de le peser en le soulevant par les aisselles, un quatrième joueur place une bassine pleine d'eau sous le malheureux qu'on laisse tomber dedans.

Les pets. Deux hommes sont couchés tête bêche l'un sur l'autre. Le joueur au-dessus essaie d'émettre un vent. La position est ensuite inversée.

Le passage des rapides. Les joueurs sont assis sur un banc à califourchon. Le premier joueur s'accroche à l'extrémité du banc, les autres mettent leurs mains sur les yeux du joueur placé devant eux. Tout le monde tire en arrière celui qui le précède. Le but n'est pas de faire perdre l'équilibre au joueur en tête de banc. En effet, à l'exception de celui-ci, les paumes des participants ont été enduites de suie. Mais chacun croit être le seul à faire cette farce.

DE L'AUBE
DU XXᵉ SIÈCLE
À L'INDÉPENDANTISME

Au début de la première moitié du XIXᵉ siècle, l'avenir paraissait prometteur pour Montréal, première ville du Canada. Cent ans plus tard, l'optimisme était toujours de rigueur : on découvrait la « houille blanche » (l'hydro-électricité), on installait de nouvelles usines de pâte à papier, les innovations se multipliaient, la production industrielle du pays se concentrait dans la métropole et dans le sud de l'Ontario, bref, le capitalisme industriel québécois prenait forme.

Richesse et pauvreté

Dans les années 1860, les immeubles poussaient partout, le port était réaménagé et entouré de ces édifices néo-victoriens si prisés à l'époque. Les riches marchands de la vieille ville déménageaient pour s'installer dans de grands locaux rues Sainte-Catherine et Sherbrooke. En 1891, Henry Morgan inaugurait le premier grand magasin du Canada, la Maison coloniale, édifice de quatre étages qu'allait bientôt s'approprier la Compagnie de la baie d'Hudson.

La ville comptait 50 000 habitants en 1850. Elle passa à 100 000 quinze ans plus tard et, en 1910, franchit le seuil des 500 000 – et cette croissance ne montrait aucun signe de ralentissement. Si l'immigration fournissait une main-d'œuvre abondante et bon marché, indispensable au fonctionnement des gigantesques silos installés le long des quais et des nouvelles usines, elle provoquait une pénurie de logements et concurrençait la main-d'œuvre francophone. Les plus pauvres des immigrants vivaient dans de minuscules et insalubres appartements du port et de la gare, où sévissaient périodiquement des épidémies. Ils venaient d'Irlande, d'Europe de l'Est, de Chine, de Grèce, d'Italie et du Portugal. Dès qu'ils commençaient à réussir, après

Pages précédentes : Montréal au XXᵉ siècle, symbolisée par la construction de nouveaux buildings. A gauche, l'immeuble de la BNP ; à droite, la tour du Parc olympique.

une ou deux décennies d'efforts, ils quittaient ces taudis, où les nouveaux arrivants les remplaçaient. Aujourd'hui encore, remonter le boulevard Saint-Laurent équivaut à remonter le temps, et à découvrir les vagues d'immigrants qui se sont succédé : les Chinois se concentrent rue de la Gauchetière, les Juifs européens vivent près de Saint-Urbain, les Grecs sont installés le long de l'avenue du Parc. Autant de quartiers où se cachent certains des meilleurs restaurants de la ville et où, comme il y a un siècle, les Montréalais de toutes origines continuent à lézarder en été sur les terrasses et les balcons.

Quand les fossés se creusent

Dans les années 1890, Montréal était devenue la « ville des princes négociants ». Mais les princes ne se mêlaient plus au bas peuple, ne se promenaient plus dans les rues de la vieille ville, comme le faisaient jadis James McGill ou Hugh Allan.

A l'inverse de leurs grands-parents, rares étaient ces riches anglophones qui apprenaient le français. Ils restaient confinés dans leurs propriétés de Westmount, rencontraient leurs pairs dans des clubs privés, réservés aux hommes, et dirigeaient leurs affaires depuis les édifices du « Mile Carré Doré », dont les fastes juraient avec la pauvreté des rues du bas du fleuve. Dans ce siècle du capitalisme triomphant, le pouvoir de cette élite, déjà disproportionné par rapport à son poids numérique, atteignit son apogée avec la constitution de véritables monopoles dans le transport, la finance et l'industrie.

Guerres mondiales
et dépression économique

En 1914, l'entrée en guerre de la Grande-Bretagne posa le problème de la conscription militaire obligatoire. Tradition-nellement, le recrutement de l'armée

brait de nombreuses mutineries sur les fronts français et russes) les poussèrent en partie à cette attitude. Une loi fut néan-moins votée en juillet 1917.

Le retour de la paix entraîna le retour de la prospérité. Les États-Unis, qui avaient abandonné leurs visées intégrationnistes, voyaient désormais dans leur voisin septen-trional un partenaire économique aux abondantes ressources naturelles.

Ils accrurent leurs investissements, multi-pliés par six entre le début du siècle et les années 40. Le pays, dans les années 30, sem-blait devoir être dominé à jamais par les Wasp (White Anglo Saxon Protestant),

britannique reposait, même en période de conflit, sur le seul volontariat.

Mais, après l'enthousiasme des débuts et plusieurs années de guerre, les armées man-quaient de soldats. Des lois rendant le ser-vice militaire obligatoire furent votées en Grande-Bretagne, lois également valables dans les dominions et donc au Canada. Mais, considérant qu'ils n'étaient en rien liés aux Britanniques du continent, les Québécois de Montréal furent nombreux à s'opposer à la conscription obligatoire, et parfois très violemment. L'ampleur des pertes humaines, l'horrible condition du fantassin en Europe, le pacifisme qui se répandaient alors en Europe (on dénom-

qu'ils soient canadiens ou américains. Avec son économie très ouverte sur le monde, le Canada appartient au groupe de pays que la crise de 1929 ravagea le plus durement. Elle y provoqua même, en 1935, l'ajourne-ment du Parlement par le Premier ministre, Richard Bedford Bennet, qui fut à l'origine d'un New Deal canadien marquant les débuts de l'État-providence.

La Seconde Guerre mondiale, en faisant entrer le Canada dans l'économie de guerre, relança l'activité mais reposa le pro-blème de l'intervention en Europe. Un plé-biscite national fut organisé en 1942 sur la conscription obligatoire. Isolationniste, comme toute l'Amérique du Nord avant

Pearl Harbor, le Québec se prononça à 71,2 % contre, alors que les huit autres provinces votaient massivement pour (80 %).

Le déclin de Montréal

Le retour de la paix vit le retour de l'immigration anglo-saxonne. Depuis 1946, les Anglo-Saxons ont été près de 4 millions à s'établir dans le pays, essentiellement dans l'Ontario, autour des Grands Lacs et à l'ouest du Québec. Ils ont déséquilibré le Canada « utile » vers l'ouest, au détriment de la Belle Province. Dès les années 50, Montréal fut supplantée par les ports flu-

La Révolution tranquille

Dans les années 50 et 60, la Révolution tranquille transforma le Québec, en majorité rural et catholique, dominé par les vieilles élites, en une société urbaine, industrielle et démocratique. Montréal et Québec, siège du gouvernement provincial et des universités, abritèrent tous les bouillonnements de la période.

Avant de sortir au grand jour, le séparatisme couva dans les salles de cours de l'université Laval et de l'université de Montréal, et dans les cafés animés de la Grande Allée et de la rue Sainte-Catherine.

viaux des Grands Lacs, à cause du canal de Lachine qui, approfondi, laissait passer les navires de haute mer.

Symptôme de ce déclin, les riches Montréalais cessèrent d'engager les plus célèbres architectes new-yorkais et ne firent plus bâtir ces énormes buildings qu'ils avaient si longtemps dédiés à leur propre gloire. Certes, Montréal restait une grande ville, mais davantage appréciée pour son art de vivre que pour les affaires qu'on y faisait.

A gauche, le Premier ministre Mackenzie, avec Roosevelt et Churchill; ci-dessus, Pierre Elliott Trudeau (à gauche sur la photo) apporta un nouveau style de gouvernement.

En 1959, la mort du Premier ministre Duplessis, qui avait régné en maître incontesté sur le Québec depuis plusieurs décennies, déclencha un cataclysme politique qui secoua la région bien au-delà des frontières provinciales : dès 1960, le Parti libéral, mené par Jean Lesage, prenait le pouvoir. Cette « équipe du tonnerre » réforma de fond en comble la Belle Province, donnant le pouvoir économique, financier, politique et culturel à l'élite francophone.

L'année 1967 fut marquée par la visite de la reine Élisabeth d'Angleterre, très froidement accueillie par la population, et par celle du général de Gaulle, qui lança son célèbre « Vive le Québec libre » du balcon de l'hôtel de ville de Montréal (et que suivait : « Vive la France »). Désormais, la question de l'identité québécoise était portée sur la scène internationale.

La même année, un événement contribua à la notoriété mondiale de la métropole. Cent ans après la fondation du Canada, l'exposition universelle Expo 67 fit venir des millions de touristes étrangers, qui visitèrent les fastueux pavillons des pays participants bâtis sur les îles Sainte-Hélène et Notre-Dame. L'année suivante, en 1968, René Lévesque fondait le Parti québécois, donnant à la question de l'indépendance du Québec sa première expression politique.

La capitale fédérale, Ottawa, se montrait tour à tour conciliante et menaçante, selon la conjoncture politique. La situation demeura relativement calme jusqu'à la crise d'octobre 1970 : le 5 de ce mois, le Front de libération du Québec (FLQ) kidnappa James Cross, l'attaché commercial britannique à Montréal, puis, cinq jours plus tard, le ministre du Travail du Québec, Pierre Laporte, dont le corps fut découvert dans le coffre d'une voiture deux semaines plus tard. Pour la première fois en temps de paix, le Premier ministre fédéral, Pierre Elliott Trudeau, fervent partisan d'un Québec canadien, décréta l'état d'urgence. Mais les Québécois étaient attachés à l'expression légale et pacifique de leurs revendications. Il leur fallut attendre six ans, le 15 novembre 1976, pour que le Parti québécois recueille la majorité des suffrages aux élections provinciales. René Lévesque avait promis de ramener la paix sociale et d'organiser un référendum sur le séparatisme. Une campagne s'engagea, par laquelle le gouvernement demandait au peuple de le mandater pour négocier avec l'État fédéral une forme d'autonomie qu'on appela la souveraineté-association.

Dans ce cadre, le Québec aurait le *« pouvoir exclusif de faire ses lois, de lever des impôts et d'établir des relations avec des pays étrangers, ainsi que de maintenir des liens économiques avec le Canada, y compris une monnaie commune »*. Mais, le 20 mai 1980, avec un taux de participation de 86 %, près de 60 % de Québécois s'exprimèrent en faveur du « non ».

Déclin économique et réalisme politique

Après le référendum, de nombreux Montréalais de la minorité anglophone quittèrent la ville. Dans les années 1970 et 1980, l'économie de la métropole marqua davantage le pas, au profit de Toronto : entre 1976 et 1981, 100 sociétés déménagèrent leur siège, détruisant 14 000 emplois.

Ce relatif déclin fut masqué quand, en 1976, le charismatique maire de Montréal, Jean Drapeau, réussit à amener les jeux Olympiques d'été dans sa ville. Après le désastre de Munich, en 1972, ces jeux furent un immense succès. Et, à l'inverse des Montréalais, la plupart des visiteurs ne s'émurent pas des dépenses astronomiques consenties par la municipalité pour la construction des installations olympiques – alors que le Stade olympique n'a toujours pas été achevé selon les ambitieux plans originaux. Avec la défaite du Parti québécois au référendum de 1980, les hommes politiques québécois se détournèrent du séparatisme dur et se mirent à prôner une participation conditionnée à la confédération canadienne. En 1981, une réforme constitutionnelle fédérale aboutit à l'élaboration d'une charte des droits qui diminuait les compétences des provinces (et que le Québec fut seul à refuser). Un nouvel accord, qui devait accroître les pouvoirs provinciaux, fut signé en 1988 au lac Meech

– mais il ne fut jamais ratifié. Lucien Bouchard, ancien ministre de l'Environnement du parti conservateur de Mulroney, qui avait démissionné après l'échec du lac Meech, créa le Bloc québécois.

Le combat ayant été momentanément perdu sur le plan politique, il se déplaça sur le terrain linguistique : au Québec, une loi fut votée qui interdisait aux commerçants d'afficher des panneaux exclusivement rédigés en anglais dans leurs vitrines. Des sacs de beignets unilingues furent saisis, les importations de tweed paralysées – jusqu'à ce qu'une traduction en français des étiquettes soit décidée –, et des vitrines sur

tetown, dans l'île du Prince-Édouard, fut signé. Soumis à un référendum national en octobre, il devait recueillir la majorité dans toutes les provinces pour être entériné.

Six provinces l'approuvèrent, mais à une faible majorité ; quatre, dont le Québec, le rejetèrent. Toutes les négociations furent abandonnées, et le Premier ministre canadien, Brian Mulroney, démissionna. En 1993, son successeur, Kim Campbell, première femme à occuper ce poste, ne put éviter un désastre pour son parti aux élections (2 sièges au lieu de 153 à la législature précédente). Les libéraux, menés par Jean Chrétien, gagnèrent les élections. Le Bloc

lesquelles était apposée la pancarte *wet paint* (attention, peinture fraîche) volèrent en éclats.

A l'Ouest, l'idée fut émise de remplacer le Sénat, jusqu'alors nommé, par un corps élu conçu pour renforcer le pouvoir des régions par rapport au gouvernement fédéral. Au Québec, on proposa d'inclure à la constitution une version modifiée des cinq exigences du lac Meech – tenant davantage compte des droits des immigrants, des femmes et des Amérindiens. En août 1992, un deuxième accord, élaboré à Charlot-

québécois fut rejeté dans l'opposition. Cependant, Jean Chrétien surestima la force du mouvement séparatiste et accusa durement le coup lorsque, au référendum de 1995, un nouveau projet de souveraineté québécoise, associée à un partenariat économique et politique avec le Canada, fut repoussé par les Québécois, quoique à une majorité faible (1,12 %). Mais le taux élevé de participation – 93 % de l'électorat – donnait tout son poids à cette consultation. Dans un contexte de crise constitutionnelle quasi permanente depuis 1980, le gouvernement fédéral doit à présent tenir compte du fait que la moitié du Québec est prête à se séparer du Canada.

A gauche, style néo-gothique à la gare Windsor ; ci-dessus, sièges sociaux de grandes banques.

LA RÉVOLUTION TRANQUILLE

Dans les années 60, le Québec connut une révolution qui vit une nouvelle classe dirigeante accéder au pouvoir. Tranquille, cette révolution le fut, puisque à quelques épisodes près, le Québec ne connut que de rares violences. La victoire du Parti fédéral, en 1960, marqua le début de cette ère.

Les changements de ces années plongent leurs racines loin dans le passé, comme l'a souligné Fernand Dumont : « *Nos pères ont rouspété pendant des siècles ; ils n'étaient pas ces moutons dociles que l'on nous a souvent décrits. Ils ont légué à leurs enfants un scepticisme neuf, des critiques radicales, une fureur qui ne sont pas sans correspondances avec les écrivains de leur époque. Là encore, le vieux fonds des rancunes et des idées accumulées pendant des siècles perçait comme un abcès enfin mûr.* » A ces frustrations s'ajoutait le bouleversement des structures économiques et sociales commun au monde développé et qui condamnait les structures traditionnelles québécoises.*

C'est à une poignée de journalistes et d'intellectuels que revient l'honneur d'avoir dénoncé les premiers l'immobilisme de l'« ancien régime », à coups d'articles tonitruants, de débats animés et de manifestations pacifiques. La faculté des sciences sociales de l'université de Laval était au centre de cette agitation : s'y affrontaient le catholicisme social, le libéralisme, le conservatisme et le modernisme. Les opposants dénonçaient les liens entre l'Église catholique et l'État provincial, ainsi que les discriminations envers les francophones.

En 1936, le Québec avait porté au pouvoir Maurice Duplessis (1890-1959) et son parti de l'Union nationale. Battu aux élections de 1939, Duplessis devait sa réélection de 1944 à la grande crise qui avait opposé les Québécois au reste du pays à propos de la conscription obligatoire, lors de la Seconde Guerre mondiale.

Tout au long de cette période, il avait habilement su se faire le porte-parole des isolationnistes qui étaient majoritaires parmi la population. Aux affaires sans interruption jusqu'en 1959, l'Union nationale avait accaparé tous les leviers de décision. La corruption, favorisée par l'absence de contre-pouvoirs, s'était accrue dans des proportions colossales. Dans le rapport sur l'Union nationale présenté par une commission royale en 1961, il a été fait état de plus de 100 millions de dollars de pots-de-vin, versés par les compagnies qui avaient passé contrat avec le gouvernement provincial. Duplessis, anticommuniste convaincu, sûr de son pouvoir, faisait briser les grèves, humiliait publiquement ses propres ministres et raillait ses adversaires, qui n'étaient pas en mesure d'échanger comme lui routes et hôpitaux contre bulletins de votes.

Le journaliste André Laurendeau fut le premier à oser suggérer que les anglophones soutenaient le Premier ministre. Laurendeau, approuvé par de nombreux Québécois, stigmatisait l'alliance objective des magnats anglophones et du gouvernement provincial qui monnayait la stabilité politique contre leurs subsides – tandis que Maurice Duplessis, passé maître dans l'art du double langage, dénonçait ces mêmes hommes d'affaires.

La mort de Duplessis, en 1959, rendit possible l'arrivée au pouvoir, en 1960, du Parti libéral dirigé par Jean Lesage. René Lévesque, qui faisait partie de ce gouvernement, qualifia le mandat de Duplessis de période de « grande noirceur » et affirma que le Québec avait été maudit et damné par ces seize années de « dictature ». Le changement fit une autre victime : l'Église catholique. Celle-ci fut en effet l'une des premières cibles de la « nouvelle pensée », laquelle mit un terme à cette époque où le prêtre de la paroisse insistait, au moment des élections provinciales, sur le « *choix moral juste* » – c'est-à-dire le candidat de l'Union nationale – et où, du haut de leurs chaires, les évêques parlaient « *beaucoup, [...], fort et sèchement* » (Jean Hamelin).

Pourtant, l'un des premiers coups portés contre le régime de Duplessis – qui se félicitait de voir les évêques lui « *manger dans la main* » – et le traditionalisme religieux était parti du sein même de l'Église québécoise : dès 1960, un frère enseignant, sous le pseudonyme de frère Untel, dénonçait les carences du système d'éducation catho-

lement la fonction publique, la santé et les affaires sociales, que l'Église avait jusqu'alors géré. C'est cependant le cours de l'histoire qui affaiblit le plus le catholicisme québécois. Dans la décennie qui suivit l'arrivée des libéraux à la tête du pays, l'exode rural fit du prêtre des anciennes paroisses un personnage appartenant au passé. L'élévation du niveau de vie, la libéralisation des mœurs, l'avènement de l'État-providence accélérèrent encore cette évolution. Les congés payés remplacèrent définitivement les 37 jours fériés religieux qui, en plus des dimanches – sans compter les pèlerinages, deux fois par an –, rythmaient l'année, du moins au XVIIIe siècle.

lique, dans un opuscule intitulé *Les insolences du frère Untel* (Éditions de l'Homme). Ses préconisations rejoignaient celles de la Commission sacerdotale d'études sociales, qui s'opposait également à l'ultramontanisme (soumission absolue au pouvoir du pape et des évêques) et à la compromission avec Duplessis d'une partie du clergé.

Contre l'Église catholique, le gouvernement provincial créa, en 1964, un ministère de l'Éducation qui remplaça le Comité catholique du Conseil de l'instruction (lequel s'était lui-même substitué, en 1875, à un premier ministre provincial de l'éducation – créé en 1868) ; il rendit l'éducation laïque, obligatoire et gratuite. Il laïcisa éga-

Contre les Anglo-Saxons, Jean Lesage nationalisa en 1963 les compagnies d'électricité – dont les centrales hydro-électriques alimentent toujours la mégalopole new-yorkaise. Il accorda, enfin, des aides spécifiques aux entrepreneurs francophones.

La Révolution tranquille fut aussi une révolution culturelle. Elle provoqua, en 1977, l'adoption de la Charte de la langue française. Elle vit se développer un nouveau théâtre, une nouvelle littérature et une chanson contestataire, avec Robert Charlebois, Louise Forestier ou Diane Dufresne, qui succédaient aux chanteurs folkloristes – on vit même circuler une brochure intitulée *Poèmes et chansons de la résistance* !

LES COMMUNAUTÉS MONTRÉALAISES

Montréal est la ville de toutes les communautés : Québécois, Écossais, Anglais, Italiens, Irlandais, Juifs, Haïtiens, Scandinaves, Chinois, Allemands, Amérindiens, Américains (dont les ancêtres, loyalistes, ont été chassés par les États-Unis lors de la guerre d'indépendance). Ils ont trouvé ici une seconde patrie, qu'ils ont reconstituée dans les quartiers où ils se sont rassemblés.

La révolution industrielle est à l'origine de l'immense accroissement de la première communauté de la ville, celle des francophones. C'est à partir du milieu du XIXᵉ siècle, quand être francophone signifiait souvent être prolétaire, que les familles paysannes arrivèrent en masse à Montréal. Les nouveaux habitants se concentrèrent à l'est, dans et autour de la ville. Quand les faubourgs de Montréal touchèrent le petit bourg d'Hochelaga (du nom du premier village indien), en 1893, et que les autorités décidèrent de l'annexer à la métropole, les industriels canadiens-français refusèrent ce qu'ils estimaient être un coup de force et fondèrent la municipalité de Maisonneuve où ils bâtirent des usines. Leurs somptueuses demeures y côtoient toujours les lotissements ouvriers et rappellent ce temps où la vie se passait entre l'atelier, la maison et l'église. Depuis, le quartier francophone n'a cessé de se développer : il englobe tout l'est de la métropole et commence à la rue Saint-Laurent, appelée la « Main », et qui marque le début de l'Ouest anglophone.

Le temps du Montréal ouvrier est désormais révolu : le quartier « populaire » du plateau Mont-Royal a été rénové – de nombreux artistes y habitent, hier le poète Émile Nelligan, aujourd'hui l'écrivain Michel Tremblay (auquel on doit les *Chroniques du plateau Mont-Royal*). Le soir, la foule envahit les théâtres, les cinémas, les restaurants et les cafés de la rue Saint-Denis. Pour aller au quartier « bourgeois » (beaucoup moins animé), il faut passer la Main et monter jusqu'à Outremont, sur le flanc nord du mont Royal. La

Pages précédentes, promenade des enfants d'une garderie. A gauche, manège de La Ronde, souvenir d'Expo 67 ; à droite, heureux Montréal.

communauté anglophone, représentant un demi-million de personnes, occupe l'ouest de la ville, autour des rues McGill, Atwater et Peel ; son quartier huppé est Westmount, sur le mont Royal.

Le temps des migrations italienne, juive et irlandaise

Les communautés italienne et juive, les plus importantes, sont également les plus anciennes après les Français, les Anglais et les Amérindiens.

Les Italiens sont arrivés par vagues entre le XIXᵉ siècle et les premières décennies du

XXᵉ siècle. Originaires principalement de Sicile et du Mezzogiorno (dont beaucoup de la Molise), ils se sont d'abord installés dans le nord de la ville, non loin de Saint-Léonard, pour ensuite se disperser dans toute l'île de Montréal. Leur quartier, autour du parc Jarry et de la rue Dante, conserve des allures de Petite Italie, avec ses restaurants, ses cafés, ses épiceries et son marché de la rue Jean-Talon où tout un petit monde se retrouve pour bavarder, commercer, et suivre les exploits de la Juventus ou de l'Inter de Milan.

Les Juifs chassés d'Europe de l'Est (voir p. 87), installés plus haut sur la rue Saint-Laurent, forment une autre des grandes communautés montréalaises. Autrefois regroupés autour du quartier Saint-Louis qui fut pendant longtemps le centre de leur vie culturelle, ils ont, au fil des ans, déménagé plus à l'ouest, dans des municipalités comme Outremont, Côte-des-Neiges, Snowdon, Côte-Saint-Luc et Hampstead.

Aujourd'hui, les deux communautés pratiquent encore l'italien ou le yiddish, et leurs membres parlent, pour la plupart, le français et l'anglais. L'importance particulière des liens familiaux dans chacune d'elles leur a permis de mieux préserver leur identité que, par exemple, les Allemands, les Hongrois, les Slaves ou les Scandinaves, qui

parce que les Irlandais sont, comme les Québécois, catholiques.

Nouveaux immigrants

Au cours des dernières décennies, les immigrants juifs, italiens, irlandais et anglo-saxons ont peu à peu laissé place à de nouveaux arrivants, venus d'Asie, des Antilles, du Proche-Orient, des îles atlantiques, de l'Amérique latine et des Balkans.

C'est à la fin du XIXᵉ siècle qu'arrivèrent les premiers membres de la communauté chinoise de Montréal, pour travailler à la construction des chemins de fer canadiens,

se sont fondus dans la communauté anglophone en moins de deux générations.

La troisième communauté en importance est celle des Irlandais, chassés de leur île natale par la grande famine des années 1850, qui fit plus d'un million de morts. Comme, dans la vie de tous les jours, les Montréalais abandonnent volontiers aux politiciens les affres de la bataille linguistique, les francophones sont nombreux, le jour de la Saint-Patrick, à s'habiller en vert et à descendre dans la rue Sainte-Catherine pour applaudir les chars et les défilés qui retracent l'histoire des Irlandais à Montréal – il est vrai que les deux communautés sont historiquement solidaires, ne serait-ce que

permettant aux pères fondateurs du Canada de réussir leur immense pari de relier la côte atlantique à la côte pacifique. La rue de La Gauchetière, leur foyer initial, constitue, avec ses épiceries et ses restaurants – grand domaine d'activité des Chinois –, un véritable petit « Chinatown ». De là, la communauté s'est peu à peu disséminée dans l'ensemble de la métropole. Mais elle n'en a pas perdu pour autant son attachement à sa patrie d'origine. Le 1ᵉʳ juillet 1997, jour de la rétrocession de Hong Kong à la Chine populaire, les téléviseurs placés dans les vitrines de la rue de La Gauchetière ont attiré une foule de Canadiens d'origine chinoise.

L'importante communauté grecque s'est également regroupée autour de la rue Saint-Laurent, le long de l'avenue du Parc. Tavernes et brochetteries y répandent à profusion leurs parfums méditerranéens. Quant aux Haïtiens, dont beaucoup sont chauffeurs de taxi, leurs liens historiques avec le Québec sont très forts : pour ces francophones et ces anciens colonisés, le Canada représente la terre naturelle d'émigration dans l'Amérique industrialisée et souvent leur seul espoir de promotion sociale. Beaucoup se sont installés à Montréal-Nord, où les épiceries proposent des mangues et d'autres fruits exotiques.

Ma cabane à Montréal

Chemin traditionnel des arrivants débarquant sur les quais du Saint-Laurent, la rue Saint-Laurent, véritable « couloir des immigrants », conduisait les nouveaux arrivés au fur et à mesure de leur enrichissement vers le nord, où s'étendaient les quartiers de la classe moyenne. Ensuite, les immigrants se répartissaient dans les quartiers de l'Est ou de l'Ouest, selon leur langue d'adoption.

Ils étaient remplacés aussitôt par les derniers arrivants, plus pauvres, moins intégrés, et qui reprenaient les emplois que leurs prédécesseurs pouvaient désormais

Arrivés de l'archipel des Açores entre 1960 et 1975, les Portugais se sont installés à l'est de la rue Saint-Laurent, aux alentours de la rue Saint-Urbain, et ont revitalisé le quartier Saint-Jean-Baptiste alors en voie de délabrement. Cette présence portugaise, concentrée autour de la nouvelle église Santa-Cruz, à l'angle des rues Saint-Urbain et Rachel, est soulignée par les nombreuses vignes grimpantes qui s'accrochent aux façades colorées rehaussées d'*azulejos*, carreaux de faïence traditionnels.

A gauche, été comme hiver, les parcs font le bonheur des Montréalais; ci-dessus, Montréalais de chair et de bronze.

délaisser. En quittant les berges du Saint-Laurent par la Main, et tout de suite après le Vieux Montréal, on trouve des épiceries et des restaurants chinois, puis le quartier « hot » – le Pigalle local, au sujet duquel Michel Tremblay, dramaturge montréalais né en 1942, a écrit : « *On était sur la Main au sud de [Lagauchetière] et on ne venait pas au Coconut Inn pour se faire c... à jouer les chics et les subtils ! On venait boire et rire.* »

Suivent le quartier portugais, avec ses vendeurs de poisson, le quartier juif et ses petites boutiques, ses restaurants et ses commerces kasher ; viennent ensuite les tavernes grecques et, enfin, les bars créoles.

Les derniers arrivants ne sont pas les représentants d'une communauté ethnique misérable ou opprimée. Ce sont les membres d'une classe aisée, constituée par les yuppies, ces jeunes cadres « dynamiques ». Les anciennes usines de vêtements ont été converties en appartements et la rue Saint-Laurent, délaissant son passé modeste, voit se multiplier les boutiques de mode avant-gardistes et les restaurants « post-modernes »... Une évolution qui désole les Montréalais nostalgiques du passé et réjouit les promoteurs immobiliers, qui ont assisté à l'envol du mètre carré.

Les Amérindiens et les Inuits

Les habitants d'origine du Québec, les Indiens et les Inuits, sont, pour les premiers, une soixantaine de milliers, et pour les seconds, environ 7 000. Ils se répartissent entre 11 nations et une cinquantaine de communautés.

Les jeunes de moins de 25 ans, qui forment 25 % de la population amérindienne, revendiquent pour eux et leur peuple une nouvelle place dans la société québécoise. « *Nibimatisiwin* », « *C'est notre vie et nous prenons la parole* », disent les Algonquins ; quant aux Mohawks de Kanesatake, dans les environs de Montréal, ils se sont soulevés en mars 1990 pour s'opposer, les armes à la main, à des promoteurs immobiliers qui voulaient transformer un bois de pins leur appartenant en terrain de golf. Certaines tribus ont attaqué en justice les autorités canadiennes pour qu'elles les dédommagent de la conquête de leurs terres sacrées (convention de la baie James, en 1975).

Une quinzaine de milliers de jeunes Amérindiens ont quitté leurs tribus pour Montréal. Quand ils arrivent dans la métropole, la plupart de ces Indiens se retrouvent déracinés. D'autres s'assimilent au contraire si bien que leurs congénères leur reprochent d'être à l'image des pommes (sous la peau rouge, le fruit est blanc), c'est-à-dire d'agir et de penser comme des Blancs. On assiste aussi à un renouveau culturel, où les valeurs amérindiennes se portent haut et fort, et dont la cinéaste et chanteuse Alanis Obumsawin, ou le groupe musical Kashtin, sont les hérauts.

L'un des nombreux caricaturistes qui exercent dans le Vieux Montréal.

LA COMMUNAUTÉ JUIVE DE MONTRÉAL

Selon les descriptions du grand écrivain israélite de Montréal, Mordecai Richler (né en 1931), le quartier juif est un « *monde en soi, mais un monde replié sur lui-même, composé de cinq rues : les rues Clark, Saint-Urbain, Waverley, Esplanade et Jeanne-Mance, limité d'un côté par la rue Saint-Laurent, de l'autre par l'avenue du Parc [...]. A chaque coin, un magasin de cigares, une épicerie et un vendeur de fruits. Des escaliers extérieurs partout. Des escaliers en colimaçon, des escaliers en bois, des escaliers rouillés, des escaliers dangereux. Des enfilades de balcons décatis à perte de vue, interrompus çà et là par un trou fait par un terrain en friche* ».

La communauté juive de Montréal n'est plus confinée au quartier où l'écrivain a passé le début de sa vie. Désormais, les Juifs se mêlent aux francophones dans les rues d'Outremont, dans le quartier Côte-des-Neiges, ou encore dans les faubourgs lointains de Dollard-des-Ormeaux, quand ils n'habitent pas Toronto. Si les personnes âgées parlent encore le yiddish, leurs petits-enfants ont, pour la plupart, oublié la langue de leurs ancêtres et pratiquent le bilinguisme.

Mais tous, enfants comme petits-enfants, reviennent périodiquement, pour quelques brèves et nostalgiques heures, dans le vieux quartier juif, ce coin de Montréal qui est un peu un coin de Pologne, de Hongrie ou de Lituanie, et où leurs ancêtres se sont installés après leur long voyage, fuyant les persécutions. Là, cachés entre les boutiques de mode et les cafés chics de la rue Saint-Laurent, des fragments de la vieille communauté témoignent de la permanence de celle-ci.

Avant de repartir, ces « exilés » garnissent les coffres de leurs voitures de viande fumée (*smoked meat*) et de délicieux *bagels* (petits pains bouillis puis cuits dont la recette aurait été inventée quand un potentat de l'Europe de l'Est interdit aux Juifs de cuire leur pain).

La communauté juive est l'une de celles qui est arrivée le plus tôt, et qui a le plus fortement marqué les rues de sa présence.

Migrations et exodes

Forte de ses quelque 100 000 membres, la communauté juive de Montréal est l'aboutissement d'une histoire tragique.

C'est au coin des rues Notre-Dame et Saint-Jacques que se trouve la plus ancienne synagogue du Canada, édifiée en 1777 par la communauté séfarade, ces israélites qui descendent des Juifs expulsés d'Espagne lors de l'Inquisition et qui se sont réfugiés ici dans les années 1760.

Les tensions politiques dans la Russie tsariste ont eu un prolongement à Montréal... L'assassinat du tsar Alexandre II, en 1881, déclencha en effet une vague de pogroms qui est à l'origine du sionisme et de l'exode de milliers de Juifs pour lesquels le Canada – et Montréal – fut l'une des terres promises. D'exode en exode, la communauté s'agrandit : en 1891, elle comptait 2 473 personnes ; un siècle plus tard, elle atteignait le chiffre de 30 000. En même temps qu'eux, ces juifs amenèrent les us et coutumes des *shtetls* d'Europe.

Des docks aux ateliers de vêtements

Pauvres et désorientés, les immigrants fraîchement débarqués comptaient pour la plupart sur l'appui des sociétés d'entraide, telles que l'organisme créé en 1847 pour venir au secours des plus démunis (alors que la communauté ne comprenait encore que 200 membres !), ou de la première société hébraïque d'assurance maladie, fondée en 1892.

La précocité de ses fondations témoigne à la fois de l'importance des besoins en matière d'aide financière et médicale, et de l'avant-gardisme des responsables de la communauté – l'Europe devra attendre plusieurs décennies avant de se doter de telles structures sociales.

Mais nombre d'immigrants ne sortaient des cales des bateaux que pour s'engouffrer dans des ateliers de confection, installés le plus souvent dans des appartements, où ils travaillaient dans des conditions épouvantables, coincés dans des pièces minuscules et surpeuplées, peu éclairées et sans aération – les journées de travail étaient très longues, la paie dérisoire ; à côté des tailleurs, la famille du patron s'efforçait de vivre en ignorant le vacarme des machines à coudre.

Subversions sociales

Les conditions de travail, comme les liens tissés par la communauté juive entre les deux rives de l'Atlantique, fournirent aux idées socialistes un terreau idéal.

Sous l'influence du Bund, le parti socialiste juif fondé en Russie en 1897, il se créa un cercle d'ouvriers. Dans la tradition révolutionnaire la plus pure, ses membres se considéraient à la fois comme des combattants ayant pour objectif l'amélioration du sort des opprimés, et comme des militants ouvriers éclairés de l'Internationale socialiste. Bientôt, la contestation sortit

des ateliers pour se répandre dans la rue, à partir de certaines librairies qui s'étaient transformées en forums de discussion. L'écho de ces diatribes résonna bien au-delà de la rue Saint-Laurent, dans tout le quartier Montréal-Cartier où les trois quarts de l'électorat étaient juifs.

En août 1943, la circonscription entra dans l'histoire en élisant au parlement un communiste, Fred Rose – un fait retentissant et presque unique dans les annales politiques de l'ensemble du continent.

L'athéisme des uns n'empêchait pas la religiosité des autres : l'effondrement social consécutif à la Grande Dépression rendit les repères moraux plus nécessaires

que jamais. De nombreuses maisons furent transformées en lieux de prière : en 1940, 40 des 50 synagogues de Montréal étaient situées en moyenne à moins de 2 km de la synagogue voisine ; dans la seule rue Saint-Urbain, on en comptait 6 !

L'ascension d'une communauté

Comme les autres immigrants avant eux, les Juifs commencèrent leur ascension à partir de la rue Saint-Laurent.

Escaliers en colimaçon et appartements sans eau chaude ont abrité toute une génération de Juifs qui devinrent plus tard des acteurs en vue de la vie artistique, scientifique et politique du Canada, du chanteur et compositeur Leonard Cohen à l'homme politique David Lewis. D'autres ont marqué d'une empreinte plus discrète mais tout aussi déterminante la scène montréalaise, comme la militante féministe Lea Roback. Des Juifs montréalais parfaitement bilingues occupent des fonctions de conseillers municipaux, ou sont professeurs d'université, souvent à McGill.

Peu à peu, ils ont quitté leur vieux quartier pour s'installer dans des logements plus spacieux situés dans des quartiers plus favorisés. Selon un sociologue, au boom économique de la dernière guerre mondiale et des années qui suivirent correspondit « *la conversion économique et sociale des Juifs* ». Ils bénéficient aujourd'hui d'un revenu moyen qui les classe au premier rang des groupes ethniques québécois – avant même les anglophones. De nouvelles synagogues ont été érigées. Mais nombreux sont également les lieux de culte à avoir été désertés, notamment autour de la rue Saint-Laurent, laissant parfois place à une église, parfois à un parking – avenue Fairmount, des lettres de l'alphabet hébreu semblent s'élancer vers le ciel avant de disparaître dans la façade de la nouvelle école française.

Les Juifs hassidiques

La majorité des Juifs sont de tradition ashkénaze. Les Juifs hassidiques, dont l'origine remonte au XVIIIᵉ siècle, sont une minorité. Mais ils représentent une énigme, tant pour les Québécois francophones d'Outremont, leurs voisins, que pour nombre de leurs coreligionnaires.

Le temps semble avoir suspendu son vol dans les centres de prière hassidiques, comme celui de la rue Jeanne-Mance. Hormis les petits écriteaux annonçant la vocation du lieu, ce centre ressemble – comme les autres – à s'y méprendre aux demeures de son quartier. Mais la ressemblance s'arrête au seuil de la maison.

Un Juif hassidique fait profession de se dévouer à Dieu sans se laisser distraire par le monde séculier – d'où la sobriété de ses vêtements. Les hommes ne sortent que vêtus de longs manteaux noirs en soie (*kapotes*) et coiffés de leur chapeau de fourrure (*spodik*) d'où émergent de

Être anglophone ou ne pas être ?

Saul Bellow, prix Nobel de littérature en 1976, a décrit son enfance dans le Montréal des années 20 : « *Dans ma famille, mes parents parlaient russe entre eux. Les enfants parlaient yiddish avec leurs parents, anglais entre eux et français dans la rue [...]. Je n'étais jamais conscient de la langue que je parlais. Je ne faisais aucune distinction et j'utilisais simplement la langue appropriée à mon interlocuteur. Je savais à quelle culture j'appartenais. Voilà comment je vivais.* » Les immigrants arrivés à Montréal au début du siècle se

longues boucles de cheveux. Les femmes, très simplement habillées, sont souvent accompagnées d'innombrables enfants (une autre originalité au Québec, ou le nombre d'enfants par femme est d'environ 1,5). Les Juifs hassidiques s'expriment en yiddish. La communauté, très hiérarchisée, est commandée par un *zaddik* (chef), à la fois guérisseur, confesseur, instructeur moral et conseiller.

A gauche et ci-dessus, les représentants d'une communauté très importante en nombre même si, à la notable exception des hassidim, son taux de natalité tend à se rapprocher du taux montréalais.

sont en effet installés dans une société dominée par une minorité anglophone.

« *Au Baron Byng High School*, écrit à ce propos Mordecai Richler, *près de l'intersection de la rue Rachet et de la Main, nos parents immigrants fondaient sur nous leur richesse et leur espoir. L'école relevait du Conseil scolaire protestant, mais elle était juive à presque cent pour cent. Elle devint une sorte de légende dans le quartier. La classe 41, la mienne, était l'une des rares qui pouvait se vanter d'avoir en son sein un vrai Gentil, un authentique protestant de race blanche. Il s'appelait Whelan et il était un véritable oiseau rare. Les étudiants des autres classes venaient l'observer, remplis d'envie, ils lui posaient des questions. Whelan n'avait pas de matière grise à revendre, mais il donnait à la classe 41 un certain ton. Afin de le garder avec nous, nous écrivions ses compositions et lui passions les réponses aux examens. »*

Pour les Juifs, parler l'anglais ne signifiait nullement épouser les intérêts anglo-saxons ou la cause fédérale. Mordecai Richler raconte encore qu'ils aimaient assez peu les Anglais, auxquels beaucoup préféraient les francophones : *« Comme nous, [les Canadiens français] étaient pauvres et communs, et parlaient mal l'anglais. »*

effet poussé ces Juifs francophones à immigrer à Montréal, où ils sont aujourd'hui plus de 20 000. Leur désir de conserver leur culture et leur identité rencontra un écho dans les aspirations des nationalistes québécois. A la Révolution tranquille, les Juifs anglophones, majoritaires (ils représentent aujourd'hui encore 50 % des effectifs de la communauté), se trouvèrent du mauvais côté de l'histoire : leurs préoccupations atteignirent leur summum à la victoire, en 1976, du Parti québécois.

De nombreux jeunes quittèrent alors Montréal pour Toronto. Encore aujourd'hui, un certain nombre de Juifs âgés,

Les Juifs et la Révolution tranquille

Dans les années 1960, les Canadiens français, après des siècles de discrimination, commencèrent à se réapproprier leur passé et leur langue. Les bouleversements de la scène politique québécoise coïncidèrent avec de profonds changements au sein de la communauté juive.

Une nouvelle vague d'immigrants juifs arriva à Montréal, sans toutefois s'arrêter rue Saint-Laurent : celle des Juifs séfarades, culturellement très différents des Juifs ashkénazes. L'indépendance et l'instabilité politique des pays de l'Afrique du Nord (notamment du Maroc) avaient en

s'habituent difficilement à la prééminence retrouvée du français, qui les coupe d'une partie de leur passé.

Horreurs d'un autre temps ?

Si l'un des grands mérites des indépendantistes québécois, tels Jean Lesage ou René Lévesque, est d'avoir dissocié les revendications nationales québécoises de l'antisémitisme, cela n'a pas toujours été le cas.

Les générations les plus récentes de la communauté juive se sont parfaitement intégrées à la vie montréalaise, sans renier pour autant les ancêtres fondateurs.

Un certain nationalisme québécois « traditionaliste » considérait, dans les années 30, les Québécois comme une « race » que singularisaient quelques traits : la francophonie, certes, mais également les origines paysannes, l'attachement à la famille, le primat de l'ordre social et le catholicisme ultramontain (soumission absolue à Rome). *Histoire du Québec contemporain* (Boréal, 1994) montre comment l'Église catholique a repris à son compte cette sensibilité, fondant un véritable « clérico-nationalisme ». Ses écoles les plus actives étaient à Montréal ; ses journaux, comme *L'Action catholique*, *Le Devoir*, *La Nation*, *Vivre*, ses groupes politiques, comme le mouvement des Jeunes-Canada, le rassemblement des étudiants de l'École des hautes-études commerciales, la Société Saint-Jean-Baptiste, tous faisaient l'éloge du fascisme, admiraient Salazar, Pétain, Franco et Mussolini, croyaient en un complot mondial anticatholique et antinational, au premier rang duquel se trouvaient les Juifs – auxquels les catholiques traditionalistes reprochent d'avoir fait mettre le Christ en croix ! Les Juifs montréalais eurent davantage à souffrir de la virulence des campagnes antisémites que d'actes concrets – excepté de la part d'Adrien Arcand et de son groupe de nazis. Néanmoins, les enfants juifs furent contraints de suivre l'enseignement des écoles protestantes anglophones, l'accès aux écoles catholiques et francophones leur étant fermé. En outre, la politique canadienne fut longtemps restrictive à l'égard de l'émigration juive, y compris vis-à-vis des Juifs qui fuyaient Hitler.

L'après-guerre a vu un catholicisme humaniste se substituer au cléricalisme de l'avant-guerre. Quand, à Outremont, hassidisme et sécularisme sont entrés en conflit en 1988 au sujet de la construction d'une nouvelle synagogue (à laquelle était opposé le conseil municipal), articles et propos antisémites sont réapparus. Les Montréalais, anglophones comme francophones, furent unanimes à dénoncer ces propos d'un autre temps.

Ne pas mourir et revivre

Témoin de la tolérance québécoise, la communauté juive de Montréal compte un pourcentage extrêmement élevé de survivants de l'Holocauste – entre un cinquième et un quart des adultes. Pour ces rescapés, la défense de la mémoire et de l'identité juive est essentielle.

A cette fin, ils organisent une exposition permanente intitulée « Splendeur et destruction : la vie des Juifs telle qu'elle était, 1919-1945 ». En 1979, ils ont fondé le mémorial de l'Holocauste, premier musée historique juif et centre d'information du Canada sur l'holocauste. Y sont retracées l'élimination des Juifs pendant l'Holocauste, la vie quotidienne des communautés juives avant le génocide. Les objets exposés ont, pour la plupart, été légués par des Juifs montréalais. Dans une pièce tranquille, des bougies éclairent de leur douce lumière les noms des lieux sinistres qui font partie de la mémoire collective juive depuis 1945.

Du yiddish au français, permanence du problème linguistique

Au centre Saidye-Bronfman, le yiddish n'est pas une langue morte. Le groupe théâtral d'avant-garde Dora Wasserman se bat pour sa survie. Jouissant d'une certaine réputation, la troupe présente – entre autres – des œuvres d'Isaac Bashevis Singer, qui affirme que *« si le yiddish est en train de mourir, il devrait continuer à mourir pendant encore un millénaire »*.

Montréal abrite également le Congrès juif canadien, une sorte de parlement local qui représente la communauté auprès des autorités municipales et provinciales. Comme pour la communauté juive américaine voisine, la relation avec Israël reste forte : manifestations, quêtes permettent de mieux faire connaître l'État hébreu et de réunir des fonds.

D'autres membres de la communauté agissent, eux, en faveur d'un dialogue avec les Palestiniens. Les sensibilités sont multiples, peut-être en vertu de la vieille blague qui circule dans le quartier et selon laquelle lorsque deux Juifs se rencontrent, il y a trois opinions.

Quel sera l'avenir des Juifs de Montréal ? D'aucuns s'inquiètent de la résurgence du nationalisme québécois et envisagent un nouveau départ ; d'autres, en revanche, sont fermement décidés à rester dans cette ville qu'ils ont adoptée, quitte à s'adapter à un Québec plus francophone.

POLITIQUE, LANGUE ET IDENTITÉ

En plagiant Metternich, pour qui l'Italie d'avant l'unification était une « expression géographique », on peut se demander si le Canada n'existe que sur les cartes. Baigné par deux océans différents à l'est et à l'ouest, coiffé par une calotte polaire au nord et bordé au sud par les États-Unis, cet ensemble a besoin, pour fonctionner, d'une cohérence que ne lui donnent ni la langue ni la géographie. Si bien que, parfois, la volonté qu'ont les Canadiens de vivre ensemble ne paraît tenir qu'au refus d'être assimilés par le voisin du Sud.

Ces « pays » immenses qui forment le Canada, qu'on pourrait croire sans frontière quand on les parcourt, n'abritent que 31 millions de personnes, essentiellement installées au sud où le climat est plus clément et où les échanges interfrontaliers créent une forte activité économique. Dans cet ensemble, le Québec pèse d'un poids singulier, en dépit de sa taille restreinte (à l'échelle du continent, car on y logerait aisément deux France !) et de ses 7 millions d'habitants (soit 1 ou 2 au km²). Quelle est donc la nature exacte de cette province, dont la question « identitaire » secoue le Canada *« d'un océan à l'autre »* (selon la devise nationale) et qui, au-delà de ce seul pays, interpelle le continent nord-américain où le fédéralisme règne, semble-t-il, en maître incontesté ?

En 1867, les pères fondateurs du Canada proposèrent une confédération dans le but de se défendre contre les ambitions hégémoniques des Américains. Personne n'imaginait alors un État-nation unifié, englué dans l'idéologie et le séparatisme. Le pacte fut ratifié alors que la Colombie Britannique était encore inaccessible d'Ottawa par voie terrestre (chose qui fut possible dès 1881 grâce à la construction, aux allures d'épopée, du chemin de fer transcanadien). A l'âge des télécopieurs et

Pages précédentes : quand Montréal affiche sa bonne humeur. A gauche, les représentants de la minorité irlandaise paradant lors de la Saint-Patrick ; à droite, drapeaux canadiens québécois côte à côte, symbolisant une unité presque impossible à trouver.

des jets, les 6 400 km qui séparent Vancouver de Montréal semblent aujourd'hui peu de chose, alors qu'en 1867, les deux villes étaient réellement isolées l'une de l'autre. Mais ce rapprochement n'a-t-il pas eu comme conséquence de faire prendre conscience à chacun de ses différences ? Le Canada ne pouvait être organisé à l'image des États-Unis et ne pouvait, comme lui, évoluer dans le sens d'une centralisation croissante, crise économique et New Deal aidant. Il pouvait seulement fonctionner si ses membres, à qui l'on avait accordé de grands pouvoirs, étaient à la fois autonomes et loyaux envers la collectivité.

Le Québec, un État sous l'État, ou un État dans l'État ?

Sur l'échiquier canadien, le Québec a la double et paradoxale nature d'une province fondatrice et d'une région colonisée. Bien que la conquête ait précédé la confédération d'un siècle, son legs (c'est-à-dire la domination de l'économie par les Anglais et la discrimination vis-à-vis des Québécois et de leur langue) perdura jusqu'à il y a moins d'une décennie.

Comme les autres provinces, le Québec s'est volontairement joint à la confédération en 1867. Mais, plus que les autres provinces, le Québec est une entité, voire une nation. Certes, le Canada reconnaît les diversités. Mais le degré et les coûts de cette diversité vis-à-vis des structures existantes n'ont jamais été clairement définis. Et c'est l'ambiguïté de cette conception que soulignent les aspirations souverainistes de la Belle Province.

Parallèlement, le système politique du Canada, basé sur la représentation populaire, favorise largement les provinces les plus peuplées que sont l'Ontario et le Québec et où vivent les deux tiers des électeurs. Un parti fédéral ne peut gagner une élection sans le soutien tacite de l'Ontario et le soutien absolu du Québec, où les

électeurs ont, de plus, tendance à voter massivement. Par conséquent, la plupart des Premiers ministres du Canada sont originaires de ces régions, et de nombreux dirigeants majeurs ont été québécois – qu'il s'agisse de Jean Chrétien ou de Pierre Elliott Trudeau.

Aussi, si l'on considère le poids de chaque province, ce n'est pas le Québec qui souffre d'un manque de pouvoir et d'influence, mais plutôt les provinces les moins peuplées, notamment celles de l'Ouest. En prenant en compte les revendications de la Belle Province, les milieux dirigeants anglophones assurent à leurs partis un quart des sièges au Parlement

fédéral. Le Québec peut faire et défaire les Premiers ministres, décider des inflexions majeures de la politique fédérale – comme cela a été le cas lors de l'accord sur le libre échange passé avec les États-Unis et le Mexique et qui a créé l'Alena.

Les mots mêmes de « souveraineté-association », nom de la réforme proposée par René Lévesque aux Québécois le 20 mai 1980, reflète cette ambiguïté : comment peut-on être à la fois souverain et associé, c'est-à-dire souverain et fédéraliste, si l'on admet que le fédéralisme est une association d'États ? Un humoriste a lancé un jour que les Québécois revendiquaient *« un Québec indépendant dans un Canada fort »*. Une dérision plus proche de la réalité qu'il n'y paraît... De ces ambiguïtés, Pierre Elliott Trudeau (puis ses successeurs) a su jouer contre le Parti québécois. Si sa phrase *« Votre non voudra dire oui »* est un pur sophisme, elle est également une redoutable machine de guerre qui, jusqu'à présent, a permis de maintenir le Québec dans l'État canadien.

Si 60 % des Québécois ont répondu négativement au référendum organisé par Lévesque, les habitants de la Belle Province n'en ont pas moins reconduit le Parti québécois au pouvoir dès l'année suivante. En 1994, le même parti, dirigé par Jacques Parizeau, a remporté 77 sièges aux élections provinciales (contre seulement 47 aux libéraux) : bouclant la boucle, il a organisé sur le thème de l'indépendance un nouveau référendum, perdu de justesse.

La fracture, dans une province dont la devise est *« Je me souviens »*, ne passe pas seulement entre les partis, elle passe au plus profond des consciences : il est significatif que les deux fils du Premier ministre Johnson (l'un des héritiers spirituels de René Lévesque), qui sont tous deux hommes politiques, ont fait carrière l'un chez les indépendantistes et l'autre chez les libéraux.

Des questions encore insolubles

La dynamique indépendantiste est cependant loin de concerner le seul Québec. Elle s'insère dans un contexte plus global, celui des rapports entre les centres dominants et les périphéries dominées, problème qui concerne tous les continents, de l'Europe à l'Afrique.

La revendication indépendantiste du Québec a rencontré un écho dans les autres provinces canadiennes avec, pour point culminant, le 15 décembre 1988, quand la cour suprême déclara, qu'en vertu de la Charte des droits et libertés, le Québec ne pouvait interdire l'anglais comme langue sur les affiches. Cette sentence était rendue contre la célèbre « loi 101 » (prise en application de la Charte de la langue française adoptée par la Belle Province). Cette disposition devait assurer la protection et la promotion du français dans les domaines social et économique en interdisant, notamment, les écoles anglo-

était nécessaire de protéger les « droits de la majorité ». Ces lois eurent aussi pour conséquence paradoxale de conduire l'ensemble des autres provinces à s'interroger sur leur identité et à affirmer davantage leur spécificité face au centre.

Une vague antifrancophone submergea le Canada. A Montréal, un groupe d'anglophones fonda son propre parti, le Parti égalité. Des municipalités ontariennes se proclamèrent « unilingues anglophones » et les ressentiments à l'encontre de la loi sur l'affichage québécoise – et même sur le bilinguisme à la Trudeau – s'intensifièrent. Le modèle fondateur des « deux langues »

phones aux nouveaux immigrants pour les forcer à apprendre le français – mesures que les anglophones furent nombreux à considérer comme extrêmes. En 1989, une nouvelle mesure, la loi 178, interdit l'usage de l'anglais sur tout affichage public, et ce même si le français était présent.

Éveils régionaux

Le gouvernement fédéral réagit aux mesures québécoises en déclarant qu'il

A gauche, les caricaturistes francophones adorent s'en prendre à la Couronne britannique ; ci-dessus, l'hôtel de ville de Montréal.

fut remis en question. Pour certains, le Canada était multiculturel mais non bilingue ; d'autres mettaient en avant le caractère tolérant, démocratique et bilingue de la société canadienne ; quant aux Québécois, ils furent de plus en plus nombreux à revendiquer pour leur terre un statut d'État. La fédération débattait alors des accords du lac Meech, compromis entre les aspirations souverainistes et fédérales. Cette crise provoqua l'ajournement de la législature du Manitoba et l'annulation du vote de Terre-Neuve, et les accords ne furent jamais ratifiés.

Le réveil des provinces avait été également provoqué par l'échec relatif des politiques économiques menées par le gouvernement fédéral depuis les années 50. D'inspiration keynésienne, c'est-à-dire visant à relancer la consommation des ménages par l'accroissement des dépenses publiques, cette « Nouvelle politique nationale » avait buté sur la contrainte extérieure et était, partiellement, à l'origine du déficit des échanges, de l'inflation et du chômage. Le ralentissement de l'expansion économique, à partir de 1973, avait aggravé ces difficultés, d'ailleurs communes à l'ensemble du monde industrialisé et qui, du Canada à la France en passant par le Japon, remettent en cause le

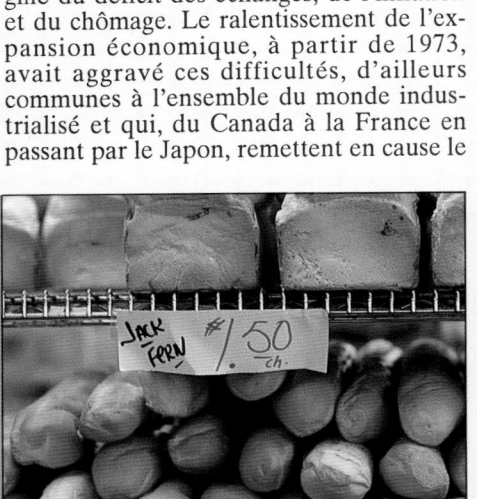

rôle centralisateur de l'État. Mais, au Canada, le problème connaissait une acuité particulière en raison du poids des provinces dans le financement des dépenses sociales et éducatives. En effet, confronté à de fortes difficultés de paiement, l'État fédéral n'avait pas substantiellement modifié le partage des recettes fiscales entre lui-même et les provinces, défavorisées.

Après le Québec, l'Alberta et le Nouveau-Brunswick ont été les plus virulentes dans leurs attaques contre Ottawa ; en fait, le Québec a été intégré dans un véritable front interprovincial contre le centralisme, qui s'est renforcé dans les années

90, mais qui existait déjà dans les années 60 – dès cette époque, les provinces ont commencé à accroître leur pouvoir sur les programmes « à frais partagés » et, dès 1964, fut instauré l'*opting-out*, c'est-à-dire la faculté de refuser tout programme fédéral, tout en recevant, en « échange », des subsides pour mener à bien les politiques provinciales. Depuis cette époque, toutes les provinces se sont dotées, comme le Québec, de services destinés à la seule administration de leurs rapports avec Ottawa – véritables ministères des Affaires extra provinciales, qui peuvent parfois être presque considérés comme des ministères des Relations extérieures.

La coopération, même conflictuelle, restant la règle, des conférences interrégionales ont été instituées, révélant de nouvelles fractures dans le pays, puisque certaines tendent à rassembler les provinces de l'Ouest du pays, tandis que d'autres réunissent les provinces de l'Est.

Les problèmes québécois concernent tous les Canadiens et posent, au-delà du pays, la question de l'équilibre nord-américain – non sans provoquer aux États-Unis eux-mêmes de nouvelles réflexions. De ce point de vue, le « Vive le Québec libre » du général de Gaulle prend une singulière dimension.

La marginalisation des élites traditionnelles

La Révolution tranquille, comme toute révolution, a vu une élite prendre le pas sur une autre. Les anciens cadres, compromis dans le duplessisme, ainsi que la hiérarchie ecclésiastique, ont été écartés des champs nouveaux du pouvoir – sans, toutefois, disparaître. Cette ère fut celle du développement, ou du renforcement, de plusieurs bourgeoisies francophones, aussi diverses par leur style de vie, leur fortune et leurs motivations que peuvent l'être des classes traditionnellement considérées comme antagonistes – comme le prolétariat et la bourgeoisie pour les marxistes. Ici comme ailleurs, la distinction entre provincial et fédéral l'emporte.

En effet, explique *Histoire du Québec contemporain* (éd. Boréal, 1994), « *dès le XIXe siècle s'était établie une distinction entre la grande bourgeoisie aux visées pancanadiennes et internationales et une moyenne bourgeoisie dont l'implantation était plus restreinte géographiquement ».* La grande bourgeoisie francophone est devenue plus nombreuse : Desmarais, Sauvier, Léger, Gaspé-Beaubien, Tardif... sont des noms que l'on retrouve à présent à côté des Weston, Thomson et Black.

Même si les Canadiens français représentent moins du tiers de la population canadienne, la sous-représentation francophone dans cette élite reste manifeste : moins de 9 % – contre 7 % dans les années 50 ; les 9 familles qui contrôlent la moitié de la Bourse de Toronto ont toujours l'anglais pour langue maternelle ; leurs asso-

vaient-elles guère emprunter cette voie. Pour elles, le contrôle du pouvoir régional était une étape obligée.

L'apparition de nouvelles élites provinciales

« Si le prototype des élites traditionnelles était l'avocat de pratique privée, s'appuyant sur une clientèle locale, le symbole de la nouvelle classe dirigeante est le technocrate, ce haut fonctionnaire qui a reçu une formation universitaire poussée et qui, grâce à la situation stratégique qu'il occupe à la tête des institutions étatiques, est en mesure

ciations professionnelles continuent à dominer le Canada, et le Montreal Board of Trade possède encore, face à la Chambre de commerce de la province de Québec, un poids respectable.

En outre, l'internationalisation croissante des économies ne fait qu'accélérer l'évolution qui conduit la haute bourgeoisie à se désintéresser de plus en plus du cadre provincial.

Aussi, les « stratégies » de promotion des autres bourgeoisies francophones ne pou-

A gauche et ci-dessus, au Québec, toutes les affiches doivent désormais être rédigées en français, comme l'impose la loi 101.

d'influencer les grandes orientations de la société », écrit encore *Histoire du Québec contemporain.*

Le contrôle, par le pouvoir provincial, de la Caisse de dépôt et de placement a favorisé la prise de contrôle par les Québécois de nombreuses entreprises provinciales. Simultanément, la Province a développé des programmes d'aide et d'incitation réservés implicitement (pour ne pas encourir le veto de la Cour suprême) aux entrepreneurs francophones.

La laïcisation de l'éducation provinciale a favorisé l'émergence de nouvelles spécialités : la « mystique » du MBA (Master of

Business of Administration) a ainsi supplanté, du moins dans les universités, la mystique religieuse. *« L'époque où faire son cours classique [était] la première réalisation exigée de quiconque [voulait] être admis dans la classe supérieure de la société n'était plus »* (Maurice Tremblay) – il est à noter qu'au sein même de l'Église catholique, des personnalités comme Mgr Charbonneau, ou des groupes de jeunesse étudiante catholique, se déclarèrent en faveur d'une profonde réforme.

C'est surtout là *« où la création de nouvelles entreprises n'est pas freinée par des barrières technologiques trop considé-*

tion (qu'importe la langue si le profit est là). Sont venus ensuite les membres des grands cabinets de consulting, qu'il s'agisse de juristes, d'économistes, d'ingénieurs ou de conseillers « en organisation » – autant de personnages clés et discrets, dont le rôle est de réfléchir aux « processus de production », de les « optimiser », dont la matière première est l'information confidentielle et qui, à leur niveau, influent sur les regroupements d'entreprises (comme ceux des années 70 et 80).

S'ajoutent à ces professions les syndicalistes, issus de la classe ouvrière, mais qui sont désormais rémunérés. Les profession-

rables » (in *Histoire du Québec contemporain*), que les francophones ont pu fonder des sociétés qui, aujourd'hui, pèsent un certain poids, même à l'échelon fédéral, dans l'immobilier, le commerce, la finance et divers services – pour résumer, dans des entreprises dites d'intermédiation (car mettant en relation deux besoins), non directement productives.

Ces évolutions expliquent qu'au personnage emblématique du grand administrateur provincial se soient d'abord ajoutés les cadres supérieurs du secteur privé – dont la francophonie a été institutionnalisée par les grands groupes américains qui, d'eux-mêmes, ont francisé leurs direc-

nels des médias francophones forment un autre groupe important dont sont issus plusieurs personnalités du monde politique québécois : René Lévesque doit une partie de son succès en politique au fait qu'il était journaliste vedette à la télévision.

Viennent enfin les intellectuels, dont certains, comme Jacques Grand'Maison renâclent face aux nouveaux groupes de pouvoir, qui aurait retrouvé les travers classiques des classes dominantes.

Ci-dessus, les amateurs de moto forment des clans qui ne sont pas prêts de déposer les armes linguistiques; à droite, René Lévesque, le leader indépendantiste.

LES VISAGES DE L'INDÉPENDANTISME

Les Québécois ont quitté la France quand la France les a quitté. L'image des élites militaires et administratives abandonnant la Belle Province après la victoire du général Wolfe sur les troupes de Montcalm, le sentiment – justifié – que Versailles les abandonnait par stratégie aux Anglais, tout cela a éloigné le Québec de la France « politique ». Et si une statue du général de Gaulle se dresse aujourd'hui à Montréal, des francophones rappellent que le chef de l'État français a certes crié « Vive le Québec libre », mais qu'il l'a ensuite atténué par un non moins retentissant « Vive la France ».

Dans le siècle et demi qui suivit l'annexion du Québec à la Couronne britannique, l'identité francophone n'a jamais été mise en berne : elle s'est notamment exprimée dans la « guerre des berceaux », cet effort énorme, soutenu et encouragé par le clergé catholique, grâce auquel les Québécois eurent longtemps l'un des taux de natalité les plus élevés au monde... Une manière de rester majoritaire dans sa propre province, ou d'être un peu moins minoritaire à l'échelle de son pays. L'après-guerre a vu s'effondrer et la pratique catholique et la natalité.

La revendication identitaire, réflexe d'un peuple inquiet à l'idée d'être submergé par la vague anglo-saxonne, mais qui n'était plus disposé à avoir autant d'enfants, est devenue politique : il fallait institutionnellement obliger les nouveaux immigrés, au Québec et surtout à Montréal, à choisir le français et non l'anglais comme langue quotidienne.

Les crises politiques de ce siècle qui ont façonné le patriotisme québécois sont liées aux deux guerres mondiales : en 1914-1918, comme en 1939-1945, les habitants de la Belle Province furent une majorité à refuser la conscription obligatoire. Pourquoi en effet « se battre pour l'Empire britannique », pourquoi se battre pour une France qui avait abandonné ses « quelques arpents de neige » à un sort lointain ? Le dilemme posé par la Seconde Guerre mondiale a provoqué une véritable crise de conscience, d'autant qu'une partie du clergé plaida en faveur d'un devoir moral d'intervention contre la dictature nazie. Il n'en reste pas moins que, mise à part une gauche ultra-minoritaire, les Québécois refusèrent l'enrôlement – y compris Pierre Elliott Trudeau. Pour la romancière et journaliste québécoise Denise Bombardier, « le Québec de l'époque [admirait] plutôt Mussolini, signataire du concordat entre l'Église et l'État » (in le magazine Géo, n° 140). Il n'empêche, près de 20 % – une proportion exceptionnelle – des Québécois qui participèrent au conflit furent des engagés volontaires. Pour le même auteur, « le nationalisme traditionnel, baigné dans le catholicisme clérical, n'obtiendra ses lettres de noblesse que trente ans plus tard, au moment de ce que l'on a appelé [...] la Révolution tranquille ».

L'après-guerre a vu la montée du néo-nationalisme, « formulation réformiste du nationalisme ». André Laurendeau, directeur de L'Action nationale dans les années 40 et 50, anticonscriptionniste, imprégné de catholicisme social et de personnalisme, rénova la pensée nationaliste québécoise. Elle s'affirma contre le clérico-nationalisme par son antiduplessisme, son néo-libéralisme, son goût pour la démocratie et sa volonté de laïciser le Québec. Elle s'affirma aussi comme étant la seule voie raisonnable contre le nationalisme de gauche qui, dans les années 60 – grande période de l'anticolonialisme –, prônait la violence, dans la lignée d'un Frantz Fanon ou d'un Régis Debray, au motif que le Québec était colonisé, comme le tiers monde.

TRUDEAU ET LA QUESTION QUÉBÉCOISE

Le combat d'un quart de siècle que Pierre Elliott Trudeau livra contre le « souverainisme » et René Lévesque occupe une place de première importance dans l'histoire de la Belle Province. A travers l'action de ces deux hommes s'est, en effet, joué le destin du Québec et du Canada. Des années plus tard, leur combat reste inachevé et la vision nationale, fédérale et canadienne d'un Trudeau continue à s'opposer au rêve souverainiste et francophone d'un Lévesque.

Né en 1919 d'un père québécois et d'une mère écossaise, Pierre Elliott Trudeau appartient à l'une des plus vieilles familles québécoises (son ancêtre se serait installé en Nouvelle-France en 1659). Formé par les jésuites, c'est un intellectuel qui a suivi l'enseignement francophone de l'université de Montréal, américain de Harvard, français de la Sorbonne et britannique de la London School of Economics. C'est également un sportif émérite qui a beaucoup voyagé et, pour l'anecdote, a été souvent vu au bras de jeunes beautés, du moins jusqu'à son mariage avec Margaret – dont les frasques défrayèrent plus d'une fois la chronique mondaine montréalaise. Pierre Elliott Trudeau, qui unit en lui des cultures présentées comme incompatibles par les souverainistes québécois, est fortement attaché à la construction fédérale canadienne. Il croit possible de prouver aux Canadiens français qu'ils conserveraient leur identité dans cette union.

Professeur de droit à l'université de Montréal, Pierre Elliott Trudeau s'intéressa très vite à la politique. En trois ans, il brûla toutes les étapes. Il n'était député de Mont-Royal que depuis vingt et un mois quand il devint ministre de la Justice (1967) dans le gouvernement libéral de Lester Pearson, où il fut nommé en même temps que Jean Marchand et Gérard Pelletier (un trio de politiciens inconnus à la jeunesse flamboyante, surnommés les « trois colombes »). Onze mois plus tard, en avril 1968, Trudeau fut élu à la tête du Parti libéral.

D'entrée de jeu, il dévoila son goût du risque en annonçant la tenue d'élections au mois de juin de la même année. Au cours de la campagne électorale qui suivit, il gagna la sympathie d'une majorité de Canadiens emportés par une véritable « trudeaumanie », et qui admiraient cet intellectuel qui savait éviter le langage alambiqué et parfois hypocrite de ses prédécesseurs. Ils

découvraient un politicien « nouvelle vague », suscitant les enthousiasmes les plus fervents comme les haines les plus féroces. La jeune génération vit en lui un héros réellement canadien, à l'opposé des anciens hommes politiques, si souvent accusés d'être à la solde des États-Unis. Trudeau fut Premier ministre du Canada de 1968 à 1979, puis de 1980 à 1984.

Après sa victoire du 25 juin 1968, le nouveau Premier ministre s'engagea dans une lutte acharnée pour la défense du fédéralisme et du bilinguisme. Lors de la crise d'octobre, au moment de l'enlèvement, puis de l'assassinat, par le Front de libération du Québec, du ministre du Travail, Pierre Laporte, il décréta aussitôt l'état d'urgence et envoya des troupes à Montréal.

Alors que Trudeau se battait pour une réforme constitutionnelle et le bilinguisme fédéral, René Lévesque, ancien journaliste, correspondant de guerre et homme de télévision, se faisait l'ardent défenseur de la souveraineté-association, tentant de donner au Québec une place au soleil dans un continent exclusivement anglophone.

Né en 1922 en Gaspésie, René Lévesque fut député libéral entre 1960 et 1970, ministre libéral de 1960 à 1966 avant d'être élu en 1976 à une large majorité, Premier ministre du Québec. Fondateur du Parti québécois en 1968 (voir p. 74), il lança bientôt un défi à Trudeau. Excellent vulgarisateur, René Lévesque avait, selon le politicien Claude Morin, *« une aptitude incroyable à résumer une situation dans ses éléments essentiels avec une clarté surprenante »*. Même si elles en choquèrent plus d'un, les images saisissantes qu'il employait dans ses discours frappaient ses interlocuteurs par leur audace. Peu d'hommes politiques de l'époque auraient osé dire : *« Si deux conjoints ne peuvent apprendre à coucher ensemble, il est préférable qu'ils aient des lits séparés. »*

voie dangereuse. De la fameuse lutte constitutionnelle pour que les Québécois soient enfin, après des années de soumission, « maîtres chez eux », les francophones se souviennent particulièrement de la nuit du 4 au 5 novembre 1981, surnommée la « nuit des longs couteaux », pendant laquelle Trudeau se joua du Québec.

Le projet indépendantiste du Québec ayant été rejeté par 60 % des électeurs, Trudeau voulut profiter de l'opportunité ainsi créée pour diminuer les pouvoirs des provinces. Il engagea donc le débat sur le rapatriement de la Constitution canadienne, qui avait le statut de loi britannique (le Canada étant un dominion). Il réunit

René Lévesque a brillamment défendu les causes qu'il soutenait et montré une fermeté à toute épreuve, comme lorsqu'il nationalisa l'électricité alors qu'il était ministre des ressources naturelles, ou lorsqu'il réforma le financement des partis pendant qu'il était Premier ministre.

Tout au long de la vague d'attentats qu'organisa le Front de libération du Québec dans les années 60, Lévesque s'opposa fermement à la violence, permettant à la lutte pour l'indépendance d'éviter cette

A gauche et ci-dessus, Pierre Elliott Trudeau et son épouse Margaret, les deux personnalités qui défrayèrent la chronique tant politique que mondaine de la Montréal des années 70 et 80.

une conférence qui rassemblait les Premiers ministres des provinces canadiennes. Mais les dissensions entre Trudeau et ses alliés de l'Ontario et du Nouveau-Brunswick d'une part, et de Lévesque et des sept autres Premiers ministres des autres provinces, d'autre part, aboutit bientôt à une impasse. Trudeau passa alors outre Lévesque pour s'entendre avec les autres provinces, ce qui permit le rapatriement unilatéral de la Constitution. La loi de 1982 fut votée à la fois au Canada et en Grande-Bretagne, et proclamée en la présence de la reine d'Angleterre. Mais, quand Trudeau se retira de la vie politique (suivi bientôt par René Lévesque – qui est mort en 1987), le problème de fond n'était pas résolu.

PETITE SOCIOLOGIE DU HOCKEY SUR GLACE

Au Québec en général, et à Montréal en particulier, il serait provocateur de dire que le hockey sur glace n'est qu'un sport : il est bien plus que cela, un symbole national, un art de vivre, une occupation de tous les instants, une préoccupation également, que partagent tous les Montréalais. Les hommes politiques ne sont pas en reste : en 1955, Maurice Richard, surnommé « le Rocket » tant il était véloce, était sur le point de remporter le titre de meilleur buteur de tous les temps quand il bouscula l'arbitre et fut suspendu pour le reste de la saison. Pour le journaliste sportif Tim Burke de *La Gazette de Montréal*, l'émeute des supporters qui s'ensuivit sonna *« le premier coup de la Révolution tranquille »*.

Ce qui vaut au plan national se retrouve dans le quotidien le plus banal : involontairement, la mère de Roch Carrier a fait prendre à son fils, devenu plus tard écrivain, des risques assez considérables, comme il l'a relaté dans *Le Chandail de hockey*. Comme ce « p'tit gars », supporter inconditionnel de Maurice Richard, avait besoin d'un maillot de hockey, sa mère écrivit au grand magasin Eaton qui leur envoya un paquet. Mais la vie est parfois mal faite et, dans le paquet, se trouvait un maillot des Maple Leafs (l'équipe rivale de Toronto!). La mère refusa de le renvoyer car elle trouvait qu'il allait bien à son fils. Les camarades de celui-ci, supporters de Maurice Richard, fuirent le garçon, l'accusèrent d'être un traître à la patrie, à Dieu, aux Habitants et au « Rocket » lui-même. Un prêtre finit par le confesser et la brebis égarée ne remit plus jamais le maillot.

Rares sont les Québécois qui n'ont pas passé leur jeunesse à pousser avec un bâton un palet vers un but imaginaire (ou bricolé) dans le sous-sol de leur maison. Beaucoup se souviennent aussi des heures passées à envoyer une balle de tennis dans une cage,

Pages précédentes : quand le hockey n'était pratiqué que par des « gentlemen ». A gauche, ce sport est devenu, pour les uns, plus viril, pour les autres, plus brutal ; à droite, le hockey fascine les garçons dès qu'ils ont l'âge de tenir une crosse, comme leurs pères avant eux.

les pieds gelés, sur une *aréna* (une patinoire, en québécois, faite en arrosant d'eau un coin de jardin et en le laissant geler). Et, devenus adultes, tous rêves remisés, les mêmes continuent à jouer, hiver comme été, dans ce que l'on surnomme des « ligues de garage » (de mauvais plaisants diront des ligues de bière, tant on y boit).

La naissance controversée du hockey

Trois villes canadiennes, Kingston, Halifax et Montréal, se disputent l'invention du hockey sur glace et revendiquent l'honneur d'avoir accueilli le premier match.

Certains sont allés jusqu'à prétendre que le hockey ressemblait « étrangement » au *kalv*, un sport qui se jouait avec un bâton et une balle aux Pays-Bas dès le XVIe siècle. Mais selon d'autres sources le hockey dérive de la crosse, un jeu du XIIIe siècle d'origine française, lequel a été repris par les Hollandais et baptisé *ken jaegen*, avant de repasser au Canada et de recevoir son nom actuel (le jeu aurait été introduit au Québec par des militaires anglais en garnison dans le pays vers les années 1870 ou 1880). Au contraire, les Nord-Américains expliquent que le jeu vient du *bandy*, et que celui-ci était pratiqué en hiver par les Hurons sur le lac Ontario.

D'autres Anglos-Saxons considèrent qu'il dérive à la fois du *shinney* anglais, du *shinty* écossais et du *hurley* irlandais !

Kingston prétend avoir accueilli le premier match de hockey d'Amérique du Nord le 25 novembre 1855. C'est en fait à Montréal que reviendrait l'honneur d'avoir organisé le premier match de hockey de l'histoire, le 3 mars 1875, à la patinoire Victoria, entre des joueurs de rugby qui, privés de leur sport par la neige, ont utilisé en guise de ballon ovale « *un morceau de planche plat* » (selon un quotidien de l'époque), et qui deviendra plus tard le palet (ou rondelle, ou *puck*).

Crescents. Les Canadiens, qui organisèrent les premiers matchs de hockey, empruntèrent beaucoup à la crosse, ainsi qu'au hockey sur gazon, un sport indubitablement *made in Great Britain*.

A l'image de la crosse amérindienne, le hockey des premiers temps n'avait ni limites spatiales définies ni règles précises : un nombre indéterminé de joueurs faisaient ce qu'ils voulaient et ce qu'ils pouvaient pour atteindre les buts.

Seule condition : une excellente forme physique, car les buts étaient souvent placés à plus de 1,5 km l'un de l'autre – un peu comme dans le football anglais primitif...

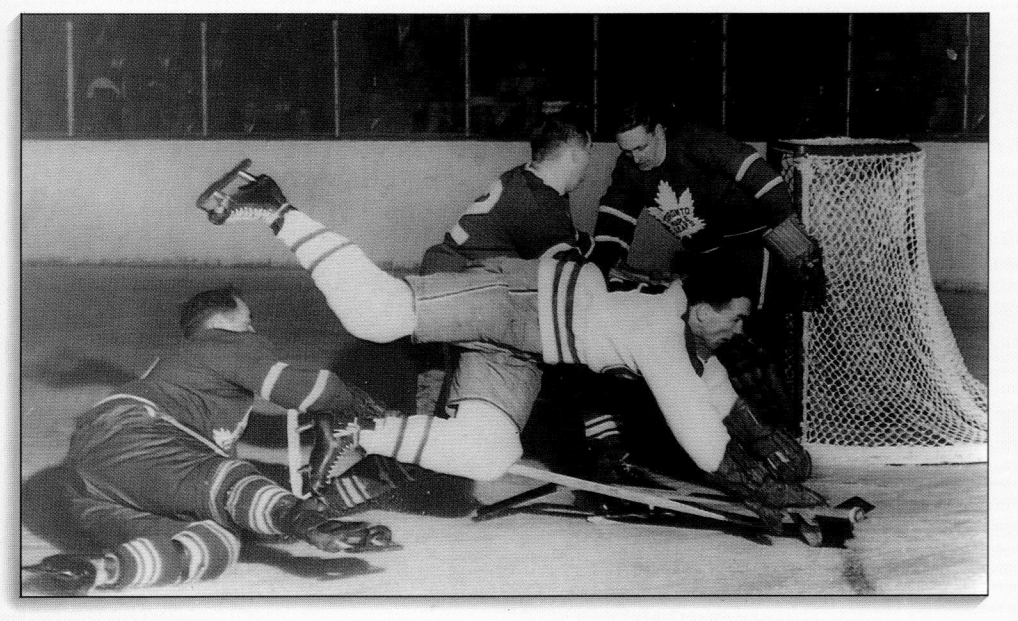

Les pères fondateurs

On chuchote que le hockey n'a pas toujours été ce qu'il est. Au commencement, les Montréalais préféraient s'adonner aux joies du rugby et même du cricket, qui étaient les sports les plus populaires.

Cependant, la crosse, qui consiste à pousser une balle avec un bâton, les égalait presque. Les Toques bleues, membres de l'association d'athlétisme amateur de Montréal, y jouaient dans les champs des environs de la ville. Vers 1850-1860, des clubs tels que l'Alma Mater et les Hochelagas disputaient des rencontres contre les Shamrocks, les Montrealers ou les

où, cependant, les matchs duraient parfois plusieurs jours, s'étendaient sur la moitié d'un comté et mobilisaient des villages entiers.

On organisait les rencontres sur des portions déneigées du Saint-Laurent pris par les glaces – d'où, peut-être, le peu d'enthousiasme des Montréalais qui devaient passer des heures à déblayer des tonnes de neige. Une première ligue fut créée à Kingston, en 1855. Mais il fallut attendre les années 1880 pour que R.F. Smith et W. Robertson codifient les premières règles du hockey.

Ils donnèrent à la surface de jeu une taille (encore) approximative (aujourd'hui 26 à 31 m sur 56 à 61 m) ; ils limitèrent le nombre des joueurs à 8 (puis on passa à 6, jusqu'à 5 aujourd'hui – plus le gardien de but). Smith inventa la rondelle en coupant les balles de caoutchouc qui rebondissaient trop sur la glace. Mais, surtout, on construisit des patinoires également praticables à la belle saison. Une autre et décisive étape fut franchie quand, en 1893, fut créée la coupe Stanley.

Il fallut attendre 1907 pour que la Fédération internationale de hockey sur glace voie le jour, et que soit enfin institutionnalisée et encadrée cette discipline dont la popularité allait croissant. La Ligue nationale de hockey (LNH) fut fondée en

débrouille avec un joueur en moins. La surface de jeu est divisée en une zone de défense, une zone neutre et une zone d'attaque. Une ligne rouge départage la zone de défense et la zone neutre, une ligne bleue la zone neutre et la zone d'attaque. Dans la zone de défense, les joueurs de chaque équipe peuvent se passer le palet sans encourir de pénalité. Dans la zone d'attaque, le palet doit entrer le premier. Si un joueur s'y trouve avant, il est hors jeu. Tout lancer (ou *shoot*) doit être effectué après la ligne rouge (sauf si le but est directement marqué). Les arbitres stoppent le jeu en cas de hors-jeu et de dégagements interdits.

1917, six ans après la création de l'équipe fameuse des « Canadiens ».

Les règles du hockey sur glace

Le hockey sur glace est désormais un sport aux règles bien précises qui, lorsqu'elles ne sont pas respectées, envoient le joueur fautif en « prison », c'est-à-dire sur le banc des pénalités (pendant 2, 5 ou 10 mn selon la gravité de la faute), pendant que l'équipe se

A gauche et ci-dessus, l'équipe canadienne contre ses grands rivaux, les Maple Leafs de Toronto, les premiers étant soutenus par les francophones, les seconds par les anglophones.

L'épopée du hockey...

La première LNH était formée de 7 équipes en compétition : les Canadiens et les Maroons de Montréal, les Saint-Patrick de Toronto (devenus les Maple Leafs), les Blackhawks de Chicago, les Rangers de New York, les Bruins de Boston et les Red Wings de Detroit. Dès la création de la ligue, les « bons Canadiens » comptèrent parmi les meilleurs.

Le Club de hockey des Canadiens (son nom officiel) a gagné plus de titres dans la LNH que toutes les autres équipes, avec 23 coupes Stanley depuis sa création par le gouverneur général, Lord Stanley (1926)

– un chiffre record de succès lié à la quantité croissante d'épreuves de catégories inférieures. Le Forum, l'ancien temple des Canadiens de Montréal, est constellé d'un nombre étourdissant de drapeaux commémoratifs – qui décourageaient d'emblée les joueurs adverses qui faisaient leur entrée sur la piste. Au début de l'année 1996, le centre Molson remplaça le Forum. Vaste amphithéâtre érigé sur les quais de la gare de Windsor, le centre Molson peut accueillir 21 000 personnes. Lors de son ouverture, le jour de la Saint-Patrick, plus de 150 000 amateurs de hockey firent la queue pour admirer la nouvelle patinoire.

A mesure que la coupe Stanley prenait de l'ampleur, la ligue grandissait jusqu'à regrouper plus de 20 équipes, certaines représentant des villes ou des États que personne n'aurait associés au hockey il y a vingt ans : Los Angeles, Washington, et même l'aride Colorado. Cette croissance eut également des effets néfastes, puisque la saison s'étala sur une période beaucoup trop longue, allant parfois jusqu'aux premiers beaux jours de l'été, et interdisant aux joueurs de récupérer.

Aujourd'hui, les finales de la coupe Stanley ne débutent jamais avant la mi-mai, une saison parfois assez chaude, et il n'est pas rare que les matchs des éliminatoires soient retardés en raison du brouillard qui se forme au-dessus de la glace.

Les « dieux du stade »

Si les temps modernes n'ont pas épargné les Canadiens de Montréal, qui ont eu leur lot de mauvaises recrues et de mauvais matchs, leur histoire est marquée par quelques personnages de légende – qu'admirent, unanimement, anglophones et francophones.

Le premier fut Howie Morenz, le légendaire « Stratford Streak ». Né dans l'Ontario, Morenz a été le meilleur buteur des années 20 avec deux tireurs québécois, Billy Boucher et Aurel Joliat. Lors du match inaugural du Forum, le 29 novembre 1924, la ligne de Morenz a marqué 6 buts au cours d'un match gagné 7 à 1 contre les Saint-Patrick de Toronto. Aux buts évoluait une autre légende vivante, Georges Vézina, le « concombre de Chicoutimi ». Issu d'une famille de 22 enfants, ce dernier donna son nom au trophée des gardiens de but.

Dans les années 40, l'équipe de Maurice Richard (« le Rocket ») était invulnérable. Avec Jean Béliveau et Richard autour du filet, telles des guêpes en colère, mais aussi Dicky Moore et Bernie Geoffrion (surnommé « Boum Boum » et réputé pour ses redoutables lancers frappés de la ligne bleue), ces joueurs marquaient régulièrement 2 ou 3 buts pendant les pénalités de deux minutes. Comble de la gloire, la ligue dut changer les règlements de façon à ce que tout but marqué en supériorité numérique mette automatiquement fin à cette pénalité, décision qui mit un terme au calvaire des gardiens adverses. L'équipe des Canadiens, composée presque entièrement de Québécois, régna sur le hockey mondial à l'époque où ce sport était encore une affaire de famille, en ce temps béni pour les Montréalais où le français était la langue des vestiaires. Ce n'est qu'au bout de cinq ans qu'elle fut détrônée.

Après une éclipse de plusieurs années, les Canadiens connurent une nouvelle gloire, reprirent la coupe et la ramenèrent chaque année de 1956 à 1960. L'équipe de la fin des années 50 fut aussi l'une des meilleures qu'ait jamais connues le club, grâce de nouveau à Béliveau, à un autre Richard, Henri – « le Petit Rocket » –, Jacques Plante – l'un des meilleurs gardiens de but et le premier à porter le masque protecteur –, ainsi qu'au *coach* et ancien joueur Toe Blake. Depuis cet âge d'or, l'équipe a gagné la coupe à plusieurs reprises – dont quatre fois d'affilée de 1976 à 1979. Après eux, l'équipe des années 70 avec Ken Dryden, Jacques Lemaire, Serge Savard, Bob Gainey et Yvan Cournoyer, fut très loin d'être mauvaise.

Mais qu'est le hockey devenu ?

La bagarre fait toujours partie du hockey et de la légende, mais elle doit être «juste et franche». Hélas pour les puristes, le jeu moderne a été dénaturé.

journaux sportifs, lorsqu'ils se font l'écho de ces changements, mettent le doigt sur un problème bien réel : la LNH a vraisemblablement atteint sa taille maximum. Fait significatif, les joueurs de niveau professionnel sont désormais nombreux à devoir attendre leur tour dans les ligues juniors.

L'ombre de la gloire

Bien entendu, la suprématie des Canadiens a été menacée à plusieurs reprises, notamment par les Russes, les Suédois, les Tchécoslovaques et les Américains. En 1972, à l'occasion des jeux Olympiques

Le port du casque et de la visière pousse les joueurs à brandir leur bâton plus haut et à causer des blessures parfois graves. Certes, les bagarres d'antan, qui se poursuivaient parfois dans les vestiaires, ne sont qu'un souvenir, mais les rudes bleus administrés par « simple » défoulement ont été remplacés par des accrochages « tactiques », en cours de partie, qui visent à handicaper l'équipe adverse – il faut dire que les sommes en jeu et les salaires des joueurs atteignent des montants considérables. Les

A gauche, la meilleure façon de regarder un match de hockey ; ci-dessus, affrontement en bleu, blanc et rouge.

de Munich, les Canadiens ne pensaient rencontrer aucune résistance de la part des Russes : mais ceux-ci les battirent 7 à 3 dès la première rencontre.

Pendant les semaines qui suivirent, les supporters, choqués, regardèrent les autres rencontres comme s'il en allait de leur vie. Des enseignants apportèrent des téléviseurs en classe pour que les élèves ne manquent aucun match. C'est avec soulagement que les Canadiens accueillirent le but victorieux de Paul Henderson, trente-cinq secondes avant la fin du dernier match. Le Canada avait gagné, mais la menace russe avait fait l'effet d'une douche froide. L'écrivain Mordecai Richler a décrit ainsi l'atmosphère de fin de règne dans laquelle baigna le pays durant de longues semaines : « *Nous savions déjà que nos politiciens mentaient, que nos corps seraient trahis par l'âge, mais nous étions bien loin de penser que nos joueurs de hockey pouvaient être autre chose que les meilleurs des meilleurs [...] Après ces séries, plus rien ne fut pareil au Canada. La bière n'avait plus de goût. Les Rocheuses avaient l'air plus petites, les aurores boréales, moins colorées.* »

Certes, des compétitions, il y en a eu bien d'autres depuis et l'équipe canadienne s'est largement rachetée. Mais ce que tous les Canadiens savent, et déplorent, c'est que

les meilleurs joueurs ne jouent plus guère pour leur province natale, trop occupés qu'ils sont à gagner leur vie à l'étranger.

Cependant, les Canadiens savent aussi que les meilleurs joueurs de hockey du monde viennent toujours de petites villes comme Brantford, Parry Sound ou Chicoutimi. Ils savent également que les joueurs canadiens sont encore majoritaires au sein de la LNH, de l'illustre Ligue américaine de hockey (AHL) et même des équipes universitaires américaines. Et ils aiment tellement leurs joueurs qu'ils se sont résignés à les voir passer les « lignes » (la frontière), avec leur argent, leur expérience et leur talent.

Vive le Québec qui vibre !

Ces joueurs d'exception, ces équipes brillantes faisaient encore plus la fierté des Québécois avant la Révolution tranquille : les Montréalais s'éprenaient des Canadiens, les habitants de Toronto des Maple Leafs. Plus que d'amour, il s'agissait même de passion, avec tout ce que cela suppose de déchirements.

Bien qu'il soit difficile de l'imaginer aujourd'hui, la rivalité entre les Canadiens et les Maple Leafs de Toronto a été l'une des plus âpres qu'ait connues le monde sportif canadien. Le hockey, de toute évidence, n'était pas le seul enjeu : les équipes focalisaient sur leur nom toutes les rancœurs politiques, sociales et linguistique. Mais, en 1976, le Parti québécois gagna les élections provinciales. Le pouvoir politique, une partie du pouvoir économique redevinrent francophones. Pour de nombreux Montréalais, le hockey cessa d'être le « medium » de leurs revendications, pour la bonne raison que leurs frustrations avaient en partie disparu. Le 15 novembre 1976 reste la date symbolique de ce changement « radical » de valeurs : ce jour-là, les Canadiens jouèrent sous un tableau d'affichage sur lequel le résultat des élections s'étalait en chiffres gigantesques. Ces événements sont représentés dans la pièce de Rick Salutin, *Les Canadiens*, qui se déroule sur une patinoire miniature et raconte l'histoire du Québec à travers le prisme du hockey. Le mousquet qui tue le général Wolfe devient ainsi la première crosse de hockey, tandis qu'un commentateur décrit l'action. Le hockey ne reprend sa place de sport qu'au deuxième acte. « *Le pouvoir est à l'Assemblée nationale, pas au Forum* », déclare un acteur.

Cette idée de la patinoire a fait fortune : ainsi, la Ligue nationale d'improvisation utilise, au lieu d'une scène, une patinoire miniature sur laquelle les équipes d'acteurs arrivent en tenue de hockey. Ces matchs d'improvisation (sur des sujets tirés au sort) comportent des pénalités, à l'exemple du jeu. Si, pendant des décennies, la célèbre *Nuit du hockey* du samedi soir à la CBC a confiné les Québécois de tous âges chez eux, collés à leur téléviseur ou à leur radio, cela n'est plus le cas aujourd'hui car l'émission a été victime de la concurrence des télévisions américaines (autrement dit, du succès universel de ce sport). Les amateurs canadiens doivent donc se contenter du dimanche et reléguer au placard les bons souvenirs liés à ces soirées mémorables passées devant le petit écran en famille et avec les amis, une bière à la main pour les plus âgés, des assiettes de pop-corn et de chips pour les plus jeunes. Mais cela ne signifie pas que l'intérêt pour le hockey a faibli. Tous les jeunes Québécois rêvent de jouer chez les Canadiens (que les anglophones surnomment les « Habs », pour Habitants). Il y a toujours autant de spectateurs au centre Molson ; les médias inondent toujours les amateurs de résultats, de commen-

en temps et la coupe Stanley a échappé à cette mythique équipe ces dernières années – ce qui permet aux habitants de Toronto, de relativiser (ce qui leur est d'autant plus facile que ce sont des supporters plus tièdes que leurs compatriotes de l'Est).

Mais les Canadiens n'ont jamais côtoyé les équipes du bas de la division comme les Maple Leafs, vainqueurs de 11 coupes Stanley dans le passé. Ce sont bien les Canadiens, et non les Maple Leafs qui sont l'équipe nationale du Canada. Ou qui devraient l'être. De « grossiers » Canadiens de l'Ouest ont déjà hué l'hymne du Québec lorsque les Canadiens sont venus jouer chez

taires, d'images, de statistiques et de scoops. A tel point que l'été, période de relâche, est attendu avec impatience par ceux que la simple vue de la rondelle qui glisse fait irrésistiblement dormir.

Après les heures de gloire...

Malheureusement pour le hockey canadien, les Maple Leafs de Toronto, l'autre grande équipe des années glorieuses, connaissent des heures difficiles. Certes, les Capitals de Washington battent les Canadiens de temps

A gauche et ci-dessus, le joueur de hockey est protégé par une véritable armure.

eux. Lors d'un événement de la sorte qui s'est produit à Vancouver en 1980, *« Certains joueurs étaient si contrariés qu'ils refusèrent de monter sur la glace »*, se rappelle un témoin.

Même si les licenciés canadiens sont 2 millions, le hockey professionnel canadien se porte mal. Les équipes, financièrement exsangues, sont rachetées par des Américains et émigrent au sud des « lignes ». Triste sort qui a touché les Nordiques de Québec, devenus les Avalanches de Colorado (y compris le grand héros d'aujourd'hui, le gardien de but Patrick Roy), et les Jets de Winnipeg, transférés à Phoenix, dans l'Arizona en 1995.

LA VILLE
DE TOUS LES MONDES

Port de mer sur un fleuve, ville continentale sur une île, ville française dans un océan anglo-saxon, ville où chacun se sent en minorité – y compris les francophones, majoritaires à la seule échelle de leur province –, ville de tous les peuples du monde : Écossais, Irlandais, Chinois, Haïtiens, Juifs, Italiens, Portugais, etc., telle est Montréal. Pour un Français, un Belge ou un Suisse, Montréal est surtout la seule métropole typiquement nord-américaine où l'obstacle de la langue n'existe pas.

Et il faut cela, car Montréal est une ville qui bouillonne de créations théâtrales, musicales, cinématographiques, hiver comme été. Découvrir, par exemple, Montréal lors du Festival international du jazz, c'est découvrir d'un coup tous les styles de cette musique. Et, en toutes saisons, théâtres, cinémas d'art et d'essai, salles de spectacles, boîtes à chansons accueillent le meilleur de la culture québécoise.

Montréal est une ville quadruple, ce qui en fait la métropole la plus passionnante du continent nord-américain : une ville française, aux nombreux souvenirs de la Nouvelle-France, où l'on déambule à pied dans des rues et sur des placettes paisibles ; une ville britannique, victorienne, qui rappelle tantôt Londres, tantôt Édimbourg ; une ville contemporaine, avec ses gratte-ciel, où sont représentées toutes les tendances architecturales du mouvement moderne ; une ville résidentielle, véritable musée architectural à ciel ouvert, dédié à l'éclectisme, et où les belles villas sont innombrables.

Du populaire plateau Mont-Royal au centre-ville, de la ville souterraine au parc Olympique, de Westmount à Outremont, de la Vieille Ville au mont Royal, de l'université McGill aux berges du Saint-Laurent et au Vieux Port, en passant par l'université francophone, Montréal, c'est autant de balades qu'il est le plus souvent possible de faire à pied.

La nature n'est jamais loin. Descendre le Saint-Laurent ou affronter les rapides de Lachine ; escalader les Laurentides, skier sur leurs sommets, camper dans un parc naturel ; remonter la vallée de la rivière du Richelieu jusqu'aux États-Unis, qui sont seulement à une cinquantaine de kilomètres, sillonner la plate Montérégie, tout est possible autour de la métropole. Plus on s'éloigne des vallées, plus la nature se referme autour de l'homme... Ce ne sont plus que lacs, forêts, sans âme (humaine) qui vive. Et à Montréal même, le troisième jardin botanique au monde, l'île Sainte-Hélène, les floralies, le biodôme – où un morceau de forêt équatorial a été reconstitué –, prouvent que la ville n'a pas oublié sa vraie nature. Enfin, pour les amateurs de sports, d'hiver comme d'été (ski, raquette, moto-neige, voile, canoë, randonnée, etc.), pour les pêcheurs comme pour les chasseurs, Montréal et ses environs ont quelque chose d'un paradis terrestre...

Pages précédentes : les gratte-ciel du centre-ville, avec le Saint-Laurent en arrière-plan ; les mêmes de jour ; quand l'hiver est tombé sur la métropole. A gauche, le front de fleuve est désormais une immense zone récréative.

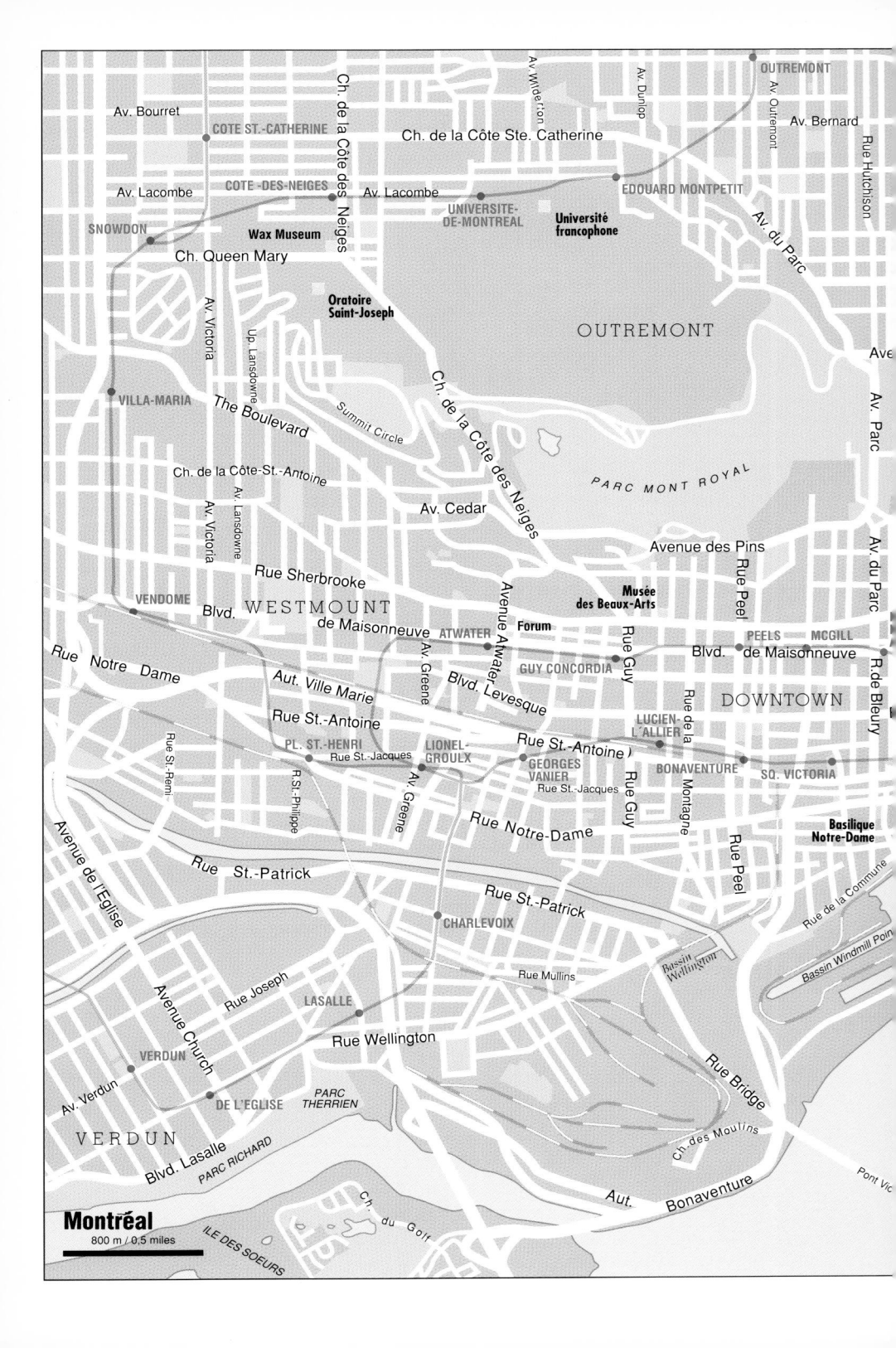

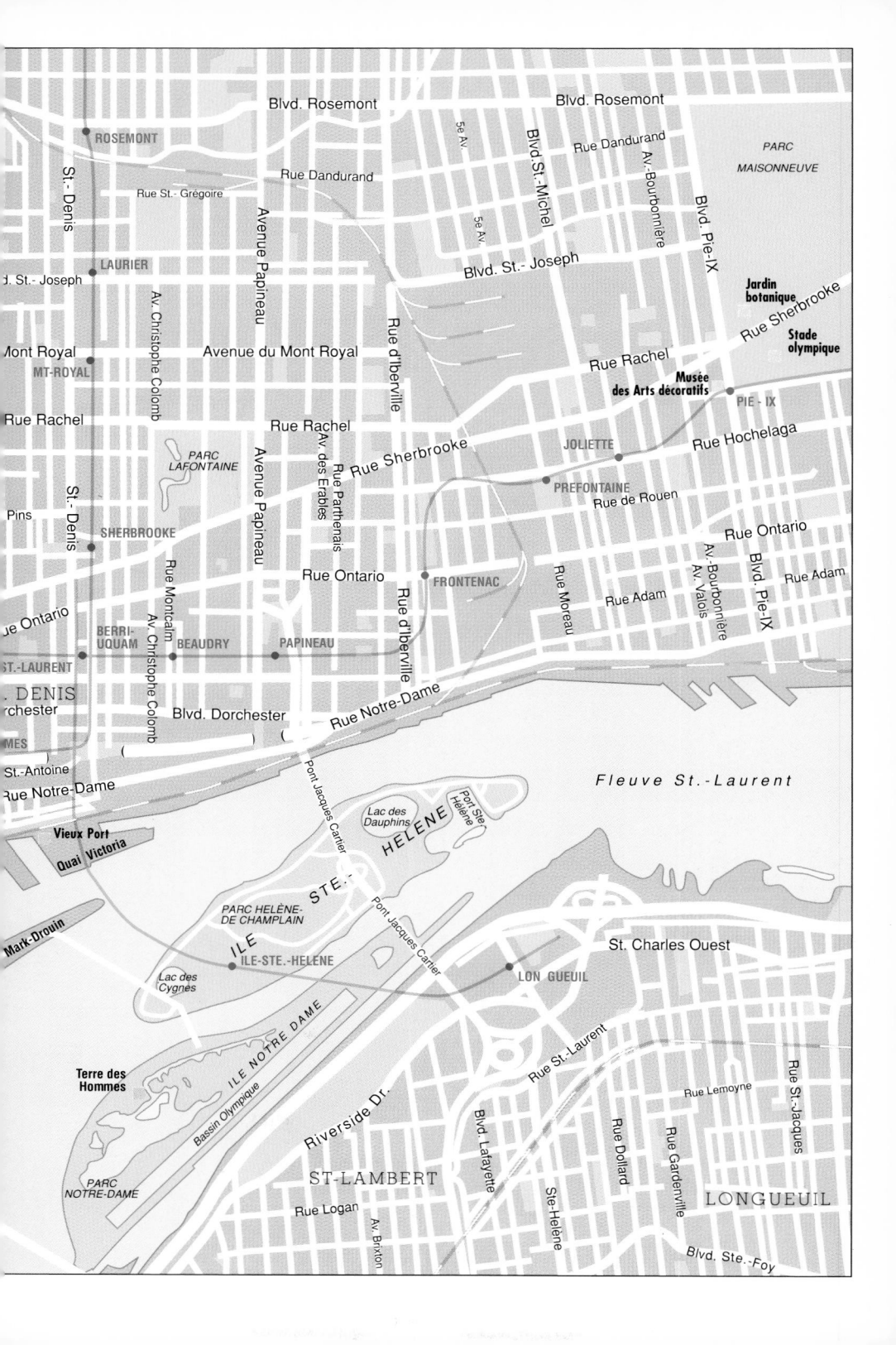

MAISONNEUVE
1642

LE VIEUX MONTRÉAL

Avec ses rues courbes et étroites, son architecture souvent raffinée (même les entrepôts du port s'ornent de magnifiques façades sculptées), le Vieux Montréal a été déclaré arrondissement historique en 1964 par le gouvernement du Québec.

Au début du siècle, le quartier a été victime du déplacement des organismes financiers vers le centre-ville puis vers Toronto dans les années 60-70 – décennies durant lesquelles même les commerçants abandonnèrent les lieux. Mais, depuis cette période, la réhabilitation de nombreuses maisons d'époque, ou d'immeubles plus récents, le retour des restaurants et des bars, la réouverture des boutiques donnent une vie nouvelle aux vieilles rues. Pour qu'elles ne se transforment pas en de simples décors, la ville a créé des appartements où vivent plus de 2 500 résidents.

Le Vieux Montréal s'organise autour de trois places, la place d'Armes, la place d'Youville et la place Jacques-Cartier, et s'étire le long des rues Notre-Dame et Saint-Paul. Ses limites sont marquées par les rues McGill, Saint-Antoine et par le square Victoria.

Styles français et canadiens

De très rares demeures montréalaises possèdent quelques traits du classicisme français qui régna en Nouvelle-France de 1660 à 1760, inspiré par l'esthétique chère à la cour du Roi-Soleil : toitures mansardées, voûtes d'arête, sobriété des façades de pierre, cour d'honneur et appartements en enfilade pour les demeures les plus prestigieuses.

Les plus anciennes maisons de Montréal datent des années 1780-1800, époque où s'affirma un premier style canadien. L'annexion de la Nouvelle-France vit le retour en métropole des maîtres maçons ; désormais laissés à eux-mêmes, momentanément moins sûrs de leur technique,

A gauche, Paul Chomedey de Maisonneuve, fondateur de Montréal ; à droite, le château Ramezay.

les artisans locaux préférèrent revenir à des éléments plus simples : on assista notamment à la disparition de la voûte d'arête au profit de la voûte en berceau, reposant très bas sur les murs et ne comportant plus que deux ouvertures au lieu de quatre.

Au début du XVIIIe siècle furent adoptées des mesures strictes réglementant la construction, afin d'empêcher les incendies. Les maisons s'élevèrent, passant de un à deux étages, tandis que le bois était systématiquement remplacé par la pierre et que les toits étaient recouverts d'ardoises ou de zinc. Dans les environs de la ville (englobés depuis par la métropole), on continua de bâtir des maisons rurales traditionnelles, avec leur quatre pièces, leurs quatre fenêtres à croisillons, leur façade recouverte de chaux et leur étage sous combles.

Les styles britanniques

Les banques et autres institutions financières remodelèrent le visage de

Montréal. De nombreuses maisons datant du régime français sont démolies tandis que, pour désenclaver la ville, on démolit, entre 1801 et 1817, le mur d'enceinte.

La période anglaise voit s'affirmer un nouveau classicisme (1780-1825), ou palladianisme, concept à la fois urbanistique et stylistique : rues marchandes remplaçant les marchés et reliant le centre aux nouveaux faubourgs, maisons « monofamiliales » autour des centres institutionnels, trois étages (au lieu de deux), façade à avancée centrale, frontons.

A ce style succède le néo-classicisme (1825-1860), qui s'exprime par la multiplication des monuments commémoratifs – telle la colonne Nelson, place Jacques-Cartier –, le recours à des éléments décoratifs, comme les lambris de bois ornés de sculptures de refend de la maison Papineau (rue Bonsecours, 1831) ; les références à l'Antiquité, colonnes, coupoles ou portique dorique, sont parfois spectaculaires, comme au marché Bon-secours (1845), qui domine le Vieux Montréal.

Le style « historique »

Pendant la seconde moitié du XIXᵉ siècle de nouveaux matériaux furent introduits, comme la fonte ou le fer, tandis que les techniques de construction se renouvelaient. Il en résulta une explosion créative et un éclectisme de plus en plus affirmé. Les architectes jouèrent de tous les styles, du néo-médiéval au néo-gothique en passant par le néo-renaissance.

A Montréal, cette période vit s'élever l'hôtel de ville (1874), de style « Second Empire français » : symétrie, fenêtres cintrées, toit mansardé, dômes tronqués en sont les principaux traits. Sur les demeures individuelles, les toits plats remplacèrent les toits mansardés à la française qui font encore le charme de nombreuses rues, tandis que sur les façades, les tons vivement colorés, souvent des rouges, succédaient au beige et au blanc.

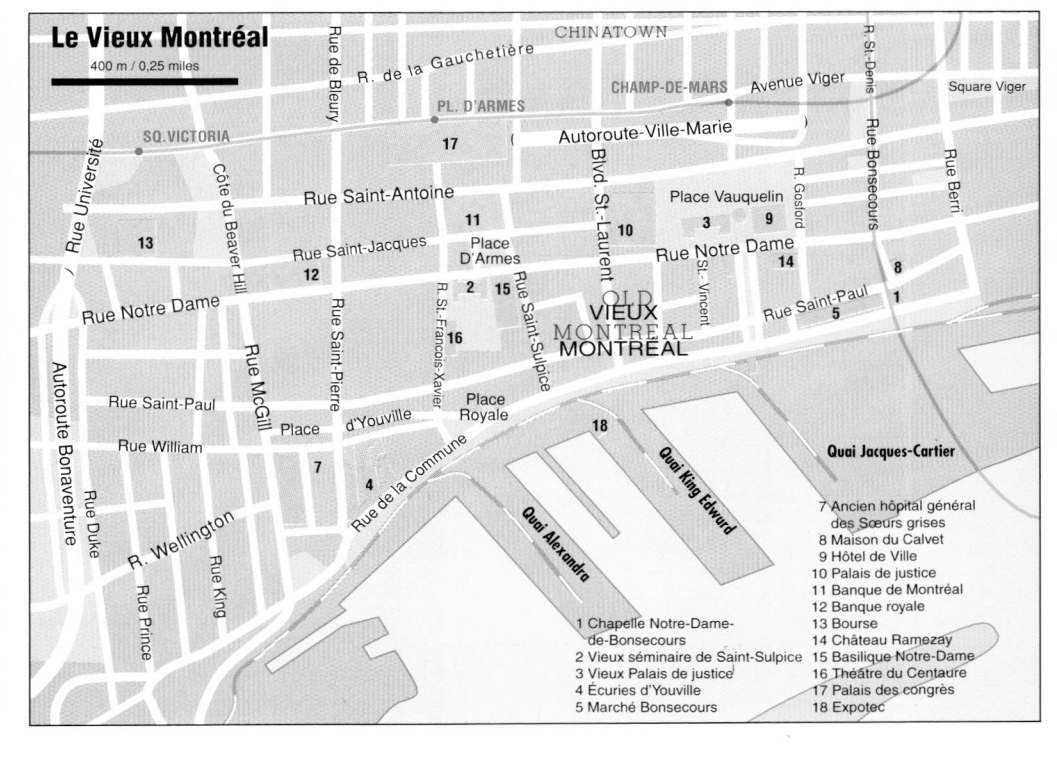

Le Vieux Montréal

400 m / 0,25 miles

7 Ancien hôpital général des Sœurs grises
8 Maison du Calvet
9 Hôtel de Ville
10 Palais de justice
11 Banque de Montréal
12 Banque royale
13 Bourse
14 Château Ramezay
15 Basilique Notre-Dame
16 Théâtre du Centaure
17 Palais des congrès
18 Expotec

1 Chapelle Notre-Dame-de-Bonsecours
2 Vieux séminaire de Saint-Sulpice
3 Vieux Palais de justice
4 Écuries d'Youville
5 Marché Bonsecours

La place Jacques-Cartier

Le Vieux Montréal vit au rythme de la **place Jacques-Cartier**, rectangulaire et bordée de terrasses de cafés et de restaurants, d'où l'on contemple le Vieux Port et le fleuve Saint-Laurent.

Sous ses lampadaires de style victorien, jongleurs, mimes, maquilleurs, tresseurs, caricaturistes et chanteurs se donnent, chaque été, en spectacle. A la fin du mois de janvier, a lieu ici la **fête des Neiges**, au cours de laquelle sont célébrés tous les sports d'hiver canadiens.

Jadis occupée par un marché en plein air, la place a été aménagée en 1804 sur le site du château de Vaudreuil, qui avait été détruit par un incendie l'année précédente. Elle est bordée par plusieurs belles maisons au style en vogue sous le régime français, et qui sont les premières à avoir été construites ici : parmi elles, la **maison Del Vecchio**, au n°404, était une taverne qui a aujourd'hui laissé place au **restaurant la Marée**. Les bureaux d'**Infotouriste** occupent l'ancien bâtiment Silver Dollar Saloon.

Le Vieux Montréal face à la modernité.

Un défi aux francophones : la statue de Nelson

En haut de la place se dresse la **colonne Nelson**. Érigée en 1809 à la demande des marchands anglais de la ville (avant même que Londres ne rende le même hommage à son héros), ce monument de 35 m de hauteur repose sur un socle recouvert d'un bas-relief, œuvre du Londonien Robert Mitchell, et qui représente les batailles d'Aboukir, de Copenhague et de Trafalgar. Quant à la statue de l'amiral, en pierre à l'origine, elle a été remplacée en 1981 par une réplique en fibre de verre, à la suite de nombreux actes de vandalisme.

Vauquelin contre Nelson ?

De l'autre côté de la rue Notre-Dame, la petite **place Vauquelin** est un havre de tranquillité et de fraîcheur, après

l'agitation de la place Jacques-Cartier – si l'on oublie que s'élevaient ici la prison et l'échafaud.

La **statue de Jean Vauquelin** occupe le centre. Ce lieutenant de vaisseau (1728-1772), qui défendit Louisbourg et le Québec à la fin du régime français, semble relever symboliquement l'affront de la présence d'un amiral anglais sur la place voisine – le Canada vient d'offrir une réplique de la statue à Dieppe, la ville dont le marin était originaire.

Enceinte et Palais de justice

Au-delà de la place Vauquelin s'étendent les grandes et vertes pelouses du **Champ-de-Mars** qui sépare le Vieux Montréal de la ville anglophone, et qui fut un terrain de manœuvres et de parades militaires de 1814 à 1924.

Des travaux de réaménagement entrepris en 1991 ont permis de mettre au jour des vestiges de l'enceinte qui entourait Ville-Marie au XVIIIe siècle. Des panneaux situés au milieu de l'es-

calier et sur l'esplanade montrent le tracé de cette œuvre de Gaspard Chaussegros de Léry, inspirée par Vauban, qui comportait quatre portes fortifiées mais ne joua aucun rôle militaire – cela lui était impossible, car si sa hauteur était de 5,5 m, son épaisseur n'était que de 1,2 m.

A l'ouest de la place Vauquelin se dresse le **Vieux Palais de justice** (n°55, rue Notre-Dame est), édifié entre 1849 et 1856 par John Ostell et Henri-Maurice Perreault, sur les fondations d'un premier palais qui datait de 1801. De style néo-classique, il possède un portique ionique et un dôme de cuivre plombé et étamé, ajouté en 1890.

La masse austère du **Conservatoire d'art dramatique** et du **Conservatoire de musique**, ou **édifice Ernest-Cormier** (n°100, rue Notre-Dame est), s'élève face au Vieux Palais de justice. Il s'agit également d'un ancien palais de justice, comme l'indique l'inscription sur sa corniche : *Frustra legis auxilium quaerit qui in legem committit* (« C'est en vain que fait appel à la loi

La fête des Neiges sur la place Jacques-Cartier, ou le ski en pleine ville.

celui qui la transgresse »). Construit entre 1922 et 1926 sur les plans d'Ernest Cormier, l'édifice est décoré de torchères en bronze de style Arts déco provenant des ateliers parisiens d'Edgar Brandt.

L'hôtel de ville et le château Ramezay

A l'est de la place Vauquelin se dresse l'**hôtel de ville** de Montréal. Construit en 1860 sur les plans d'Henri-Maurice Perreault et d'Alexander Cowper Hutchinson, l'édifice a été très endommagé en 1922 par un incendie qui n'épargna que les murs de pierre. Le dernier étage, les hautes toitures de cuivre et le clocheton imité de celui de l'hôtel de ville de Tours, ont été rajoutés en 1926. C'est du balcon du deuxième étage que de Gaulle lança, en 1967 : « Vive le Québec libre ! »

Face à l'hôtel de ville, le **château Ramezay** (n°280, rue Notre-Dame est) a été construit en 1705 pour Claude de Ramezay, onzième gouverneur de

Montréal. Cette maison basse, typique du régime français, a servi de bureau et d'entrepôt à la Compagnie des Indes occidentales, de résidence officielle aux gouverneurs britanniques, de quartier général à l'armée américaine lors de sa courte invasion, en 1775, de tribunal, d'école normale et de siège au gouvernement canadien. C'est ici que Benjamin Franklin demeura lorsqu'il vint en mission pour tenter de persuader le Bas-Canada de se joindre à la révolution américaine.

Le château abrite derrière ses murs épais et sous ses voûtes de pierre un **musée d'Histoire**, fondé et géré par la Société d'archéologie et de numismatique, et illustrant la vie économique, politique et sociale de Montréal du XVIIIe au XIXe siècle. Parmi les objets exposés figurent, notamment, des portraits de notables montréalais, des tableaux – dont un autoportrait du peintre huron Zacharie Vincent (1812-1886) –, des cartes d'Amérique du Nord, un manuscrit de chants liturgiques tra-

La place d'Armes.

duits dans une langue amérindienne et datant de 1750, ainsi qu'une maquette de l'*Émerillon*, nom du navire sur lequel Jacques Cartier aborda à l'emplacement de l'actuelle Sorel, en 1535. Des intérieurs typiques des demeures de la Nouvelle-France sont reconstitués : bureau du gouverneur, salle à manger, cuisine, chambre de bonne. Le sous-sol accueille des expositions.

La rue Bonsecours

Au coin de la rue Notre-Dame et de la rue Bonsecours, la **maison Papineau** (n°440, rue Bonsecours) a été la résidence de l'une des plus grandes familles québécoises.

Louis-Joseph Papineau (1786-1871), avocat et homme politique, est célèbre pour avoir été le chef du mouvement nationaliste canadien-français lors de la rébellion des Patriotes, en 1837. Construite en 1785 par son père, la maison est revêtue d'un parement en bois peint imitant la pierre de taille. En 1962, elle fut parmi les premiers

bâtiments du Vieux Montréal à avoir été restauré.

Le faubourg Saint-Louis

En remontant la rue Bonsecours vers le nord et en tournant à droite rue Saint-Louis, on entre dans le **faubourg Saint-Louis**.

Contraints par décret en 1721 et 1727 de construire en pierre à l'intérieur de l'enceinte en raison des risques d'incendie, les Montréalais les moins nantis s'installèrent dans les faubourgs où leurs maisons, plus modestes, étaient, pour la plupart, bâties en bois, un matériau particulièrement bon marché au Canada – et dont les qualités isolantes permirent aux colons de survivre aux premiers « hivernages ». C'est ainsi que l'architecture du régime français persista au-delà de la conquête britannique jusqu'au début du XIXe siècle. La maison du n°433 reste le seul exemple de cette architecture. Au n°454, la madone, placée dans une niche vitrée au-dessus

Calèche rue Saint-Paul.

de la porte, était un élément traditionnel de l'architecture québécoise vers
1830.

La rue Berri

Au débouché du faubourg Saint-Louis
sur la rue Berri, l'**ancienne gare Viger**
apparaît sur la gauche. Bâtie en 1898
par l'Américain Bruce Price pour la
compagnie ferroviaire du Canadien
Pacifique, dans le style « château »
– qui est également celui du château
Frontenac, à Québec –, elle abrite
depuis sa fermeture, en 1935, des
bureaux municipaux.

Au sommet de la petite côte que
gravit la rue Berri vers le sud, la
**demeure   Sir-Georges-Étienne-
Cartier** (1837) est un groupe de maisons jumelées (n°458, rue Notre-Dame
est). Elle a été la résidence de sir
Georges-Étienne Cartier. Un **musée**
lui est dédié où est reconstituée l'atmosphère domestique victorienne
dans laquelle vivaient les notables
canadiens. Georges-Étienne Cartier,

homme politique, avocat et homme
d'affaires, fut l'un des pères de la
Confédération canadienne, en 1867.
Le bâtiment voisin, au n°452, est l'**ancienne cathédrale schismatique
grecque Saint-Nicolas**, érigée vers
1910 dans le style romano-byzantin.

Le faubourg Québec

Au-delà de la rue Berri, qui marquait
la limite de la ville fortifiée, s'étendait
autrefois le **faubourg Québec**, dont il
ne reste guère que le nom.

De l'autre côté d'un petit pont, le
bâtiment en briques rouges était celui
de la **gare Dalhousie**, d'où partit le
premier train transcontinental à destination de Vancouver, en 1886. Il abrite
aujourd'hui l'École nationale du
cirque. Du haut de la **rue Notre-
Dame**, on aperçoit au bord du fleuve
les bâtiments de la **brasserie Molson**,
créée par John Molson en 1786, et le
pont Jacques-Cartier, qui s'élance au-
dessus du fleuve ; l'île Sainte-Hélène,
avec sa tour de Lévis (un château

*Le marché
Bonsecours.*

UNE LANGUE AUX MULTIPLES SAVEURS

Loin de la mère patrie, le québécois est devenu la « langue de France aux accents d'Amérique ». Les premiers colons venaient principalement de Normandie, de l'Ile-de-France, d'Anjou et du Perche, pays de langue d'oil mais aux nombreuses nuances dialectales, et très éloignée de la langue de la Cour et de l'administration. Isolé sur un continent anglophone, le québécois a conservé des tournures rares, qui peuvent sembler pittoresques aux Français, et auxquelles sont venus se mêler des mots empruntés aux langues anglaise et amérindiennes.

Quelques mots indiens émaillent le québécois, tels *tabagane*, qui désigne un traîneau, ou *babiche*, lanière en peau d'anguille utilisée jadis comme fil à coudre. C'est dans les noms de plantes et d'animaux, ainsi que dans la toponymie, que les Amérindiens ont laissé le plus de traces : ainsi *Québec* signifie « rétrécissement des eaux », *Yamaska* « il y a des joncs » et *Niagara* « chutes d'eau très importantes ».

Établis en bordure du Saint-Laurent ou des rivières, principales voies de communication dans les premiers temps de la Nouvelle-France, les Habitants développèrent une terminologie navale encore très présente dans le québécois d'aujourd'hui. Les gens sont « bien greyés » (bien habillés), « appareillent » (se préparent), « embarquent » (montent) et « débarquent » (descendent) de leur voiture, « larguent » (jettent) un objet, etc.

A partir de la conquête de 1760, l'anglais fit son apparition dans le vocabulaire québécois d'abord *via* les commerçants et l'administration britanniques, puis *via* les entreprises canadiennes anglaises et américaines.

Est ainsi né un argot, le *joual*. L'anglais *backhouse* (W-C extérieurs) devient « bécosses » ; on dit des « gants de kid » (chevreau), du « corduroy » (velours côtelé), et si l'on a un pneu crevé, on déclare « avoir un flat » ; les « saucepans » sont les casseroles, les « trucks » les camions et avoir du « change » signifie avoir de la monnaie.

A ces mots et expressions s'ajoutent des créations régionales. La « noirceur » est l'obscurité, quand on « endève » quelqu'un, on le taquine, quand on « serre » un objet on le range, etc. Les colons, originaires de contrées où la neige était peu fréquente, durent inventer des mots adaptés aux aspects multiples de l'hiver québécois : les « bordées de neige » sont de fortes chutes de neige, la « poudrerie » est une rafale de neige soulevée par le vent et les « bancs de neige » sont les congères, qui apparaissent après l'« été des Indiens », la période chaude qui suit les premières gelées automnales.

L'omniprésence de l'Église catholique a laissé des traces. Au Québec, on ne jure pas, on sacre, s'exclamant : « Tabarnacle ! Calice ! Ciboire ! Calvaire ! Hosties ! Sacrement ! Sacrifice ! Calvaire ! Baptême ! ». L'association des sacres donne d'autres jurons : « Christ de ciboire ! Saint-ciboire ! » etc. Sacrer, c'est aussi rivaliser de créativité : ainsi, « calice », phonétiquement proche de « câline », donnera (entre autres) « un calice de bon char (pour une voiture) », ou « décalissé« (abîmé). Autre caractéristique du québécois, l'emploi du « tu » après le verbe dans certaines phrases interrogatives : « Je fais-tu comme il faut ? » L'accent a également évolué, même à l'intérieur du Québec : à Montréal, les « è » se prononcent « aê » (« mère » se prononce « maêre »), « fraise » devient « fraêse » et les « a » se transforment en « ô », raison pour laquelle de nombreux parents québécois hésitent à nommer leur enfant Sarah (Sôrô) ou Linda (Lindô).

d'eau élevé en 1936) et le dôme géodésique de la biosphère, ancien pavillon américain de l'Exposition universelle de 1967 construit par Richard Buckminster Fuller. Plus au sud, on peut voir le gigantesque entrepôt frigorifique du port (1920), ainsi que la tour de l'Horloge (1922) érigée au bout du quai Victoria.

La rue Saint-Paul

Avec ses pavés balayés par les vents du fleuve, ses maisons du XVIIIe siècle, ses restaurants et ses boutiques, la **rue Saint-Paul** est l'une des plus agréables du Vieux Montréal.

Cette rue, qui fut jadis la principale artère commerciale de la ville, offre une belle perspective sur le fleuve Saint-Laurent. A l'angle de la rue Bonsecours se dresse la **maison du Calvet** (n°401, rue Bonsecours), exemple de l'architecture urbaine du régime français du XVIIIe siècle ; on notera la grande cheminée, les épais murs en moellons et le toit pentu pour

empêcher la neige de s'accumuler. La maison a appartenu au marchand huguenot Pierre du Calvet, dont les sympathies pour les Américains insurgés qu'il approvisionna pendant la guerre d'indépendance lui valurent d'être emprisonné trois ans durant par les Britanniques.

La **chapelle Notre-Dame-de-Bonsecours**, fondée en 1657 à la demande de Marguerite Bourgeoys, fut détruite et reconstruite en 1771. Restaurée aux XVIIIe et XIXe siècles, à la suite de deux incendies, elle possède une porte en plein cintre, un clocher de bois et un œil-de-bœuf emblématiques de l'architecture religieuse québécoise. Lieu de pèlerinage des pêcheurs, cette chapelle, dite également « des marins », est décorée d'ex-voto, sous la forme de maquettes de bateaux suspendus au plafond de la nef. Dans la crypte, un **musée** retrace la vie de Marguerite Bourgeoys (1620-1700), à travers des saynettes dont les personnages sont des petites poupées habillées en costume traditionnel. Figure importante

L'amphibus quittant le Vieux Port.

de l'histoire de Montréal, Marguerite Bourgeoys quitta Troyes en Champagne pour fonder, à Ville-Marie, une communauté de religieuses non cloîtrées, la Congrégation de Notre-Dame, vouée à l'éducation des jeunes filles. Elle fut canonisée par Jean-Paul II en 1982.

A partir du musée, il est possible d'accéder, par un escalier de bois, à la chapelle « aérienne », d'où un prêtre bénissait jadis les équipages rassemblés en contrebas. Dehors, on découvre le Vieux Port, le dôme géodésique de la biosphère d'Expo 67 et, au nord, le mont Royal (qu'on appelle aussi la Petite Montagne). Dominant le chevet de la chapelle, une statue de la Vierge ouvre ses bras en signe d'accueil aux navires entrant au port.

Du marché Bonsecours à la rue de la Commune

A côté de la chapelle, le **marché Bonsecours**, un monument de style néo-classique, devint, grâce à son

dôme argenté, un point de repère attendu avec impatience par les navires qui remontaient le fleuve en provenance de Québec.

Construit entre 1845 et 1859, le bâtiment fait à présent office de centre d'exposition et de salle de concerts ; de la mi-mai à la mi-octobre, un marché s'y tient. En 1849, les caprices de l'histoire en firent un parlement, après que le bâtiment de la place d'Youville eut été incendié. De 1852 à 1878, il abrita l'hôtel de ville, et, plus tard encore, des bureaux de la municipalité.

L'hôtel Rasco

Du n°281 au n°295 de la rue Saint-Paul, l'**hôtel Rasco**, dont le nom, quelque peu fané, apparaît au milieu de la façade, était l'un des meilleurs établissements de l'Amérique du Nord.

Construit en 1834 par l'Italien Francesco Rasco qui émigra en Amérique du Nord au début du XIXe siècle, il fut, avec ses 150 luxueuses chambres et son restaurant réputé, le séjour préféré des riches Canadiens en voyage et de célèbres étrangers de passage – Charles Dickens y séjourna en 1842 alors qu'il travaillait à une pièce mise en scène dans un théâtre voisin.

Abandonné pendant des décennies, l'hôtel a été restauré en 1982. Il abrite actuellement des bureaux municipaux, ainsi qu'un restaurant (Les Primeurs). A gauche de l'hôtel, l'étrange façade solitaire est celle d'un café à l'agréable terrasse.

La rue de la Commune

Face à l'hôtel Rasco, la petite **rue du Marché-Bonsecours** aboutit dans la **rue de la Commune**, le long de laquelle coulait jadis le Saint-Laurent.

Les crues, au moment de la débâcle, submergeaient parfois la rue sous plus d'un mètre d'eau. Aujourd'hui, des remblais empêchent les inondations. Seuls, en hiver, les vents glacés qui soufflent ici particulièrement fort rappellent la proximité du grand fleuve. Le nom de la rue vient des prés communaux qui s'y trouvaient au

Rappel de la vocation maritime de Montréal.

XVIIᵉ siècle. En raison des **entrepôts** qui la bordent, où l'on conservait les cargaisons, elle fut l'une des artères les plus animées du Vieux Port. Ces édifices, de style néo-classique, comportaient, le plus souvent, une façade urbaine sur la rue Saint-Paul et une façade portuaire sur la rue de la Commune.

Les promeneurs venaient assister au déchargement des cargos sur des wagons et contempler le ballet des mâts de bateaux. De cette époque survivent des inscriptions peintes sur les façades des entrepôts : *J. Alfred Ouillet, Importateur, Bourque, Épicerie en gros, Standard Paper Box*, etc. L'été, la rue bourdonne des manifestations culturelles organisées sur les quais du Vieux Port et des spectacles des artistes de rue.

L'ancien hôtel Viger, où sont aujourd'hui installés des bureaux du gouvernement.

Restaurants et boîtes à chansons

Avec leurs restaurants et leurs cafés, leurs boutiques et leurs animations, les **rues Saint-Paul**, **Saint-Vincent** et **Saint-Amable**, situées entre la place Jacques-Cartier et la place d'Armes, attirent en été les touristes comme les Montréalais.

Rue Saint-Paul, on mange à l'auberge du **Vieux Saint-Gabriel**, au **Muscadin**, au **Grill** (agréable cour), **Chez Queux**, à la **Brochetterie du Vieux Port**, au **Pavillon de l'Indochine** et à l'**Usine de spaghetti** (près de l'hôtel Rasco) ; dans la même rue, le **Keg** et **Chez Brandy**, réputés pour leur l'atmosphère de pub et leurs prix abordables, valent le détour, comme, plus à l'ouest, dans la rue Saint-Pierre, le restaurant **Sawatdee Thai** ; en bas de la rue Saint-Laurent, **Chez Giorgio** propose une cuisine italienne bon marché. Les **boîtes à chansons**, où l'on sirote une bière en écoutant des musiciens qui peuvent être excellents, sont une spécialité montréalaise. Le public, qui aime et soutient la chanson québécoise, autant pour ses qualités artistiques que parce qu'elle a été un important vecteur de la pensée indépendantiste, participe en entonnant les

derniers succès. **La Venture** et **Au Vieux-Saint-Paul**, place Jacques-Cartier, ou **Les Deux-Pierrots**, rue Saint-Paul, sont les boîtes à chansons les plus connues.

La place d'Armes

C'est entre les maisons de l'ouest de la place Jacques-Cartier et les immeubles de la place d'Armes que Montréal a été fondée. Sur ces quelques milliers de mètres carrés, le simple poste colonial du XVIIIe siècle s'est peu à peu transformé en grand centre d'affaires du XIXe siècle.

Le lieu où cette transformation a été la plus saisissante est la **place d'Armes**. La vocation de la première Montréal était à la fois commerciale et militaire. C'est pourquoi Dollier de Casson, père supérieur des sulpiciens, choisit de dessiner et d'aménager, en 1670, une place qui servit aux exercices militaires ; au centre, le principal puits de la ville abreuvait les troupes et leurs chevaux. Autour, les remparts furent bâtis entre 1717 et 1744. Mais ils offraient peu de protection contre les navires de haute mer qui pouvaient s'ancrer à moins d'une centaine de mètres de la berge pour tirer leurs boulets. Quand l'enceinte fut abattue, au XIXe siècle, une frénésie de transformations s'empara des entrepreneurs anglo-saxons. Il en résulta cette mer de banques et d'immeubles commerciaux qui semble aujourd'hui submerger la place.

La place d'Armes elle-même fut d'abord agrandie par la démolition de la première église Notre-Dame (1830-1843), et par le déplacement du cimetière qui la flanquait. Au nord fut élevée en 1829 la basilique Notre-Dame, faisant pendant au vieux séminaire

Au centre de la place, une statue, inaugurée en 1895 pour le 250e anniversaire de la ville, rend hommage au fondateur de Montréal, Paul de Chomedey, sieur de Maisonneuve, et à quelques grandes figures locales. Œuvre du sculpteur Philippe Hébert, elle représente Maisonneuve brandis-

Drapeaux des nouveaux immigrés dans la rue Saint-Paul.

sant un drapeau français, entouré de Jeanne Mance, fondatrice de l'hôtel-Dieu, de Lambert Closse avec sa chienne Pilote (qui défendirent héroïquement la ville en 1644), de Charles Le Moyne, l'un des découvreurs de la Louisiane, ainsi que d'un guerrier iroquois.

La basilique Notre-Dame

Face à la statue de Maisonneuve, la **basilique néo-gothique de Notre-Dame** fut pendant plusieurs années l'édifice religieux le plus grand d'Amérique du Nord. Les sulpiciens, qui commandèrent l'édifice, voulaient rivaliser avec l'évêché mais surtout dépasser en splendeur les temples protestants et les églises anglicanes.

Avant d'entrer dans la basilique, on passe devant les calèches du Vieux Montréal, stationnées ici qu'il pleuve, qu'il vente ou qu'il neige. La première chapelle, recouverte d'écorce et bâtie dans l'enceinte du fort en 1642, céda la place à l'édifice actuel en 1829. Les tours jumelées sont dues à l'architecte new-yorkais James O'Donnell, catholique d'origine irlandaise. Hautes de 69 m, elles ne furent achevées que dans les années 1840 par John Ostell qui reprit les travaux à la mort de O'Donnell. La tour est, la **Tempérance**, abrite un carillon à 10 cloches, et la tour ouest, la **Persévérance**, une cloche de 11 t, le gros bourdon, qui était réservée aux occasions solennelles car elle nécessitait la force d'une douzaine d'hommes pour être actionnée. La façade, datant du début du XIXᵉ siècle, dut être laissée sans décoration car la Belle Province ne disposait pas encore d'un nombre suffisant de tailleurs de pierre.

La décoration intérieure a été réalisée par Victor Bourgeau, génial artiste local, entre 1874 et 1880. Elle surprend par ses tons bleus, la chaleur de ses bois polychromes aux détails finement sculptés et recouverts de feuilles d'or. A droite de l'entrée, le baptistère est décoré de fresques du peintre québécois Ozias Leduc (1864-1955). Les

La basilique Notre-Dame.

vitraux, dus à Francis Chigot, retracent l'histoire de Montréal. Dans le jubé est installé un orgue de 5 772 tuyaux (1891), du facteur québécois Joseph Casavant, né en 1807, mort en 1874, et qui a fondé une entreprise toujours réputée (nombreux concerts dans l'église). Derrière le chœur, la chapelle du Sacré-Cœur, d'inspiration gothique espagnol, restauré en 1978 après un incendie, abrite un retable de bronze, œuvre de Charles Daudelin. A gauche de la chapelle se trouve un **musée d'art sacré**.

Le vieux séminaire de Saint-Sulpice

Le **vieux séminaire de Saint-Sulpice**, qui jouxte le flanc ouest de la basilique, date de 1685. C'est le plus ancien monument de la ville.

En 1663, la Société de Saint-Sulpice récupéra les charges curiales de la Société de Notre-Dame, devint propriétaire de l'île de Montréal. Aujourd'hui, plus de trois siècles après leur arrivée, les Messieurs de Saint-Sulpice ont perdu leur pouvoir temporel, mais le séminaire leur appartient toujours – même s'ils n'y forment plus aucun prêtre. En 1701, une horloge, qui serait la première horloge publique du Canada, a été installée au fond de la cour. Le séminaire comporte également un jardin et un potager (privés).

Derrière le vieux séminaire, au n°453 de la rue Saint-François-Xavier, le **théâtre Centaur** héberge la principale troupe anglophone de la ville. Ce bâtiment de style Arts déco, qui date de 1903, a abrité la Bourse jusqu'en 1966 – laquelle, auparavant, était installée dans les bureaux du journal *Le Devoir*, au coin de la rue.

Hors du temple, les marchands

Face à la basilique se dresse le grand symbole de la Montréal anglophone, la **Banque de Montréal**. Fondée en 1817, elle fut la première institution bancaire du pays. Son architecte, John Wells, s'inspira du Panthéon de Rome.

La basilique Notre-Dame (détails).

Ce bâtiment présente une façade ornée de six colonnes corinthiennes surmontées d'un fronton sculpté, représentant le blason de la banque entouré de deux Amérindiens, d'un marin et d'un colon. Le hall, immense, a été réaménagé entre 1901 et 1905 par les architectes new-yorkais McKim, Mead et White. Les colonnes ioniennes en granit vert du Vermont, reposant sur des socles de marbre et soutenant des chapiteaux de bronze, le marbre rose des murs, l'or des décorations et les imposants chandeliers confèrent à l'ensemble la majesté d'un temple de la finance ou d'une basilique italienne – lesquelles ont effectivement inspiré les concepteurs. La grâce de l'intérieur tient autant à la simplicité de ses lignes qu'à son éclairage naturel, la lumière entrant à flots par les immenses fenêtres. Un **musée** consacré à la numismatique se trouve dans le hall principal. Des billets et des pièces y côtoient une collection exceptionnelle de tirelires mécaniques du XIXᵉ siècle.

Le vieux séminaire et son horloge.

A l'ouest de la place d'Armes se dresse le **gratte-ciel de la New York Life Insurance Company** (avec son horloge), l'un des premiers de la ville. Pour la pierre, les architectes Babb, Cook et Willard choisirent du grès rouge, abondant à Montréal. Ce matériau était apporté par les navires en provenance d'Écosse qui l'utilisaient comme ballast. A droite du bâtiment, le **building Alfred**, avec ses blocs en retrait décorés de motifs floraux stylisés, est un exemple de style Arts déco.

La place d'Armes est entourée de rues où foisonnent les bureaux et les banques, et où sont concentrés les grands journaux montréalais. Le *Montreal Star*, qui fut jadis – il déposa son bilan en 1979 – le plus grand journal anglophone de la ville, siégeait au n°245 de la rue Saint-Jacques. La *Montreal Gazette*, principal journal anglophone actuel, a ses bureaux rue Saint-Antoine. *La Gazette*, créée en 1778, est le plus vieux journal de la ville. Les bureaux du principal journal francophone d'Amérique du Nord, *La*

Presse, se trouvent à l'angle des rues Saint-Jacques et Saint-Laurent d'où l'on aperçoit même les rotatives. Le Vieux Montréal abrite aussi les bureaux du savant et influent journal *Le Devoir*.

La Wall Street québécoise

Les amateurs d'architecture commerciale du XIXᵉ siècle poursuivront leur visite à l'ouest. Les autres obliqueront au sud, vers la place d'Youville.

Au XIXᵉ siècle, la **rue Saint-Jacques** (« Saint James » pour les Montréalais anglophones) avait hérité du surnom de « Wall Street du Canada ». Jusqu'à il y a vingt ans encore, elle était en effet le centre financier du pays. De cette époque subsistent les lourds bâtiments aux façades imposantes qui s'inspirent de l'Antiquité.

Au n°288 de la rue Saint-Jacques, face à la Banque du commerce, la **banque Molson** fut construite en 1866 par William Molson, grâce aux bénéfices de la brasserie fondée par son

père John. (Les Molson, qui occupent toujours un rôle de premier plan à Montréal, soutiennent aujourd'hui l'équipe de hockey.)

Au n°360, **la Banque royale** fut édifiée en 1928 par les architectes américains York et Sawyer. Ce fut, pendant une brève période, le plus haut bâtiment de l'Empire britannique. Ses architectes se seraient inspirés du palais Médicis, à Florence. L'intérieur, très riche, contraste avec l'austérité de la façade. Les portes, décorées de répliques en bronze de pièces de monnaie, s'ouvrent sur un hall d'entrée au plafond de bois cloisonné qui mène, par des escaliers de marbre, au hall principal. Les arches sont recouvertes de calcaire rouge et les murs décorés aux armes des provinces canadiennes.

Dans les années 1880, la majorité des entreprises émigrèrent vers l'ouest, pour s'installer aux alentours du **square Victoria**, à l'angle des rues Saint-Jacques et McGill. Cette place devint alors l'une des adresses résidentielles les plus prestigieuses et l'un des quartiers commerçants les plus fréquentés de la ville. Puis, au début du XXᵉ siècle, les grands magasins, attirés par la communauté anglophone de la rue Sherbrooke, déménagèrent vers la rue Sainte-Catherine. Le square Victoria perdit de son lustre, pour ne retrouver son dynamisme qu'avec la construction du **Centre de commerce mondial**, inauguré en 1992.

Le centre cache derrière sa façade un complexe de bureaux éclairé par un atrium ensoleillé, l'hôtel Inter-Continental, et le **building Nordheimer** – dans la salle de concerts duquel jouèrent Sarah Bernhardt et Maurice Ravel. Le passage de la **ruelle des Fortifications**, qui court au nord parallèlement à la rue Saint-Jacques et suit le tracé ancien du mur d'enceinte, relie les bâtiments de la rue Saint-Jacques et de la rue Saint-Antoine par de petites passerelles.

Entre la rue Saint-Jacques et le fleuve, au n°390 de la rue Notre-Dame, l'ancien couvent des récollets a cédé la place, en 1867, à un building de style néo-Renaissance aux fenêtres encadrées de colonnettes, la **Recollet**

La tour de la Bourse, place Victoria.

House, aujourd'hui Office municipal de la culture. Au n°455 de la rue Saint-Pierre, le **magasin Caverhill** présente une façade dont l'exubérance détonne au milieu des bâtiments plutôt austères qui l'entourent.

Dans la **rue Saint-Sacrement**, le **Corn Exchange** (n°261) faisait office de Bourse des céréales, face au Bureau de commerce. Dans la petite maison blanche (1811) du n°221 résidait Michel Eustache Chartier de Lotbinière, seigneur de Rigaud.

La Pointe-à-Callière

Le Vieux Montréal a grandi autour de la place Royale et de la place d'You-ville, qui se touchent à la Pointe-à-Callière. C'est sur les berges boueuses de ce dernier site qu'accosta, en 1611, Samuel de Champlain.

C'est encore là que, trente ans plus tard, Maisonneuve choisit d'ériger un fortin de bois. Comme le Saint-Laurent inondait régulièrement la ville, le premier bourg fut déplacé vers

la place d'Armes, à 200 m au nord. La petite rivière Saint-Pierre, qui coulait le long du fort, fut canalisée, et la forêt dense qui rendait pénible toute excursion vers le mont Royal, défrichée.

Malgré son importance historique, le site fut, pendant longtemps, l'endroit le plus délaissé du Vieux Montréal. Mais, en 1992, lors des festivités du 350ᵉ anniversaire de la fondation de la ville, fut inauguré le **musée d'Archéologie et d'Histoire de la Pointe-à-Callière**. Il s'installa dans le bâtiment moderne de l'Éperon, élevé au-dessus des vestiges archéologiques du premier village, et fut relié par une galerie souterraine à l'ancienne douane construite par John Ostell en 1838. Dans une crypte datant de l'époque du premier cimetière catholique de Montréal sont exposés des objets du XVIIᵉ au XXᵉ siècle retrouvés par les archéologues ; des maquettes retracent l'évolution de la place Royale. L'été, de nombreuses animations sont organisées sur la Pointe-à-Callière.

Échauguette de la côte du Beaver Hill.

La place Royale

La **place Royale** est à moins de 100 m de la Pointe-à-Callière. Une plaque commémorative rappelle que l'endroit fut la « première place publique de Montréal », et date sa création de 1657. C'est ici qu'avait lieu le marché et que se rencontraient Amérindiens et Français.

Au sud de la place, une statue représente John Young (1811-1879), un capitaine entreprenant qui fit du port de Montréal un grand port océanique moderne.

Vers l'ouest, en direction de la place d'Youville, un **obélisque** rend hommage aux premiers colons de la « mission d'évangélisation des sauvages sur l'île du mont Royal », parmi lesquels figuraient le gouverneur Paul de Chomedey, sieur de Maisonneuve, et Jeanne Mance, la fondatrice de l'hôtel-Dieu. L'inscription rappelle que Maisonneuve avait ordonné, notamment, la construction d'un fort, d'une chapelle et d'un cimetière.

La place d'Youville

La **place d'Youville**, la plus grande place du Vieux Montréal, s'étend depuis l'obélisque jusqu'à la rue McGill, à l'endroit où coulait jadis la petite rivière Saint-Pierre, canalisée en 1832. Moins animée que la place Royale ou la place Jacques-Cartier, elle a accueilli le Parlement du Canada-Uni entre 1840 et 1849, jusqu'à l'incendie provoqué par des émeutiers mécontents de l'adoption d'une loi qui indemnisait les victimes de la rébellion des Patriotes de 1837-38 – après cet incident, le parlement déménagea au marché Bonsecours, puis quitta à jamais Montréal pour s'établir d'abord à Kingston, puis à Québec et enfin à Ottawa.

Derrière la porte cochère qui mène aux **Écuries d'Youville** (du n°296 au n°316, place d'Youville) se cache une paisible petite cour de style français, dans laquelle s'est installé un restaurant. Les bâtiments des Écuries (1827), du fait d'une erreur de concep-

Les cafés, âme française du Vieux Montréal.

tion, étaient trop bas pour accueillir des chevaux. Ils furent reconvertis en entrepôts dont on voit encore, fixées aux lucarnes, les poulies qui servaient à hisser les marchandises.

Le petit **musée du Centre d'histoire de Montréal** est au milieu de la place d'Youville, face aux bâtiments des Écuries. Il est installé dans une ancienne caserne de pompiers, érigée en 1903, et qui présente – chose rare à Montréal – des pignons d'inspiration flamande. A l'extrémité ouest de la place d'Youville, en bordure du Vieux Montréal, se trouvent d'impressionnants entrepôts et bâtiments avec, notamment, au n°400, les **bâtiments de la douane**, de style Arts déco avec une tourelle surmontée d'une croix. Au n°360 de la rue McGill (qui mène à l'université du même nom) se trouve l'**immeuble du Grand Tronc**, du nom d'une compagnie ferroviaire fondée à Londres en 1852 – à laquelle on doit la construction du pont Victoria, reliant Montréal à la rive sud –, et dont il était le siège.

Portes de la Banque royale de Montréal.

La Charité des Sœurs grises

L'ancien hôpital général des Sœurs grises se trouve sur la place d'Youville, au coin de la **rue Saint-Pierre**.

Fondé en 1693 par François-Charon de la Bare, fils d'un riche marchand de Québec, l'hôpital fut d'abord une « maison de charité » destinée aux hommes. Après avoir fait faillite, il fut repris en 1747 par Marguerite d'Youville. Fondatrice de la communauté des Sœurs de la Charité, surnommées les Sœurs grises, elle en fit un hôpital pour les enfants trouvés et y installa la maison mère de l'ordre. L'hôpital déménagea rue Guy en 1871. Seuls l'aile ouest et les vestiges de la chapelle originelle de la maison mère (visibles de la rue Saint-Pierre) ont échappé à la démolition et ont été restaurés à la fin des années 70.

La rue Saint-Pierre

Les immeubles du bas de la **rue Saint-Pierre**, exemples de rénovation réus-

sie, abritent des appartements de luxe, des cabinets d'avocats et d'architectes ainsi qu'une boutique de fromage et de chocolat.

Au n°118, un petit **musée** est dédié à Marc-Aurèle Fortin (1888-1970). Il s'agit d'un peintre paysagiste québécois, né dans le village de Sainte-Rose et dont les aquarelles du Saint-Laurent à toutes les saisons sont célèbres au Canada. Fondateur d'une école du paysage, certainement l'un des premiers peintres « modernes » du pays, Marc-Aurèle Fortin fut un innovateur, qui peignait sur des surfaces noires « *pour augmenter la relation entre l'ombre et la lumière* » ou sur des fonds gris afin de « *capter l'atmosphère chaude des ciels du Québec* ». Il s'est également intéressé à la grande ville, comme au quartier Ahuntsic de Montréal, dont il s'est plu à peindre les morceaux de verdure.

A l'angle de la rue Saint-Pierre et de la rue de la Commune, au n°333 de cette dernière, l'**immeuble Allan** fut construit en 1858 pour abriter le siège de la Montreal Ocean Steamship Company des frères Hugh et Andrew Allan, qui obtinrent en 1855 le monopole du transport de courrier entre le Canada et la Grande-Bretagne.

C'est au débouché de la rue Saint-Pierre que l'on découvre les cubes originaux d'**Habitat 67**, de l'autre côté du bassin Alexandra. Créé par l'architecte Moshe Safdie dans le cadre de l'exposition universelle Expo 67, cet ensemble résidentiel expérimental se compose de 354 modules cubiques préfabriqués, assemblés selon des combinaisons variées pour créer 158 appartements reliés entre eux par des ruelles piétonnes. Il s'agissait de rompre la monotonie du style fonctionnaliste en vogue dans les années 60-70, qui marqua le Québec de la Révolution tranquille. Mais cette tentative fut un échec relatif, car elle ne fut pratiquement jamais reproduite, son coût s'étant révélé prohibitif. De la rue Saint-Pierre on aperçoit également les immenses silos à grains en béton armé (1905) qui firent l'admiration de Le Corbusier et de Walter Gropius.

Le Vieux Port

Dans les débuts de Montréal, le port n'était qu'une rive boueuse où l'on halait les canots et devant laquelle les navires de haute mer jetaient l'ancre. Au XVIIIᵉ siècle, des quais en bois furent construits, avant d'être remplacés, à partir de 1830, par des quais de pierre.

S'étendant sur 2 km le long du Saint-Laurent, le Vieux Port bourdonne d'activité douze mois sur douze, hormis l'hiver où il vit au ralenti – même si, désormais, des brise-glace maintiennent toute l'année la partie centrale du fleuve en eau libre. Profondément remanié entre 1983 et 1993, le Vieux Port est l'un des rares exemples d'aménagement du front de mer en Amérique du Nord. Des espaces culturels et récréatifs y ont été implantés, afin de redonner vie à cette zone désormais désertée par les navires océaniques qui gagnent directement les Grands Lacs.

Pause aux couleurs du Québec.

Visiter le Vieux Port

Marquant l'extrémité est du Vieux Port, le **quai de l'Horloge** possède l'un des plus vieux bâtiments du Vieux Port, la **tour de l'Horloge** (1922), érigée en mémoire des marins disparus au cours de la Première Guerre mondiale et qui joua longtemps le rôle de phare. Du haut des 192 marches, on découvre l'ensemble du Vieux Port, la ville et le fleuve.

Face à la place Royale, le **quai Alexandra** a vu débarquer des milliers d'immigrants. D'énormes cargos y accostent toujours. Au pied du boulevard Saint-Laurent, les hangars du **quai King Edward** ont été transformés en hall d'exposition. Ces structures abritent également le **théâtre de magie et d'illusion Houdini**, où est présenté un spectacle de lévitation, de métamorphose et de phénomènes « extrasensoriaux » ; il y a aussi un **cinéma Imax**, avec un écran géant où sont projetés des films en trois dimensions, un labyrinthe mystérieux appelé **SOS Labyrinthe**, ainsi qu'un marché aux puces. De la pointe du quai on découvre une belle vue sur le Vieux Montréal et le centre-ville, ainsi que sur le fleuve et ses îles. Des travaux doivent faire disparaître le marché au puces, qui sera remplacé par Expotec-Canada, futur « carrefour permanent de la science et de la technologie », où une exposition permanente permettra de découvrir les cinq industries les mieux représentées à Montréal : communications, transports, santé, énergie et ressources naturelles.

Face au quai King Edward, on loue des vélos ou des rollers (il est possible d'aller expérimenter ces derniers sur la piste de l'île Notre-Dame – voir p. 205). Un sentier, la **promenade du Vieux Port**, que longe une piste cyclable, permet de se promener jusqu'au canal de Lachine, à 10 km. L'itinéraire passe devant des entrepôts de style néo-classique et traverse un long parc qui longe le fleuve.

Le **quai Jacques-Cartier**, devant la place du même nom, accueille le

Façade fleurie d'une maison ancienne dans le Vieux Montréal.

Cirque du Soleil, au printemps, puis le festival Juste pour rire, au mois de juillet (voir p. 147). A l'extrémité ouest du Vieux Port, la **maison des éclusiers** présente l'histoire du canal de Lachine dont la construction, débutée en 1821, permit de contourner les rapides qui avaient rebuté les premiers explorateurs et entravé l'essor de l'île de Montréal.

Naviguer sur le Saint-Laurent

Au départ du quai King Edward, les **bateaux-mouches** et les **croisières Nouvelle-Orléans** proposent une visite du port, des écluses du canal de Lachine et des îles du Saint-Laurent. Les plus aventureux iront braver les flots dans les hors-bords du **Jet Saint-Laurent**. Une navette fluviale relie le port aux îles du Saint-Laurent et à Longueuil, sur la rive sud du fleuve. Du **quai Jacques-Cartier** partent aussi des navettes pour les îles ou Longueuil.

Entre le quai Jacques-Cartier et le quai de l'Horloge, une île artificielle a été aménagée au centre du **bassin Bonsecours**. En été, on peut y louer des pédalos ou profiter des autres activités en plein air ; en hiver, le bassin gelé sert de patinoire.

Du **quai de l'Horloge**, les croisières du port de Montréal partent à la découverte du Vieux Port, des îles et des paysages champêtres de Boucherville. Pour les amateurs de sensations, rien de tel qu'une descente trépidante des rapides de Lachine, avec les hors-bords de Saute-Moutons ou en rafting.

Un moyen original de visiter le Vieux Montréal est sans nul doute de faire une excursion à bord de l'**Amphibus**, un autobus amphibie qui passe directement des rues de Montréal aux eaux du Saint-Laurent. Le départ s'effectue à l'angle de la rue de la Commune et de la rue Saint-Laurent, face au quai King Edward. Pour les réfractaires à l'eau, il reste les calèches (face à la place Jacques-Cartier ou place d'Armes) ou la balade en minibus (départ quai Jacques-Cartier).

Quadricycles loués sur le Vieux Port.

FÊTES ET FESTIVALS

Comme pour conjurer la froidure des mois d'hiver, l'été à Montréal est une succession de festivals variés, et le spectacle sort des salles – payantes – pour se répandre dans les rues, où tout un chacun peut profiter de la fête sans bourse délier, tout en sirotant des bières des nombreuses marques qui sponsorisent les artistes.

Montréal est le port d'attache de la seule école de cirque d'Amérique du Nord, l'École nationale du cirque, dont les étudiants participent aux spectacles du Cirque du Soleil – sans numéros d'animaux –, présentés en avril.

Après les créations contemporaines du Festival de théâtre des Amériques, qui se tient à la fin du mois de mai, le début de l'été est marqué par la compétition internationale d'art pyrotechnique. On peut voir alors, les samedis de juin et les dimanches de juillet, les meilleurs artificiers du monde tirer de féeriques feux au-dessus du Saint-Laurent, sur fond musical. Les endroits idéaux pour assister au spectacle se trouvent sur l'île Sainte-Hélène et le long du fleuve.

Jadis organisées au mois de juillet, les Francofolies de Montréal célèbrent désormais la chanson francophone internationale au mois de juin, dans les rues. Le même mois voit une foule de cyclistes se presser sur l'île Sainte-Hélène, pour une grande course.

Vers la mi-juin, les amateurs de « rousses », de « brunes » et de « blondes » se retrouvent au Vieux Port pour le Mondial de la bière, où ils peuvent déguster plus de 250 marques de leur boisson préférée.

Puis vient le temps du Festival international de jazz (voir p. 179). A peine est-il terminé que débute, à la mi-juillet, le festival Juste pour Rire, organisé dans des salles ou en plein air (au Vieux Port) et où rivalisent des humoristes américains, britanniques, français, belges et canadiens – dont un certain nombre sont des élèves ou anciens élèves de l'École de l'humour, récemment créée par la ville de Montréal. Le festival comprend deux parties, une francophone et une anglophone.

Les Fêtes gourmandes internationales de Montréal sont à la fois une grande aventure culinaire et une grande fête champêtre qui se déroule, chaque mois d'août, sur l'île Sainte-Hélène, et qui permet de déguster la cuisine des cinq continents.

A la fin du mois d'août débute le très attendu Festival des films du monde, avec son Grand Prix des Amériques, qui permet aux amoureux du grand écran de découvrir, dans une douzaine de salles, 200 films du monde entier, autant de bouffées d'oxygène dans l'univers ultra-américanisé des salles de cinéma.

Tous les deux ans, à la fin du mois de septembre, lors du Festival international de la nouvelle danse, des troupes venues de tous les pays présentent des spectacles de danse contemporaine. Le même mois a lieu le marathon de Montréal qui rassemble une dizaine de milliers de participants.

Enfin, alors que la chaleur des mois d'été, parfois écrasante, a cédé la place aux vents glacés de l'hiver, l'île Sainte-Hélène accueille, à la fin du mois de janvier, pour deux semaines, la fête des Neiges, équivalent montréalais du carnaval de Québec (dont la tradition remontait à la Nouvelle-France et qui, interrompue à partir du XIXᵉ siècle, a été reprise en 1954).

Défilés, parades, courses de canots à glace sur le Saint-Laurent gelé, de traîneaux à chiens, luge scandinave, glissoire géante attirent tout Montréal ; l'une des attractions les plus spectaculaires est le concours de sculpture sur glace, où les artistes réalisent des édifices parfois impressionnants, qui disparaissent dès l'arrivée des beaux jours.

LE CENTRE-VILLE

Au XIXe siècle, les commerçants anglais et écossais avaient accumulé d'énormes fortunes. Ils avaient su s'adapter au déclin de la fourrure, profiter de l'avènement du chemin de fer, puis de la mise en exploitation des ressources naturelles du Canada, qu'il s'agisse des matières premières ou des terres cultivables, ou se lancer dans la construction navale. Au milieu du XIXe siècle, ils quittèrent le Vieux Montréal et investirent une partie de leurs capitaux dans la réalisation du centre-ville, délimité par le boulevard René-Lévesque, la rue Guy, la rue University et l'avenue des Pins, et surnommé le **Mille Carré Doré** (ou Golden Square Mile).

A partir des années 30, cette même bourgeoisie, délaissant le Mille Carré Doré, transforma Westmount en un quartier résidentiel huppé. Le centre d'affaires de la ville quitta alors la place d'Armes pour le square Dorchester, au centre du Mille Carré Doré, où s'érigèrent de hauts buildings.

La fin de la Seconde Guerre mondiale et les années 50 furent suivies d'une extraordinaire période de croissance. Elle se traduisit par un boom de la construction et par la multiplication des gratte-ciel qui marquent toutes les grandes cités nord-américaines.

Dans les années 60 et 70, pendant le long mandat du maire Jean Drapeau, la ville connut une troisième période de construction (dans une conjoncture économique morose), caractérisée par des expérimentations architecturales téméraires et parfois éblouissantes. Des projets d'envergure, tels la ville souterraine, le métro, Expo 67 et les installations des jeux Olympiques de 1976, marquent cette ère.

Richesses passées et présentes

Une exposition récemment organisée par le musée des Beaux-Arts témoigne de la prospérité de la haute société montréalaise anglophone.

Elle permit de découvrir le meilleur des collections privées, parmi lesquelles de fabuleuses toiles de Cézanne, de Toulouse-Lautrec ou de Gauguin. Si, jusque dans les années 80, le XXe siècle a vu les écarts sociaux se réduire, à la fin du XIXe siècle, les 25 000 résidents d'origine écossaise du quartier du Mille Carré Doré détenaient, à eux seuls, près de 70 % de la richesse du Canada.

Le Mille Carré Doré

Au début du XXe siècle, le Mille Carré Doré, avec ses grands arbres, son calme, ses perspectives s'ouvrant sur la « Petite Montagne » (le mont Royal), était une oasis de paix et de calme.

De nombreux parcs – où l'on se promène l'été et où l'on fait du ski et de la luge l'hiver –, un grand hôtel, de nombreuses boutiques de luxe, quelques grands magasins, des cliniques privées, des clubs, des écoles comme l'école de filles de Trafalgar, rue du Docteur-Penfield, une université (McGill), tout était fait pour que l'on puisse vivre dans le quartier sans jamais en sortir

Pages précédentes : lignes futuristes de la place des Arts. A gauche, contrastes architecturaux ; à droite, boutique de mode dans la ville souterraine.

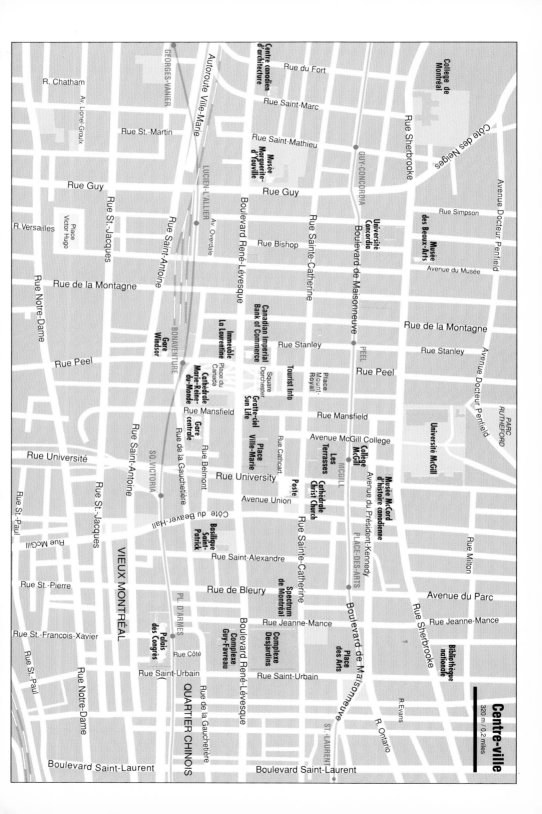

Centre-ville

320 m / 0.2 miles

– ce qui contribua d'ailleurs à isoler la haute bourgeoisie anglophone du reste de la société.

En plus des belles maisons victoriennes qu'ombragent des ormes, il reste de cette période de magnifiques vestiges. Ainsi de l'**hôtel Ritz-Carlton**, au n°1228 de la rue Sherbrooke ouest (angle des rues Sherbrooke et Drummond), qui dominait les maisons à trois étages des alentours ; ou du **grand magasin de vêtements Holt-Renfrew** (1937, n°1300, rue Sherbrooke ouest), aménagé dans un bâtiment Arts déco qui valut un prix à ses architectes Ross et Macdonald ; ou, encore, des **Appartements du Château** (1925, n°1321, rue Sherbrooke ouest, face à Holt-Renfrew). L'un des plus grands immeubles résidentiels de l'entre-deux-guerres et pastiche des châteaux de la Loire, avec ses gargouilles, ses tourelles, sa cour intérieure et ses croix de pierre. Il fut bâti par les architectes Ross et Macdonald pour le sénateur canadien français Pamphile du Tremblay, propriétaire du quotidien *La Presse*.

L'église Erskine and American.

Architecture « romane » et musée des Beaux-Arts

A côté des Appartements du Château, et à l'angle des rues Sherbrooke et du musée, l'**église Erskine and American** fut édifiée en 1892. Cette réalisation de l'architecte américain Henry Hobson Richardson est un pastiche néo-roman, avec ses arcs encadrés de colonnettes et ses ouvertures cintrées. L'intérieur est éclairé par de magnifiques vitraux Tiffany (1937).

Le **musée des Beaux-Arts** est au n°1380, rue Sherbrooke ouest. Fondé en 1860 par un groupe d'amateurs d'art anglo-saxons réunis au sein de l'Art Association of Montreal, le plus ancien musée du Québec était alimenté par les collections privées et les dons des habitants du quartier. Le pavillon Beniah-Gibb, qui l'abrite depuis 1912, est de style néo-classique, avec des façades parées de marbre blanc du Vermont, matière qui décore le hall d'entrée et dans laquelle a été réalisé l'escalier qui mène aux étages supérieurs. En 1991,

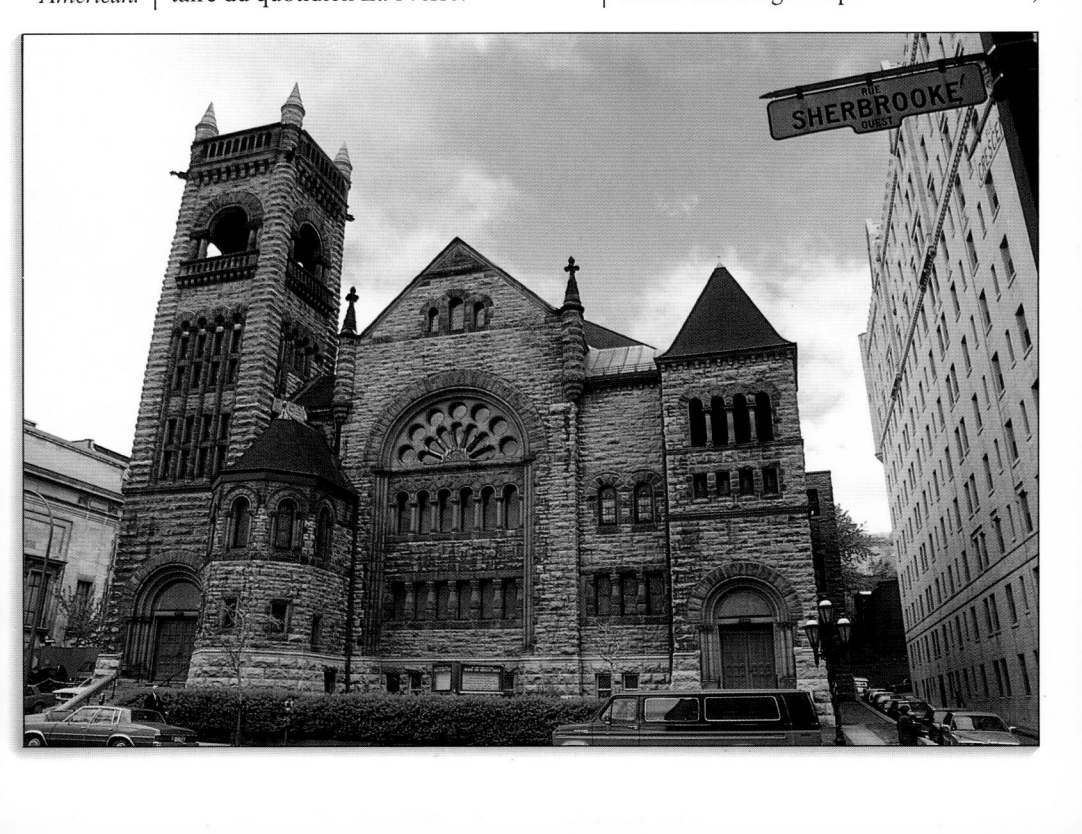

l'architecte Moshe Safdie érigea, de l'autre côté de la rue, le **pavillon Jean-Noël-Desmarais** auquel il intégra la façade en brique rouge d'un immeuble plus ancien. L'ensemble est relié par des galeries souterraines.

La collection permanente comprend de nombreux tableaux, sculptures et dessins d'Amérique du Nord et d'Europe, dont des œuvres du Greco, de Rodin, de Dali et de Picasso. L'art canadien y est représenté par des sculptures inuits, des peintures modernes – de William Brymmer à Adrien Hébert –, ou des œuvres contemporaines – de Paul-Émile Borduas à Jean-Paul Riopelle en passant par Betty Goodwin. Le musée abrite aussi une collection d'art décoratif.

Presbytériens et Sœurs grises

L'**église Saint-Andrew-and-Saint-Paul** est à l'angle de la rue Redpath et à l'ouest du musée des Beaux-Arts.

Bâtie en 1932 pour la communauté écossaise et presbytérienne de Mont-

réal, elle a été dessinée par l'architecte Harold Lea Fetherstonhaugh. Ce bâtiment néo-gothique est éclairé par de magnifiques vitraux – dont, au fond, à gauche, deux vitraux exécutés par Andrew Allan et son épouse selon des croquis du peintre anglais préraphaélite Edward Burne-Jones (1833-1898).

Le **musée Marguerite-d'Youville** est au n°1185, rue Saint-Mathieu, au sud-ouest de Saint-Andrew-and-Saint-Paul – quartier de Shaughnessy. Il présente l'histoire de la communauté des Sœurs grises, ordre féminin catholique fondé en 1755 par Marguerite d'Youville.

Le **Centre canadien d'architecture** est installé au n°1920 de la rue Baile, dans un bâtiment maintes fois primé, conçu par Peter Rose en collaboration avec Phyllis Lambert et Erol Argun. On y découvre des expositions, une librairie, une bibliothèque et un centre de recherche. Devant s'étend un **jardin de sculptures** dû à Melvin Charney.

Un musée d'architecture en plein air

A l'est du musée des Beaux-Arts, l'**avenue du Musée** est l'une des rues du quartier qui a conservé le plus grand nombre de demeures du début du siècle. Peu fréquentée par les voitures, elle semble à l'écart du Montréal d'aujourd'hui.

Louis-Joseph Forget (1853-1911) a été, avec son neveu Rodolphe, l'un des rares francophones à réussir dans le monde des affaires montréalais au XIX^c siècle. En 1883, il se fit construire une villa, la **maison Louis-Joseph Forget** (n°1195, rue Sherbrooke ouest), d'inspiration Second Empire français au cœur du Mille Carré Doré, et non autour du carré (ou square) Saint-Louis comme le faisaient les francophones les plus aisés.

Elle fut rachetée en 1927 par un club d'anciens officiers de la Première Guerre mondiale qui l'occupa pendant quarante-cinq ans. La fondation de bienfaisance Macdonald-Stewart s'en porta acquéreur en 1962. Le neveu de Louis-Joseph, Rodolphe Forget (1861-1919), fondateur de la Banque internationale du Canada, se fit construire une

Vitrail Tiffany, église Erskine and American.

résidence inspirée des hôtels particuliers parisiens du XVIIIᵉ siècle, au n°3685 de l'avenue du Musée, par l'architecte Jean Omer Marchand. Elle appartient aujourd'hui au consulat russe de Montréal.

Au n°1374 de l'avenue des Pins ouest se trouve la **maison Clarence de Sola**, de style hispano-mauresque (1913) ; elle porte le nom de son ancien propriétaire, qui était le fils d'un rabbin d'origine portugaise.

Au n°1418 de la même rue, la **maison Cormier** a été dessinée, en 1931, par Ernest Cormier, ingénieur et architecte, qui l'occupa jusqu'en 1975. Elle représente le summum de l'éclectisme, puisque sa façade principale est de style Arts déco, le côté de style classique et l'arrière résolument moderniste. Cette demeure est aujourd'hui la propriété de Pierre Elliott Trudeau, ex-Premier ministre du Canada.

Plus à l'est, rue Drummond, au n°3654, la **maison James Thomas Tavis** est l'œuvre des frères Maxwell. Cette demeure, qui rappelle les manoirs éli-

Exposition Dali au musée des Beaux-Arts.

sabéthains, est, comme beaucoup des anciennes résidences du quartier, propriété de l'université McGill.

Au n°3630, la **maison Hosmer** est un bel exemple d'exubérance architecturale. A l'image de nombreux édifices montréalais, elle fut taillée dans le grès rouge d'Écosse qui servait de ballast aux navires venant d'Europe.

En regagnant l'avenue des Pins, au n°1132, la **maison Hamilton**, avec ses ouvertures et ses briques disposées en zigzag, est une autre œuvre des frères Maxwell. Au n°1110, la **maison Meredith** fut érigée en 1894 par les mêmes architectes pour le président de la Banque de Montréal, Henry Meredith. La demeure surprend par ses murs de brique, un matériau plutôt utilisé dans les quartiers populaires ou industriels, mais qui reflète bien ce mélange de styles typique de la fin du XIXᵉ siècle nord-américain. Non loin, la **maison Mortimer Davis** (n°1020, avenue des Pins ouest), de style Beaux-Arts (néo-classicisme plaqué sur des matériaux modernes tels que le béton),

LA GRANDE DAME
DE LA RUE SHERBROOKE

Inauguré en 1911, l'hôtel Ritz-Carlton, rue Sherbrooke, fut conçu par deux architectes new-yorkais, Warren et Westmore, qui sont également les auteurs du Grand Central Terminal de New York. L'hôtel Ritz-Carlton n'a guère changé tout au long de ses plus de quatre-vingts années d'existence – et c'est cela qui lui donne, en partie, son charme.

Dans les toutes premières années du XXe siècle, alors que l'hôtel Ritz de Paris (place Vendôme) rivalisait avec le Carlton de Londres, Charles Hosmer, président de la Canadian Pacific Telegram, eut l'idée d'associer les riches traditions de ces deux grands hôtels.

A l'issue de longues tractations, Charles Ritz se laissa finalement convaincre, mais non sans imposer des conditions sans précédent pour l'époque : il exigeait que chaque chambre soit dotée de sa propre salle de bains et d'un téléphone, que chaque étage soit équipé d'une cuisine et que le concierge soit à la disposition des clients à toute heure du jour et de la nuit.

Les exigences de Charles Ritz se révélèrent fructueuses, puisque le Ritz-Carlton devint synonyme de service impeccable aux yeux de toute l'Amérique du Nord fortunée. L'hôtel participa à tous les grands événements du siècle : ce fut ainsi du Ritz-Carlton que partit le premier appel téléphonique transcontinental vers Vancouver ; ce fut au Ritz-Carlton que descendaient le prince de Galles, la reine Marie de Roumanie, et c'est aussi là que se marièrent Richard Burton et Elizabeth Taylor, en 1964.

Quelles que fussent les péripéties de l'histoire, les guerres ou les crises économiques, l'hôtel restait le « club privé » de la bourgeoisie anglophone. Certains allaient jusqu'à y résider toute l'année, et tous cherchaient à s'y faire voir au moins une fois par an, que ce soit dans la salle de bal, dans les salons, au bar ou dans le jardin. Pour les *businessmen* anglophones, ces trois derniers lieux étaient des sortes d'annexes commerciales où se concluaient de nombreuses affaires.

La Révolution tranquille a démocratisé la société québécoise, et l'hôtel Ritz-Carlton, refuge ultime de l'élitisme, a dû lui aussi faire un certain nombre de concessions – sauf cependant celle d'installer une piscine ou une salle de gymnastique... En outre, si le Café de Paris n'est plus strictement « privé », il n'en reste pas moins très fermé.

Cette évolution a été immortalisée par Mordecai Richler dans son roman *Joshua au passé, au présent* (livre paru aux éditions Les Quinze, Montréal, 1989) : *« L'incomparable Ritz où, autrefois, des courtiers bien élevés conspiraient, au-dessus de leur whisky pur malt accompagné d'amandes grillées, dans le but de faire monter des valeurs minières douteuses. [...] Le Ritz était tombé si bas que l'on y acceptait, dans les chambres rehaussées de dorures, des joueurs de hockey en visite – même ceux des nouvelles équipes. Le Café de Paris et le Bar Maritime ne seraient plus jamais les mêmes. Cet hiver, les dames parfumées en cape de vison et les messieurs en manteau de castor qui s'arrêtaient pour prendre un verre après le match de hockey étaient obligés de se mêler aux joueurs. De jeunes gaillards, avec de méchants furoncles au cou qui n'avaient quitté leur petite ville minière que depuis une saison, faisaient la bombe au bar, entourés d'admiratrices exhalant des parfums bon marché... [...] Là où la crème de Westmount se rencontrait auparavant pour de discrets rendez-vous galants, une seule nana passait à l'attaque de l'unité spéciale offensive au grand complet... »*

était la résidence du fondateur de l'Imperial Tobacco Company. La demeure la plus somptueuse du quartier est le **Ravenscrag** (n°1025, avenue des Pins ouest), petit château à l'architecture italianisante bâti en 1863. Son propriétaire, sir Hugh Allan, richissime armateur et financier écossais, détenait à l'époque un quasi-monopole sur le transport maritime entre l'Europe et le Canada. Depuis la tour, sir Allan se plaisait à observer ses navires amarrés au port. Ce haut lieu de la vie mondaine a été légué en 1944 à l'hôpital Royal Victoria.

En contrebas, dans la rue Peel, la **maison James Ross**, au n°3644, est due à Bruce Price, l'architecte du Château Frontenac à Québec. Elle a été bâtie en 1892 pour James Ross, ingénieur du Canadian Pacifique. Agrandie en 1905 par les frères Maxwell, elle fut un autre haut lieu du Montréal mondain du début du XXᵉ siècle. De l'autre côté de la rue, au n°3647, le fils de James Ross, John Kenneth, se fit construire une maison par les frères Maxwell, en 1909.

Il hérita de la demeure paternelle qui vint s'ajouter à ses propriétés campagnardes et à ses chevaux. Mais son fastueux train de vie le plongea rapidement dans l'embarras et, au début des années 30, il dut vendre ses tableaux de maître et ses propriétés.

L'université McGill et ses musées

A l'extrémité nord de l'avenue McGill College, la célèbre **université McGill** fut fondée en 1821 grâce à un legs du riche marchand de fourrures James McGill (1744-1813) – depuis, le soutien financier des grandes familles anglophones ne s'est jamais démenti.

La Royal Institution for the Advancement of Knowledge, de son vrai nom, est la plus ancienne des quatre universités de Montréal. Elle occupa d'abord l'ancienne résidence de McGill, Burnside, avant la construction en 1839 de McGill College, l'actuel pavillon des Arts, par John Ostell. De 1855 à 1883, le recteur William Dawson en fit une institution de réputation

Horloge aux symboles britanniques de la gare Windsor.

internationale. Le campus principal, sur les pelouses duquel courent les écureuils, regroupe aujourd'hui une soixantaine de bâtiments, dont le **musée Redpath** qui réunit des collections d'histoire naturelle, d'archéologie, de botanique, de géologie et de paléontologie. Ce bâtiment fut le premier a être construit au Québec pour abriter un musée (1880-1882). Il est l'œuvre de Hutchison et de Steele.

Face au campus, le **musée McCord d'histoire canadienne** (n°690, rue Sherbrooke ouest) est installé dans le bâtiment de l'ancienne association des étudiants et a été agrandi en 1992. Il retrace l'histoire du Canada, à partir d'objets légués à l'université McGill par David Ross McCord, descendant d'une famille d'éminents avocats et juristes établie au Canada à la fin du XVIIIe siècle. On y voit également les archives photographiques Notman qui rassemblent quelque 700 000 photographies anciennes, prises par William Notman, un Montréalais d'origine écossaise. A l'extérieur du musée,

l'*Inukshuk* est une sculpture de pierre inuit, réalisée par Jusipi Nalukturuk, et *Totem urbain* a été sculptée par Pierre Granche.

La place du Canada

Le déménagement des entreprises du Vieux Montréal vers le nord a permis à la **place du Canada** (anciennement square Dorchester) de devenir le centre des affaires dès la fin du XIXe siècle. Même si, aujourd'hui, beaucoup de sociétés ont migré vers le boulevard René-Lévesque, le square Dorchester reste le symbole d'une époque.

Rare havre de verdure parmi une forêt de briques et de béton, bien qu'il soit traversé par le boulevard René-Lévesque, le square Dorchester est le lieu de détente des employés et des cadres qui viennent avaler un sandwich sous ses grands arbres, pendant que d'autres le traversent à vive allure pour rejoindre la gare Windsor.

Le square fut d'abord un verger, puis devint le cimetière catholique en 1799, et le resta jusqu'en 1854. Jugé insalubre par les riches anglophones qui habitaient autour, le cimetière fut déménagé en 1855, dans une grande émotion, et transformé en square en 1869. Avant de prendre le nom de Dorchester – celui d'un gouverneur britannique de la fin du XVIIIe siècle –, il s'appela Dominion, manière de rappeler le statut du Canada dans l'Empire britannique. En 1967, pour le centenaire de la confédération, il prit le nom de place du Canada (le boulevard Dorchester, lui, dut attendre 1987 pour devenir le boulevard René-Lévesque).

Pendant des années, lors des grandes festivités de l'hiver, la place a vu s'élever d'immenses « palais de verre », ou châteaux de glace, que les pompiers montréalais défendaient contre les attaques amicales des clubs des raquetteurs. Sur les pelouses, la statue du poète écossais Robert Burns côtoie celle de Wilfrid Laurier, Premier ministre du Canada de 1896 à 1911, tandis que plus loin se dresse une statue équestre à la mémoire des soldats canadiens tombés pendant la guerre des Boers, en Afrique du Sud (1899-

Toilette de la statue du frère André, fondateur de l'oratoire Saint-Joseph.

1902), due à Georges W. Hill et aux frères Maxwell ; à proximité se trouve une sculpture inspirée du Lion de Belfort, réalisée par Bartholdi, l'auteur de la statue de la Liberté à New York. Quant à la fontaine du square, elle fut inaugurée pour le jubilé de la reine Victoria, en 1897.

Gratte-ciel et hôtel

Dominant le square, l'imposant **gratte-ciel Sun Life**, symbole de la puissance financière anglo-saxonne de Montréal, a été érigé entre 1913 et 1933 dans le style Beaux-Arts. Cet édifice aux impressionnantes colonnades fut longtemps le plus grand de l'Empire britannique. Pendant la Seconde Guerre mondiale, les réserves en or de plusieurs pays européens, ainsi que les joyaux de la Couronne britannique, étaient enfermés dans ses coffres. La compagnie d'assurances Sun Life y eut son siège social jusqu'en 1977, avant de le transférer à Toronto pour protester contre les lois linguistiques.

Le dôme de la cathédrale Marie-Reine-du-Monde.

L'**hôtel Windsor** (n°1170, rue Peel), de style Second Empire, où descendait la famille royale, occupait tout un pâté de maisons. Il a presque entièrement disparu dans des incendies, sauf une partie qui abrite des bureaux, ainsi que l'allée Peacock et de somptueuses salles de bal. A côté se trouve la **Banque du commerce**, haute tour de verre datant de 1962, dont le hall abrite une œuvre d'Henry Moore.

La cathédrale Marie-Reine-du-Monde

Au sud-est du square Dorchester, de l'autre côté du boulevard René-Lévesque, se dresse la **cathédrale Marie-Reine-du-Monde**.

Après l'incendie qui détruisit en 1852 la cathédrale catholique de la rue Saint-Denis, l'ambitieux Mgr Ignace Bourget, évêque de Montréal de 1840 à 1876, ardent adversaire à la séparation de l'Église et de l'État, désireux de confirmer la suprématie de sa confession à Montréal, fit élever cette cathé-

drale au cœur du bastion anglophone montréalais. Le chantier dura plus de vingt ans. Imposant à l'architecte Victor Bourgeau de construire une réplique au tiers de la basilique Saint-Pierre de Rome, Mgr Bourget inspira probablement Mark Twain quand celui-ci déclara qu'on ne pouvait lancer une pierre dans le square Dorchester sans briser un vitrail d'église. A l'intérieur de la basilique, sous la coupole de 76 m, une réplique du baldaquin du Bernin abrite le maître-autel; Mgr Bourget repose sous son gisant.

L'église Saint-George

De l'autre côté de la place du Canada, à l'angle des rues Peel et de La Gauchetière, se dresse l'**église anglicane Saint-George**, édifiée pour la communauté de l'ouest de la ville.

Construite à l'emplacement d'un cimetière juif et achevée en 1870, l'église est le plus vieil édifice de la place. De belles boiseries de chêne, ainsi qu'une tapisserie venant de l'ab-

baye de Westminster et qui vit couronnement de la reine Élisabeth II, en décorent l'intérieur.

Les épopées du rail et du hockey

Sauvée de la démolition en 1971, la **gare Windsor**, à l'angle des rues Peel et de La Gauchetière, domine le sud-ouest de la place du Canada.

Ce site, choisi parce qu'il mettait la gare à l'abri des inondations printanières du Saint-Laurent, faisait entrer dans la ville le chemin de fer et la modernité. Avec le train, Montréal devenait le terminus des liaisons intercontinentales (le bateau prenant le relais). Conçue par l'architecte newyorkais Bruce Price, la gare est un édifice néo-roman érigé en 1889 pour la compagnie ferroviaire Canadien Pacific. Plusieurs ailes ont été rajoutées au fur et à mesure de la croissance du trafic, la plus récente datant des années 50. Après la Seconde Guerre mondiale, la gare Windsor fut délaissée au profit de la gare centrale. Elle est proche du **centre Molson**, immense forum de 21 000 sièges qui accueille l'équipe de hockey de Montréal, les Canadiens, et où sont organisés tous les grands spectacles montréalais, des concerts de rock à ceux de musique classique.

Gratte-ciel et étoiles

Au nord du square, le **building Dominion Square** a été bâti en 1928 sur les plans des architectes Ross et Macdonald. Son vestibule aux appliques en bronze et aux trompe-l'œil mérite le détour. Au rez-de-chaussée se trouve également le centre d'information touristique **Infotouriste**.

Le gratte-ciel du n°1000 de la **rue de La Gauchetière** domine Montréal de ses 51 étages. Achevé en 1992, il abrite la gare des bus reliant Montréal à la rive sud, ainsi que l'amphithéâtre Bell, patinoire intérieure couronnée d'une coupole vitrée. Le sommet, en forme de pointe, recouvert de cuivre, atteint 205 m de haut, soit le maximum autorisé à Montréal afin qu'aucun édifice ne dépasse le mont Royal.

Les verrières du centre commercial Montreal Trust.

Au sud de la place du Canada, le **planétarium Dow** (n°1000, rue Saint-Jacques ouest) propose des expositions et des animations sur l'astronomie et la météorologie. On peut assister à des projections sur un dôme hémisphérique.

La place Ville-Marie et la ville souterraine

Alors que la place du Canada symbolise la Montréal du XIXᵉ siècle, la **place Ville-Marie** symbolise le ville du XXIᵉ siècle, sur laquelle les journaux d'architecture ne tarissent pas d'éloges.

Derrière le gratte-ciel Sun Life, une tour signée Pei (l'architecte de la Pyramide du Louvre) fut élevée entre 1954 et 1962. Conçue selon un plan cruciforme, afin de rappeler la vocation religieuse de la ville, elle a pour caractéristique d'avoir la moitié de sa surface enfouie sous terre et de recouvrir la place Ville-Marie. Cet immeuble marqua le début de l'aménagement de la ville souterraine de Montréal. Mettant à profit une tranchée ouverte en 1918 pour la percée d'un tunnel ferroviaire sous le mont Royal, la **ville souterraine** intégra la gare centrale, aménagée sous la surface du sol dès 1938 (et aujourd'hui coiffée par l'hôtel Reine-Élisabeth). Le tout fut relié au **complexe multifonctionnel** de la place Ville-Marie, et à celui du n°1 de la place Bonaventure, dû à l'architecte montréalais Raymond Affleck, et qui regroupe, au-dessus des voies ferrées menant à la gare, un centre commercial, deux halls d'exposition, des bureaux et un hôtel.

Aujourd'hui, la ville souterraine comporte un réseau de 29 km de passages piétonniers reliant deux gares, deux terminaux de bus, un métro, 7 grands hôtels, 2 000 boutiques, 200 restaurants, 40 succursales bancaires, 2 grands magasins, 30 cinémas et théâtres et 154 points d'accès. Le tout, mélangeant les époques et réalisé par de trop nombreux entrepreneurs privés, est d'un style un peu hétéroclite.

La ville souterraine se visite selon cinq axes : le principal, à partir de la

Arbre de Noël sur la place Ville-Marie.

place Ville-Marie, permet de rejoindre la place Bonaventure et la place du Canada, ainsi que les promenades de la Cathédrale, le centre Eaton et le grand magasin la Baie ; un axe secondaire relie la place d'Armes, la place des Arts, le palais des Congrès et les complexes Guy-Favreau et Desjardins ; un troisième axe commence à la station Berri, raccordée au palais du Commerce et aux centres commerciaux de la place Dupuis et des Atriums ; de la station Victoria, il est aussi possible de rejoindre, *via* la Bourse de Montréal, le Centre de commerce mondial et le gratte-ciel Bell-Canada ; enfin, la station Atwater conduit aux galeries de Westmount Square et à la plaza Alexis-Nihon. D'ouest en est, tous les quartiers de la ville souterraine communiquent grâce au métro.

La rue Sainte-Catherine

De jour comme de nuit, le cœur de Montréal bat au rythme de la **rue Sainte-Catherine**, la « Catherine », comme la surnomment affectueusement les Montréalais. Elle est, depuis la fin du XIXᵉ siècle, le lieu idéal pour « magasiner », c'est-à-dire pour faire ses courses, grâce à ses nombreuses boutiques et à ses grands magasins.

Ogilvy, grand magasin fondé par des Écossais en 1866 , se dresse au coin des rues Sainte-Catherine et de la Montagne. Si le premier immeuble qui l'abritait, en granit, est encore là, le magasin a déménagé dans un bâtiment datant de 1910, du côté ouest de la rue de la Montagne. **Simpsons**, autre grand magasin, jadis haut lieu du commerce canadien, se trouve rue Metcalfe. Ce magasin, plutôt familial, proposait de tout, des chaussures aux sculptures inuits. Simpsons fut racheté au début des années 1990 par son rival, la Baie. Le bâtiment de style Arts déco qui l'a accueilli devrait abriter la Bibliothèque nationale du Québec.

Conduisant à l'université McGill, dominée par le mont Royal, la **rue McGill College** a fait l'objet de nombreux projets d'urbanisme. Élargie en

Bâtiment de l'université McGill.

1988 après une vive controverse, elle relie l'université à la place Ville-Marie. Dans les façades de verre des tours jumelées de la BNP et de la Banque laurentienne (n°1981, avenue McGill College), se reflètent les personnages de la *Foule illuminée*, sculpture de Raymond Mason (1986).

Place ultramoderne et cathédrale néo-gothique

A l'angle des rues Sainte-Catherine et McGill College, l'atrium à la façade rose et vert de la **place Montreal Trust** est une suite de boutiques et de restaurants, dans une galerie à l'abri des caprices du climat montréalais.

Coincée entre les grands magasins Eaton et le grand magasin la Baie, la **cathédrale Christ Church** se dresse devant l'élégante tour de verre de la **Maison des coopérants** dont les arches, les fenêtres en arc et les colonnades sont un hommage post-moderne au style néo-gothique. La cathédrale, érigée entre 1857 et 1859 par l'Anglais Frank Wills, est un bel exemple de cette tendance architecturale. La sobriété de l'intérieur est rehaussée par un plafond en bois, des portes surmontées de sculptures de têtes de saints et des arcs coiffés de feuilles sculptées.

En 1927, la flèche de pierre dut être remplacée par une réplique en aluminium, plus légère, car l'église s'affaissait. Le problème fut réglé en 1988, lorsqu'on réussit à soulever l'édifice et à le déposer sur des piliers, tout en aménageant en sous-sol un centre commercial baptisé les **promenades de la Cathédrale**.

Face à la Baie, le petit **square Philips** est le « centre » de la rue Sainte-Catherine, avec sa statue du roi Édouard VII et ses quelques arbres. Autour s'implantèrent les premiers magasins de la ville. Outre la **bijouterie Birks**, on y trouve le **grand magasin la Baie**, installé dans le bâtiment en grès rouge de la Morgan Colonial House. Témoin de la puissance passée de la Compagnie britannique de la baie d'Hudson, la Baie a conservé de

Orchestre symphonique de Montréal.

l'époque des courreux des bois un dépôt de manteaux de fourrure.

Église et tentations

A l'est dans la rue Sainte-Catherine, l'ambiance est assez différente, rappelant un peu Pigalle. En suivant la rue vers la place des Arts, l'**église Saint James United** (n° 463), au coin de la rue Saint-Alexandre, est la plus grande église protestante de Montréal (1889).

En 1928, les méthodistes décidèrent de payer les frais d'entretien de l'édifice en installant des magasins et des bureaux du côté de la rue Sainte-Catherine, ne laissant subsister qu'un étroit passage pour aller à l'église.

L'extérieur, de style néo-gothique, contraste avec l'intérieur, de style victorien, où sont donnés des concerts d'orgue gratuits. L'intérieur de l'édifice évoque également les grands halls du XVIIIe siècle, tels ceux visibles à Oxford ou à Cambridge. Enfin, l'architecte, Alexandre Dunlop, a donné à l'édifice un plan en fer à cheval, connu sous le nom de plan d'Akron, du nom de la ville de l'Ohio où il fut utilisé pour la première fois.

La place des arts

La **place des Arts** date du mandat du maire Jean Drapeau, dans les années 60. Elle accueille un centre culturel qui se divise en trois bâtiments.

Le plus grand est la **salle Wilfrid-Pelletier**, d'une capacité de 3 000 places, et réservée à l'Orchestre symphonique et à l'Opéra de Montréal.

Parmi les nombreuses œuvres d'art, les deux grandes tapisseries ont été réalisées par Robert La Palme et Micheline Beauchemin. Le deuxième bâtiment abrite le **théâtre Maisonneuve** (1 500 places), le **théâtre Jean Duceppe** (750 places), ainsi que l'intimiste **café de la Place** (138 places). Enfin, le **musée d'Art contemporain**, créé en 1964, conserve 5 000 œuvres québécoises et internationales.

De l'autre côté de la rue Sainte-Catherine, le **complexe Desjardins** tire

Le quartier chinois.

son nom de la Fédération des caisses populaires Desjardins, institution financière québécoise qui y a son siège social depuis 1976. Il est composé d'un atrium, faisant office de place publique et accueillant des manifestations culturelles, de trois tours de bureaux, d'un hôtel, des boutiques et des restaurants.

Basilique et église

Au sud-ouest du complexe Desjardins, la **basilique Saint-Patrick** (rue Saint-Alexandre) est le lieu de culte des Irlandais de Montréal.

Érigée entre 1843 et 1847 sur un terrain cédé par les sulpiciens, l'église de style néo-gothique, dont la nef est soutenue par des colonnes en pin, chacune taillée dans un seul tronc, marquait l'intégration des immigrés irlandais arrivés au XIXᵉ siècle après la Grande Famine.

L'**église du Gesù**, au n°1202 de la rue Bleury, entre la rue Sainte-Catherine et le boulevard René-Lévesque, était un important lieu de culte francophone. Pendant de nombreuses années, elle fut la chapelle du collège jésuite de Sainte-Marie, dont la réputation attira des esprits brillants et qui contribua à former une élite francophone. Le collège, repris par l'université du Québec à Montréal, a été démoli en 1975.

L'église est de style baroque italien. Œuvre de l'architecte irlandais Patrick Keely qui l'acheva en 1865, elle a été restaurée entre 1983 et 1984. L'intérieur possède de belles boiseries, un agréable parquet marqueté, et des tableaux de saints entourent un autel dû aux frères Gagliardi, de Rome. L'édifice accueille les spectacles du théâtre du Gesù.

Le quartier chinois

L'ouest du centre-ville a d'abord été peuplé par les Irlandais, d'où son surnom, avant l'arrivée des Chinois, de « Petite Dublin ».

Le **quartier chinois**, délimité par la rue de La Gauchetière, la rue Saint-Laurent et les rues avoisinantes, se forma à partir de la fin des années

Les dim sum, plat exquis vendu au quartier chinois.

1860, lorsque les immigrants chinois, principalement des Cantonais, immigrèrent au Canada pour travailler dans les mines ou à la construction du chemin de fer transcontinental (achevé en 1886). Les discriminations (l'immigration des femmes était, par exemple, interdite) en firent l'une des communautés les plus fermées sur elles-mêmes. Elle offre au voyageur l'occasion de découvrir un conservatoire des valeurs de l'Empire du Milieu.

Aujourd'hui, si la majorité des Canadiens d'origine chinoise se sont installés dans d'autres quartiers, la zone piétonne de la rue de La Gauchetière reste le principal lieu de rencontre des Chinois montréalais. C'est le week-end que le quartier est le plus actif, quand Chinois et non-Chinois viennent en famille se plonger ou se replonger dans l'atmosphère du quartier et flâner dans les rues bordées d'herboristeries, de restaurants de *dim sum* (petites boulettes caractéristiques du sud de la Chine), d'épiceries chinoises et de magasins d'artisanat oriental.

Très proche du centre-ville, mais assez délabré, le quartier a été une cible de choix pour les promoteurs. Au cours des quinze dernières années, bureaux, complexes divers, parkings ont envahi les rues. Mais, dans les années 80, l'arrivée de Chinois en provenance de Hong Kong a donné un second souffle à toute la zone.

La visite du quartier chinois

La visite peut débuter au coin de la rue de La Gauchetière et de la rue Bleury. A l'angle nord-ouest se trouve la **maison Southam**, à la façade richement décorée de sculptures de pierre. Construite en 1912 par la compagnie Southam (propriétaire de la plupart des grands journaux canadiens), elle a été vendue en 1960 à plusieurs entreprises.

Après un pâté de maisons, **la rue de La Gauchetière** se transforme en une rue piétonne qui débouche sur une grande place dépourvue d'arbres, située entre le **complexe Guy-Favreau** et le **palais des Congrès** : au début des

Chaque week-end, la communauté asiatique de Montréal se retrouve dans son quartier d'origine.

années 70, la construction du premier entraîna l'expulsion de centaines de personnes ; le **palais des Congrès**, autre traumatisme, est construit sur pilotis au-dessus de l'autoroute Ville-Marie et possède 32 salles de conférences.

L'**église catholique chinoise** (1835, n°205, rue de La Gauchetière ouest), qui appartient à la mission catholique chinoise du Saint-Esprit, fut sauvée de la démolition grâce au statut de monument historique qu'elle acquit en 1977. Avant ses propriétaires actuels, elle appartint à l'Église sécessionniste d'Écosse puis, de 1896 à 1936, aux catholiques qui l'appelèrent chapelle Notre-Dame-des-Anges et, de 1936 à 1944, aux orthodoxes sous le nom d'église Saints-Cyrille-et-Méthode.

À l'angle de la rue de La Gauchetière et de la rue Côté se trouve le **bâtiment Wing**, qui serait le plus vieux du quartier. Érigé en 1826 par James O'Donnell, l'architecte de la basilique Notre-Dame, cet édifice fut successivement une école militaire, une cartonnerie, un entrepôt, avant d'abriter, aujourd'hui, une fabrique de nouilles et une biscuiterie. Deux portes aux couleurs vives donnent sur la rue de La Gauchetière, entre la rue Côté et la rue Saint-Laurent. Il s'agit de répliques des portes qui marquaient, en Chine impériale, le début des grandes avenues où l'empereur était susceptible de passer, et qui étaient censées arrêter les mauvais esprits. Ici, elles se contentent de marquer la limite de la zone piétonne.

De la **porte de l'Est**, qui s'ouvre sur le boulevard Saint-Laurent, on est à quelques pas du **Monument national**, massif édifice en granit gris. Depuis sa construction, en 1894, le Monument national abrite un théâtre qui fut jadis le centre d'une activité culturelle et politique intense. En 1971, il a accueilli l'École nationale de théâtre du Canada, dont les pièces sont présentées au nouveau Palais de justice.

Microcosme de Montréal

Le **boulevard Saint-Laurent** symbolise à la fois la division et l'unité du centre-

Le métro de Montréal.

ville. Cette colonne vertébrale de Montréal, le long de laquelle la ville s'est inexorablement étendue, sépare l'agglomération en deux : à l'est, les francophones ; à l'ouest, les anglophones. Cette division, moins nette aujourd'hui, n'en reste pas moins présente. Mais le boulevard Saint-Laurent, également la rue principale du quartier Saint-Louis qui est, à ce titre, un véritable résumé du monde.

Les vagues d'immigrants qui se sont succédé dans la ville ont transformé la rue en une suite ininterrompue de quartiers communautaires. Le boulevard gagna son surnom de « Main » à l'époque où les Juifs russes s'y installèrent, dans les années 20. Puis vinrent les Grecs, les Hongrois, les Portugais et, plus récemment, les Latino-Américains. Ceux des Juifs qui s'étaient enrichis, ou ceux qui désiraient quitter Montréal devenue, à leurs yeux, trop francophone, ont depuis longtemps quitté leur vieux quartier (mais ils reviennent nostalgiquement s'y promener avec leurs enfants, achetant les délicieux *bagels*

que proposent les boulangers). Plus récemment, le boulevard Saint-Laurent s'est transformé en un lieu « branché », et les restaurants et les boutiques s'y sont multipliés. A certains endroits, la rue n'est plus qu'une succession de « solderies » de chaussures, de cafés, de galeries d'art (qui emménagent dans d'anciens entrepôts), de pâtisseries grecques ou juives, de restaurants asiatiques et de pizzerias tenues par d'authentiques Italiens. Mais la rue a su conserver son charme car les plus vieilles façades ont été conservées et restaurées, voire intégrées dans les constructions nouvelles. Entre le n°3640 et la n°3712, à la place de l'ancien Baxter Block, subsistent quelques vieilles maisons du boulevard Saint-Laurent, reconnaissables à leurs grandes fenêtres arrondies. Avec toutes ses lumières, en hiver la Main prend une dimension féerique quand tombe la neige et que l'asphalte se ouate de blanc. A la belle saison, à l'occasion des grandes fêtes estivales, la foule envahit les terrasses.

De la viande fumée au cinéma d'art et d'essai

La rue est célèbre pour ses restaurants juifs, qui ont la réputation de servir une bonne cuisine à des prix corrects, en particulier de la *smoked meat*, cette viande fumée dont la recette vient de l'Europe de l'Est.

Au n°3895, **Schwartz's Delicatessen** (de son nom officiel « Charcuterie hébraïque de Montréal »), ouvert en 1927 par le Roumain Rubin Schwartz, est l'une des dernières charcuteries à fabriquer sa propre *smoked meat*. Au n°3961, **Moishe's Steakhouse** a ouvert ses portes en 1938. Au n° 3684 le **Cinéma parallèle**, cinéma d'art et d'essai, possède son propre café.

Plus haut, au n°3950, les **Bains Shubert**, inaugurés en 1931, rappellent que la plupart des habitants du quartier n'ont disposé que tardivement d'une salle de bains ; aujourd'hui, ils sont fréquentés pour leur piscine. Rue Saint-Urbain, au n°3990, le **Santropol** est un agréable café de la ville, apprécié pour son jardin et ses sandwichs.

A gauche, le fleuve n'est jamais bien loin ; à droite, Christ Church.

LA RUE SAINT-DENIS ET LE PLATEAU MONT-ROYAL

A quelques pâtés de maisons à l'est du quartier des affaires, au nord du Vieux Montréal, la rue Saint-Denis a traversé intacte tous les bouleversements urbains. Classée, elle devrait garder son âme. Les maisons victoriennes y côtoient cafés, croissanteries, bars, boutiques, librairies, théâtres et cinémas ; c'est ici que se déroulent les principaux festivals d'été et c'est encore ici où se retrouvaient, il n'y a pas si longtemps, les indépendantistes. Parallèle au boulevard Saint-Laurent, elle est située au cœur d'un quartier dénommé le plateau Mont-Royal, vaste terrasse dominant le centre-ville. Il se subdivise en un Carré Saint-Louis, ancien paradis chic de la haute bourgeoisie francophone, en un Mile End, jadis très populaire, et en un quartier Latin – dont le nom est inspiré de son homologue parisien et qui, comme lui, est le haut lieu de la jeunesse estudiantine. Le quartier est bordé par le mont Royal à l'ouest, la rue Sherbrooke au sud et les voies ferrées du Canadien Pacifique à l'est et au nord.

Naissance d'une rue et d'un quartier

La rue Saint-Denis fut tracée sur les propriétés des deux chefs principaux de la rébellion de 1837 contre les Britanniques, Denis-Benjamin Viger et Louis-Joseph Papineau.

A l'instar de la bourgeoisie anglophone, la bourgeoisie francophone décida de quitter le Vieux Montréal et choisit de s'installer autour d'un joli square, le Carré Saint-Louis, auprès duquel passe la rue Saint-Denis. C'est ainsi que celle-ci devint l'une des principales artères d'un coin huppé surnommé le « faubourg Saint-Laurent », parce qu'il était construit *extra-muros*.

Mais, en 1852, les belles demeures d'origine furent détruites par le grand incendie qui ravagea la ville. Cette catastrophe permit aux urbanistes et architectes montréalais de recréer, à partir de rien, le quartier, et d'y exprimer leur fantaisie et celle de leurs commanditaires dans le rigoureux tracé orthogonal des rues.

L'endroit resta à la mode jusqu'au début du siècle, époque vers laquelle les riches francophones amorcèrent une nouvelle migration vers le nord. De leur passage, il ne resta bientôt plus que l'élégance victorienne, néoclassique et Art nouveau du quartier, devenu populaire. En 1897, l'université Laval de Québec inaugura une annexe à côté de l'église Saint-Jacques (l'ancienne cathédrale de la ville), car Montréal ne possédait pas encore sa propre université francophone. Les intellectuels commencèrent à affluer, donnant à la partie du « Plateau » (surnom affectueux de la zone) située entre les rues Sainte-Catherine et Sherbrooke son surnom de « quartier Latin » ; ils furent encore plus nombreux quand, en 1915, fut bâtie la Bibliothèque nationale du Québec.

Pages précédentes : « vente trottoir » (selon l'expression québécoise) dans la rue Saint-Denis, paradis de la bohème. A gauche et à droite, la rue Saint-Denis.

Mais, en 1940, la toute récente université de Montréal – qui avait repris les annexes de Laval – ferma les locaux du Plateau. L'ouverture par le clergé d'hospices pour les malades et les démunis ne compensa pas le départ des étudiants, qui faisaient vivre restaurateurs, bistrotiers et propriétaires des pensions. Débuta alors un déclin apparemment inexorable...

Histoire contemporaine du plateau Mont-Royal

Dans les années 60, la municipalité tenta de revitaliser le Plateau, notamment en accroissant ses liaisons avec le reste de la ville.

Mais la construction d'un terminus de bus dans la rue Berri ne servit qu'à causer des embouteillages ; et, en 1966, l'ouverture, rue Sainte-Catherine, à un croisement de lignes, de la station de métro Berri-de-Montigny (devenue depuis Berri-UQAM) ne fit sortir de terre aucun voyageur car des boutiques souterraines pourvoyaient à tous les

besoins. Même la tenue dans le quartier, chaque 24 juin, de la Saint-Jean-Baptiste, fête nationale des Québécois, ne changeait rien à la morosité ambiante. La prospérité ne revint qu'à la fin des années 60, lorsque les apôtres du séparatisme prirent leurs quartiers dans les cafés de la rue Saint-Denis.

Mais il fallut attendre 1974 et l'ouverture de l'université du Québec à Montréal, née des revendications populaires de la Révolution tranquille, pour voir revenir étudiants et professeurs. Agitée par un bouillonnement artistique et intellectuel sans précédent, la jeunesse ne se définissait plus comme canadienne-française mais comme québécoise. La ville, désireuse d'accentuer cette renaissance, organisa, rue Saint-Denis, une partie des festivals des mois d'été. Dernière évolution, le secteur compris entre le nord de la rue Sherbrooke et l'avenue du Mont-Royal devint un quartier de boutiques chic, où se côtoient magasins d'antiquités, d'artisanat québécois et étranger, boutiques de meubles contemporains, de vêtements, ainsi que disquaires et libraires – chez lesquels on trouve des occasions à des prix dérisoires, ce qui les destine plutôt à la clientèle peu argentée des étudiants.

Le quartier Latin

L'**université du Québec à Montréal** (UQAM) est implantée rue Saint-Denis, à l'angle de la rue Sainte-Catherine. Désireux de rendre hommage au passé victorien de l'endroit, l'architecte Dimitri Dimakopoulos incorpora la flèche et la partie sud du transept de la vieille église Saint-Jacques (1859) – de style Beaux-Arts – dans le nouveau bâtiment de l'université, symbole de la modernité.

L'édifice (1903), qui se trouve en face du clocher Saint-Jacques, abrita l'ancienne École polytechnique, puis l'annexe de Laval. Plus de 40 000 étudiants fréquentent l'UQAM, l'un des campus les plus récents de la toute jeune, et si politique, université du Québec. Cette dernière a toujours été à la pointe de l'indépendantisme québécois, dans sa version moderniste de l'après-guerre.

Fresque contre la disparition des immeubles anciens.

Les étudiants anglophones occupent, quant à eux, le quartier entourant l'annexe de l'université McGill, quelques rues plus à l'ouest.

La **Cinémathèque québécoise**, au n°335 du boulevard de Maisonneuve est, abrite un cinéma d'art et d'essai, une bibliothèque et un musée sur l'histoire des techniques cinématographiques. Au coin du boulevard de Maisonneuve et de la rue Saint-Denis, l'**Office national du film du Canada** permet à une centaine de personnes de visionner, dans la **Ciné-Robothèque**, le film de leur choix, qui leur est automatiquement présenté parmi un millier d'œuvres documentaires, d'animation ou de fiction représentant cinquante-cinq années de l'histoire canadienne.

La rue Saint-Denis est également fréquentée par les artistes. Au n°1594, le **théâtre Saint-Denis**, avec une capacité de 2 500 spectateurs, est la plus grande salle de la ville, après la salle Wilfrid-Pelletier (place des Arts). Les grands noms de la scène québécoise et française s'y sont produits. Un peu plus haut, la **Bibliothèque nationale** (n°1700), où sont conservées les archives provinciales, est logée dans un bâtiment de style Beaux-Arts datant de 1914. Il est dû à Eugène Fayette, sélectionné à la suite d'un concours. Le bâtiment est éclairé par des vitraux d'Henri Perdriau datant de 1915. On peut y consulter des livres rares et y voir des expositions temporaires.

Autour d'un verre

Tout autour des universités, les cafés, où l'on aime se retrouver devant un verre de bière, les théâtres, les restaurants et les librairies sont destinés à la clientèle estudiantine.

C'est la rue Saint-Denis qui en accueille le plus grand nombre. Au coin de la rue Émery, le **Faubourg-Saint-Denis**, sans doute le plus important café de l'artère, fut l'un des premiers à revenir après le retour des étudiants. Le **Grand café** et les **Beaux Esprits** sont deux autres grands « classiques », où l'on écoute des groupes de blues ou de

Une fresque à la gloire de la musique noire, le soleil et une bière : le bonheur dans la rue Saint-Denis.

jazz. D'autres, comme le **Saint-Sulpice**, possèdent de sympathiques arrière-cours.

Autour du Carré Saint-Louis

Au nord de la rue Sherbrooke, le **Carré Saint-Louis** occupe le site d'un ancien réservoir à ciel ouvert – lequel, devenu trop petit, fut déplacé sur le flanc du mont Royal. Ce petit parc, avec ses grands arbres et sa jolie fontaine, bordé de belles demeures victoriennes de style Second Empire datant des années 1880, était le centre du quartier résidentiel de la bourgeoisie francophone – un peu l'équivalent à l'ouest du Mile Carré Doré.

Vers l'ouest, le Carré Saint-Louis s'ouvre sur la **rue Prince-Arthur** (le prince Arthur, fils de la reine Victoria, fut gouverneur général du Québec au début du siècle). En 1981, la ville a transformé la portion située entre la rue Saint-Denis et le boulevard Saint-Laurent en une zone piétonnière, où se sont installés de nombreux restaurants

et bars dont les terrasses sont envahies dès les premiers rayons de soleil. Cœur de la contre-culture et du mouvement hippie dans les années 60, la rue est animée en été par des artistes de rue.

Dans le quartier « populaire »

La partie populaire du Plateau s'étend autour de l'avenue du Mont-Royal et du boulevard Papineau. Elle fut créée pour accueillir les Québécois des campagnes venus travailler dans les carrières ou les tanneries des villages de Coteau-Saint-Louis et de Saint-Jean-Baptiste – seule la rue Saint-Hubert, au nord-ouest, avec ses maisons du début du siècle, aux grandes fenêtres et aux balcons ouvragés, était bourgeoise. Aujourd'hui, les intellectuels un peu fauchés et les jeunes yuppies argentés ont remplacé la population ouvrière.

On découvre, sur le Plateau, notamment **rue Fabre**, les duplex et triplex typiques de l'architecture montréalaise. Construites entre 1900 et 1930, ces maisons à deux ou trois étages sont divisés en appartement dont les pièces sont distribuées en enfilade de la façade aux galeries s'ouvrant sur la ruelle arrière. Des escaliers extérieurs, droits, en « S » ou en colimaçon, aboutissent à des balcons en fer forgé, souvent fleuris et permettant à chaque résident d'avoir un accès extérieur direct à son logement.

L'architecture particulière de ces appartements avait pour fonction d'apporter à chaque famille l'autonomie dont elle bénéficiait quand elle habitait la campagne, tout en favorisant la convivialité. Les ruelles arrière forment un réseau secondaire et donnent accès aux courettes, où se déroule une intense vie de quartier. Avec leurs nombreux jardinets, certaines rues ont une allure un peu campagnarde, à quelques pas seulement du centre-ville.

Grâce à ses communautés culturelles, les artistes des Grands Ballets canadiens, des Ballets Jazz de Montréal, ou des théâtres du Rideau Vert, d'Aujourd'hui et de la Licorne, institutions qui ont toutes élu domicile sur le Plateau, le quartier est le lieu d'une ébullition et d'une fête permanentes.

Vente de bretelles.

Au nord du Carré Saint-Louis, l'étrange édifice aux allures de château médiéval, avec ses tours crénelées, est le **manège des Fusiliers-Mont-Royal** (n°310, avenue des Pins est), construit en 1911. A l'angle de la rue Saint-Denis et de la rue Roy s'élève le grand bâtiment gris de l'**ancien Institut des sourdes-muettes** (n°3725, rue Saint-Denis), érigé entre 1881 et 1900 dans le style Second Empire. Un peu plus au nord, l'**église Saint-Jean-Baptiste** (n°309, rue Rachel est) a été bâtie en 1875, puis reconstruite en 1912 par l'architecte Casimir Saint-Jean, après un incendie. Symbole de la puissance passée de l'Église catholique québécoise, cette église de style néo-baroque italien était la deuxième en importance de Montréal. Ses grandes orgues Casavant sont réputées, et on y donne de nombreux concerts (gratuits). Face à l'église (et à l'ouest de la rue Henri-Julien), l'**académie-pensionnat Marie-Rose** (1876, aujourd'hui collège Rachel) constituait, avec l'église Saint-Jean-Baptiste et l'hospice Auclair, le noyau

Maisons du début du siècle, rue Saint-Denis.

de l'ancien village de Saint-Jean-Baptiste. Une petite incursion dans la **rue Drolet** permet d'admirer les maisons colorées typiques de l'architecture ouvrière des années 1870 et 1880 sur le Plateau, avant l'apparition des triplex.

Le Mile End

L'avenue du Mont-Royal est connue pour ses magasins « à un dollar », ses friperies et ses restaurants. Elle marquait jadis la frontière entre les villages de Saint-Jean-Baptiste et de Coteau-Saint-Louis – qui doit sa naissance, dans les années 1840, à une carrière de calcaire qui attira une population ouvrière. Coteau Saint-Louis s'appelle aujourd'hui **Saint-Louis-du-Mile-End**. Il doit en partie son nom à un champ de course qui était alors aux confins de Montréal (d'où « end »).

Visible de loin grâce à son clocheton qui domine les toits plats des maisons du Plateau, l'**ancien pensionnat Saint-Basile** (n°465, avenue du Mont-Royal est) fut érigé en 1896 par les architectes

Resther, père et fils. Cette ancienne école, qui fut dirigée par les religieuses de Sainte-Croix, abrite aujourd'hui la **maison de la culture Plateau-Mont-Royal**.

Œuvre des deux mêmes architectes, le **monastère des pères du Très-Saint-Sacrement** et l'**église Notre-Dame-du-Saint-Sacrement** (n°500, avenue du Mont-Royal) furent érigés à la fin du XIXᵉ siècle. Premier monument d'adoration du Saint-Sacrement en Amérique du Nord, l'église cache, derrière sa façade austère, une nef au beau décor polychrome. Outre les galeries en bois finement ouvragées de la **rue de Grandpré**, on remarquera également l'**ancien hôtel de ville** de Saint-Louis-du-Mile-End (n°5, rue Laurier est), aux allures de château, l'**église Saint-Enfant-Jésus-du-Mile-End** (n°5039, rue Saint-Dominique) et l'étrange clocher de l'**église Saint-Michael-The-Archangel** (n°105, rue Saint-Viateur ouest), érigée en 1915 pour la communauté irlandaise, dans le style néo-byzantin.

Le parc Lafontaine

Connu pour ses écureuils peu farouches, le **parc Lafontaine** a été aménagé en 1888 sur un champ de manœuvres militaires. Ses lacs accueillent les pédalos en été et les patineurs en hiver. En été, le **Théâtre de verdure** propose des événements culturels allant du concert de musique classique au spectacle de danse africaine, en passant par le folklore. Deux statues ornent le parc : l'une du compositeur-interprète Félix Leclerc (1914-1988), l'autre d'Adam Dollard des Ormeaux (1635-1660), un héros québécois tué par les Iroquois.

Au sud du parc, l'ancienne **palestre** (ou gymnase) **nationale** (n°840, rue Cherrier) fut le premier club athlétique de la très select, très bourgeoise et très francophone Association Athlétique d'amateurs nationale, fondée en 1894. Le centre sportif ouvrit en 1918. On y pratiquait le hockey et les célèbres Bernard Geoffrion et Henri Richard firent parti des membres. L'édifice abrite aujourd'hui l'**Agora de la danse**.

« Vente trottoir » dans la rue Saint-Denis.

JAZZ, PROHIBITION ET POLITIQUE

La vie nocturne à Montréal a toujours été trépidante. Dans l'entre-deux-guerres, ce fut l'une des rares grandes villes nord-américaines à ne pas être touchée par la prohibition et où le jazz (la ville n'est pas américaine pour rien) a continué, sans complexe, de mener la fête. Les années 30 et 40 y ont laissé des souvenirs merveilleux, sur les rythmes des plus grands noms de la musique « nègre ». Le cœur du jazz montréalais battait alors au Corner, à l'angle de la rue Saint-Antoine et de la rue de la Montagne, ainsi qu'au café Saint-Michel. Par dizaines, les boîtes de nuit restaient ouvertes « à la nuit longue ».

C'était l'époque du grand pianiste Oscar Peterson, qui débuta sa carrière à 17 ans en jouant du swing dans l'orchestre de Johnny Holmes au Victoria Hall de Westmount. Peterson développa ensuite son propre son au sein d'un trio qui jouait à l'Alberta Lounge, face à la gare Windsor, avant d'aller chercher la célébrité aux États-Unis. Le trompettiste Maynard Ferguson fit également ses débuts avec Johnny Holmes avant de connaître, lui aussi, le succès au sud des « lignes » en montant son groupe. Mais, en 1954, le maire, Jean Drapeau, décida de débarrasser la ville de ses « vices ». La pression qu'il exerça sur la vie nocturne, combinée à la concurrence de la télévision et du rock'n'-roll dont l'étoile ne cessait de monter, porta un coup presque fatal au jazz montréalais. Cette histoire a été racontée par le critique John Gilmore dans *Swinging in Paradise*.

Le jazz renaquit dans les années 60, grâce à la Révolution tranquille. C'est le quartette Jazz libre qui refit entendre cette musique si chère au cœur des Montréalais. Ce groupe, au style rappelant celui de John Coltrane, était mené par des musiciens militant pour un séparatisme très teinté de socialisme. Dans les années 70, le big band de Vic Vogel enflammait Montréal avec un jazz plus conventionnel. Enfin, dans les années 80, le groupe UZEB bouleversait à nouveau la scène montréalaise.

Le premier festival de jazz de Montréal fut organisé par Alain Simard, en 1979. L'atmosphère intense du festival est le moment fort de la scène montréalaise, active tout au long de l'année. Le contrebassiste Charlie Biddle, arrivé de Philadelphie en 1949, joue avec les meilleurs musiciens de la ville dans son bar, le Biddle's Bar and Restaurant (n°2060, rue Aylmer). Dans le Vieux Montréal, l'Air du Temps et le Bijou résonnent des plus beaux standards. Rue Saint-Denis, le Grand Café présente des groupes de jazz quatre soirs sur cinq ; et, rue Saint-Laurent, les amateurs trouvent leur bonheur au Lux. Un label local est même apparu, Justin Time Records, tandis que l'université McGill créait un programme d'études de jazz, couronné d'un diplôme. Quant à la municipalité, elle consacrait l'un de ses trois corps de ballet au jazz, sous le nom des Ballets Jazz de Montréal... connus pour leurs créations exubérantes sur des thèmes à connotation sociale ou historique, et sur des musiques allant de Gershwin à Pat Metheny.

Le Festival international de jazz de Montréal, en juin et juillet, attire pendant dix jours un millier de musiciens du monde entier, que viennent voir 1 500 000 spectateurs – ce qui classe la ville aux premiers rangs mondiaux, avec Montreux et Monterey. Les concerts ne sont pas confinés dans des salles spécialisées ou dans des boîtes enfumées, mais sont également organisés aux grands carrefours des rues Saint-Denis et Sainte-Catherine, interdites pour l'occasion à la circulation. On peut y voir des rassemblements de 40 000 personnes.

WESTMOUNT ET OUTREMONT

Westmount et Outremont... aucuns autres quartier de Montréal ne se ressemblent tant. L'un, à l'ouest, grimpe sur les flancs du mont Royal (comme son nom l'indique); l'autre, à l'est, gravit également les versants de la Petite Montagne. Tous deux sont des municipalités résidentielles bourgeoises. Westmount et Outremont sont nées du désir des riches Montréalais de fuir les quartiers surpeuplés et pauvres de la fin du XIXe siècle. Tous deux ont d'abord été des communes rurales, qui se sont développées lentement. Autre point commun, les dirigeants des deux communautés se sont battus pour garder le contrôle de l'urbanisme, de l'architecture et du « zonage », afin de préserver un décor unique, verdoyant, accidenté et raffiné qui fait oublier le centre des affaires, ses gratte-ciel et ses routes encombrées, pourtant si proches. Mais ces quartiers illustrent mieux que tous les autres les *« deux solitudes »* décrites par l'écrivain Hugh McLennan, puisque Outremont rassemble la haute bourgeoisie francophone et Westmount son équivalent anglophone. Entre les deux, la Petite Montagne fait presque figure d'Himalaya social – même si près de 20 % de la population d'Outremont est anglophone, soit un pourcentage équivalent à celui des francophones résidant à Westmount.

Les origines de Westmount

Entourée de toutes parts par la ville de Montréal, la commune de Westmount couvre près de 405 ha.

Dans les années 1670, l'ordre de Saint-Sulpice établit un avant-poste sur l'actuelle rue Sherbrooke ouest, aujourd'hui considérée comme la ligne de séparation entre les villes de Montréal et de Westmount. Témoignages du premier peuplement des lieux, et de l'insécurité qui régnait à cette époque, deux tours de défenses rondes se dressent du côté nord de la rue, face au Grand Séminaire. Peu à peu, les sulpiciens vendirent les terrains de la Petite Montagne à des agriculteurs francophones qui, malgré l'existence de vieux sentiers indiens et de pistes de chevaux menant à Montréal, vivaient dans l'isolement. Il fallut attendre le milieu du XIXe siècle pour que le village, qui s'appelait la Côte-Saint-Antoine, commence à subir de profonds changements.

Avec le développement des transports, les marchands de fourrure écossais et anglais, attirés par la splendeur des panoramas verdoyants et mouvementés de la Petite Montagne, l'air pur et la faiblesse des taxes locales, commencèrent à s'y installer. En 1869, la première école anglaise fut fondée. En 1890 fut créé le Comité d'embellissement de la Côte-Saint-Antoine, principalement composé de résidents anglophones. Il définit un plan d'urbanisme pour les bâtiments municipaux et les voies d'accès, imposa des parcs nombreux et vastes. Il interdit le

Pages précédentes : plaisirs d'hiver dans le parc du Mont-Royal. A gauche, sourire montréalais ; à droite, le parc d'Outremont.

« regroupement de plusieurs familles sous un seul toit », afin d'empêcher toute construction d'immeubles. D'une manière tout aussi stricte, il réglementa les implantations commerciales et, surtout, industrielles – autant de prescriptions mues par un désir écologiste avant l'heure, mais aussi par un manque de confiance flagrant vis-à-vis des dirigeants de la ville de Montréal.

A l'issue d'un vote serré, la ville prit le nom de Westmount en 1895 et devint officiellement autonome en 1908 – et officieusement une enclave anglophone et bourgeoise.

Les Westmountais se retrouvaient (et continuent à le faire) au golf, au club de raquette et de traîne sauvage (luge de bois sans patins) ou au club de cricket (fondé en 1913). La ville accueillit même les championnats canadiens de patinage de vitesse en 1894. Elle fut également le site du premier match de crosse joué sous projecteurs, et qui allait prendre bientôt de nom de hockey.

Visite de Westmount

De nombreuses demeures du XIXe siècle subsistent à Westmount. Hormis dans la partie sud de la ville, située autour du boulevard de Maisonneuve, peu de bâtiments ont été démolis. La cité peut être divisée en deux : une partie centrale, ressemblant au centre-ville de Montréal, et une partie construite sur la Petite Montagne, le quartier résidentiel.

Le centre municipal de Westmount évoque l'urbanisme des villes britanniques. L'**hôtel de ville** (n°4333, Côte-Saint-Antoine) se dresse sur une place triangulaire délimitée par deux rues, le chemin de la Côte-Saint-Antoine et la rue Sherbrooke (qui mène au parc Westmount) ; cet imposant bâtiment, de style néo-tudor, entouré de parterres de fleurs colorés, est l'œuvre de l'architecte Robert Findley, à qui l'on doit également les autres édifices publics de la ville.

A l'est de l'hôtel de ville, l'**église The Ascension of Our Lord** (angle de l'avenue Kitchener) est un pastiche (1928) de l'architecture religieuse anglaise du XIVe siècle.

Les boutiques chic de Westmount sont regroupées le long de l'avenue Green et de la **rue Sherbrooke**. Sur l'**avenue Green**, aux trottoirs en brique agrémentés de nombreux parterres de fleurs, la **librairie The Double Hook**, au n°1235, fut la première du pays à ne vendre que des livres « canadiens ». A l'angle de l'avenue Wood et du boulevard de Maisonneuve ouest, on remarquera le **Westmount Square**, trois tours en métal noir et en verre teinté de l'architecte avant-gardiste Ludwig Mies van der Rohe (1886-1969), qui dirigea le Bauhaus.

Les rues situées au sud de la rue Sherbrooke, dans une zone parfois surnommée **Lower Westmount**, possède de jolies maisons alignées, à la grande variété de style. En revanche, les **Tours**, du n°4130 au n°4140, rue Dorchester, et les demeures qui vont du n°41 au n°47, rue Holton, forment deux rangées uniformes de maisons de style classique.

Escalier à Outremont.

Vers l'est de la rue Sherbrooke se trouvait la maison mère des Sœurs de Notre-Dame – qui géraient dans les mêmes locaux un hôpital, une maison de retraite et une école. Aujourd'hui, les bâtiments sont occupés par le **campus du collège Dawson**, le plus grand « cégep » (collège d'enseignement général et professionnel, dispensant un enseignement pré-universitaire ou technique) anglophone du Québec. Cet imposant édifice de style Beaux-Arts flamboyant, en pierre de couleur pâle, a été conçu par l'architecte Omer Marchand en 1904.

A l'ouest de l'hôtel de ville, le verdoyant **parc de Westmount** fut aménagé en 1895 sur un terrain marécageux. Au n°4575 de la rue Sherbrooke ouest, la **bibliothèque municipale**, qui a ouvert ses portes au public en 1899, fut l'une des premières du Québec. De style néo-roman, en brique rouge, elle est décorée de fenêtres à petits carreaux et de bas-reliefs célébrant la connaissance. Elle est contiguë à une serre de même époque dans laquelle hivernent les plantes qui fleurissent la ville en été. Non loin, le **Victoria Jubilee Hall**, de même style que l'hôtel de ville, est un bâtiment municipal.

Sur la Petite Montagne

Aménagé en 1684 par les sulpiciens sur le tracé d'un ancien sentier amérindien, le chemin de la Côte-Saint-Antoine mène aux plus vieilles habitations de Westmount.

De l'époque où les Messieurs de Saint-Sulpice étaient propriétaires des lieux demeure une borne du XVIIe siècle à l'angle de l'avenue Forden. Au n°563 de la Côte-Saint-Antoine se trouve la **maison Hurtubise**, construite en 1688 par Pierre Hurtubise sur des terres attribuées à son père par Paul Chomedey de Maisonneuve. Dernière ferme du XVIIe siècle subsistant à Westmount, la maison Hurtubise est un bel exemple d'architecture résidentielle, avec son toit à pignon, ses murs de pierre, ses fenêtres à petits carreaux et ses lucarnes. En raison de son éloigne-

Élèves en uniformes de l'école de l'avenue Penfield.

ment de Ville-Marie, ses premiers habitants l'avaient surnommée la « Haute Folie ».

En suivant ensuite le « Boulevard » (**The Boulevard**) vers l'est, l'aisance et l'originalité architecturale des habitants de Westmount apparaissent dans toute leur splendeur : ce ne sont que grandes et belles demeures, enfouies dans la verdure en été et la neige en hiver, caprices architecturaux, éclectisme des styles, multiplicité des matériaux qui font du Boulevard l'une des plus agréables promenades de la ville. Au sommet de la Petite Montagne, sur le **boulevard Summit Circle**, un **belvédère** a été aménagé d'où l'on découvre un beau panorama sur l'ouest et les collines montérégiennes.

Au-dessus, le **parc Summit**, sanctuaire de dizaines d'espèces d'oiseaux, occupe le sommet boisé. En 1928, l'université McGill a vendu à la ville de Westmount le terrain (où se trouvait un laboratoire de botanique), sous la condition expresse qu'il ne soit jamais construit.

LE PARC
DU MONT-ROYAL

Baptisé mont Royal par Jacques Cartier en 1535, le navigateur ne l'escalada que lors de son deuxième voyage au Nouveau Monde, guidé par les Onontagués. C'est ainsi qu'il découvrit, en amont de l'île de Montréal, les rapides de Lachine qui interdisaient toute remontée.

La « Montagne » n'est en fait que l'une des dix collines montérégiennes, formées lors du crétacé, il y a 124 millions d'années, par la solidification de magma remonté de la lithosphère. Le mont Royal est formé de trois sommets dont le plus élevé culmine à 234 m. L'un est occupé par Westmount, le deuxième par l'université de Montréal, le dernier par le parc du Mont-Royal. Véritable poumon vert de la métropole, ce dernier a été créé entre 1873 et 1881 par Frederick Law Olmsted, l'architecte-paysagiste à qui l'on doit notamment Central Park, à New York. Cet aménagement sauva les 60 000 arbres du parc des coupes pratiquées par les Montréalais pour se chauffer. Olmsted s'attacha à

préserver la beauté naturelle des lieux en dessinant des sentiers qui en sillonnent les 200 ha. L'hiver, ces chemins se transforment en pistes de luge et de ski de fond, tandis que, dans un adorable recoin du parc, à la place d'anciens marais, le petit lac aux castors, aménagé en 1958, se transforme en une petite patinoire extérieure à l'atmosphère féerique.

Construit en 1932 par Aristide Beaugrand-Champagne au centre du parc, le chalet du Mont-Royal abrite le Centre de la montagne, qui se consacre à l'éducation et à l'animation, et où l'on peut admirer une belle collection comprenant des toiles de grands peintres québécois tels que Marc-Aurèle Fortin ou Paul-Émile Borduas. Le

chalet est également très fréquenté pour son belvédère, d'où l'on jouit d'une vue saisissante sur le centre-ville et sur le fleuve.

Deux autres belvédères offrent de magnifiques panoramas : celui de Westmount (boulevard Summit Circle) et celui de la voie Camilien-Houde, d'où l'on découvre l'est de la ville. Depuis ce dernier belvédère, un escalier conduit à un sentier qui aboutit à la Croix du Mont-Royal. Construite en 1924, cette croix de 30 m a remplacé la croix de bois érigée en 1643 par le fondateur de Montréal, Paul Chomedey de Maisonneuve, qui avait juré de planter une croix sur la Petite Montagne si Ville-Marie était sauvée des inondations.

Une partie importante du mont est occupée par des cimetières qui constituent de véritables parcs ; ils ont été implantés à partir de 1854, après une épidémie de choléra, et sont jalonnés de monuments qui sont parfois de véritables œuvres d'art. Ici encore s'opposent les « deux solitudes » de l'écrivain Hugh Mac-Lennan. Avec ses arbres fruitiers, le cimetière protestant du mont Royal, dessiné comme un jardin anglais, est l'un des plus beaux parcs de la ville. De nombreuses personnalités y reposent, parmi lesquelles John Abbot, Premier ministre du Canada entre 1890 et 1892, Allan Hugh, magnat du transport maritime, et Anna Leonowens, gouvernante dans la famille royale du Siam au XIXe siècle. La catholicité du cimetière Notre-Dame-des-Neiges, sillonné par 55 km de routes et de sentiers, est évoquée par son nom et par les deux anges encadrant un crucifix de l'entrée. On peut y voir les tombes de Calixta Lavallée, compositeur de l'hymne national canadien, de Wilfred Nelson, chef de la rébellion des Patriotes de 1837, de Georges-Étienne Cartier et de D'Arcy McGee, pères de la Fédération canadienne, ainsi que de Pierre Laporte, ministre assassiné en 1970 par le Front de libération du Québec.

Les origines d'Outremont

De l'autre côté du mont Royal, soit « oultre mont », la municipalité d'Outremont est installée à flanc de colline. De superficie plus réduite que Westmount, on y trouve des maisons cossues, des parcs verdoyants et des rues commerçantes « chic ».

La présence d'une implantation humaine a été attestée dès le XVIe siècle. En effet, il semblerait qu'Outremont ait été construite sur le site occupé par le village onontagué d'Hochelaga où Jacques Cartier fut accueilli lors de son deuxième voyage – mais le site était déserté en 1612, lorsque Champlain arriva. Le chemin de la Côte-Sainte-Catherine, épine dorsale d'Outremont, suivrait le tracé d'un sentier indien. En 1694, des terres furent octroyées aux colons. En 1698, les sulpiciens, propriétaires terriens de l'endroit, firent arpenter la Côte-Sainte-Catherine. La Belle Province se développant, ses besoins matériels croissaient. Les tanneurs mirent à profit les nombreux ruisseaux qui dévalaient de la Petite Montagne et créèrent un village. Comme la Côte-Saint-Antoine, son développement fut lent en raison de son éloignement de Ville-Marie. Au XIXe siècle, les maraîchers canadiens-français et écossais mirent en exploitation la pente douce et fertile d'Outremont – où ils produisaient même des melons, vendus jusque dans les restaurants de la Nouvelle-Angleterre.

Au milieu du XIXe siècle, les trois principaux propriétaires fonciers étaient, dans l'ordre, les religieux de Saint-Viateur, suivis par deux familles d'agriculteurs francophones, les Bouthilier et les Beaubien.

Entre 1900 et 1911, le développement urbain et le progrès des transports provoquèrent la croissance d'Outremont dont la population quadrupla. Succédant aux Écossais et aux Anglais, les nouveaux arrivants étaient souvent des Canadiens français attirés par des loyers moins élevés. Quelques familles juives s'installèrent et ouvrirent

Résidence à Westmount.

des boutiques rue VanHorne. Comme à Westmount, l'air, la paix et les beautés du mont Royal attirèrent la haute bourgeoisie francophone, lassée du Carré-Saint-Louis. Comme à Westmount, les habitants se battirent pour épargner à leur commune les affres du développement urbain que connaissait le reste de Montréal. Un Comité d'embellissement fut fondé et obtint des parcs, une limitation de la hauteur des immeubles et, dès 1914, l'enterrement des lignes téléphoniques et électriques.

Les deux Outremont

Outremont est, approximativement, délimité par les rues Van Horne (avec les voies adjacentes) et Laurier (la grande artère commerçante), le boulevard du Mont-Royal et l'avenue du Parc. L'histoire des élites francophones, leur importance numérique limitée tout au long des XIXᵉ et XXᵉ siècles, leur soudain accroissement à partir de la Révolution tranquille,

tout cela explique en partie l'hétérogénéité de la commune. Si, aujourd'hui, les appartements chics d'Outremont atteignent des cotes élevées, il n'en a pas toujours été ainsi.

Avant l'embourgeoisement des années 60 et 70, les rues d'Outremont ne se distinguaient guère de celles des autres quartiers de Montréal. Autour de la rue VanHorne, le quartier était même semi-industriel, ce qui lui valut le surnom d'Outremont « inférieur ». Quant à la rue VanHorne elle-même, elle est restée la plus proche de l'Outremont originel, avec ses quelques boutiques et restaurants, des maisons serrées les unes contre les autres, ses rares parcs et ses arrière-cours. Sur les hauteurs du mont Royal, le chemin de la Côte-Sainte-Catherine marque le commencement de l'Outremont grand-bourgeois.

La visite d'Outremont

Au coin de l'avenue Bloomfield et de l'avenue Laurier, qui est l'une des trois

Une boîte aux lettres aux couleurs du Canada.

rues commerciales d'Outremont, se dresse l'imposante **église Saint-Viateur**, achevée en 1913. De style néo-gothique, l'intérieur de l'église est éclairé par des vitraux d'Henri Perdriau et décoré d'œuvres du peintre florentin Guido Nincheri, qui a vécu à Montréal de 1914 à 1942.

L'un des bâtiments les plus étonnants d'Outremont est l'**Académie Querbes** (du n°215 au n°235, rue Bloomfield), qui accueille aujourd'hui une école primaire. Le bâtiment, conçu par J. Godin dans le style Beaux-Arts, date de 1915, et apporte une touche très européenne dans une architecture résidentielle généralement inspirée par les styles en vogue en Amérique du Nord.

Parcs et hôtel de ville

Grâce à ses plans l'urbanisme, Outremont a su conserver ses arbres.

Aménagé sur des terrains jadis marécageux (comme son homologue de Westmount), le **parc d'Outremont** est une tranquille oasis de verdure que rafraîchit une fontaine.

En empruntant l'avenue McDougall vers la Côte-Sainte-Catherine, la **ferme de l'Outre-Mont** (du n°221 au n°223, avenue McDougall) a été construite entre 1833 et 1838 pour Louis-Tancrède Bouthilier, puis rachetée par les clercs de Saint-Viateur qui en firent une école d'horticulture pour les sourds-muets. Au n°268 de cette dernière avenue subsiste un exemple du style fonctionnaliste du Bauhaus, dû à l'architecte Ralston de Toronto. **Le parc Beaubien** a été aménagé sur les terres de la famille Beaubien, célèbre à Montréal, grâce à Justine Lacoste-Beaubien, qui fonda l'hôpital Sainte-Justine, et à Louis Beaubien, qui fut député fédéral et provincial.

Construit en 1817 par les frères Bagg, l'**hôtel de ville** (n°543, chemin de la Côte-Sainte-Catherine) occupe une imposante ancienne résidence privée qui fut successivement un entrepôt de la Compagnie de la baie d'Hudson, une école et une prison, et qui est l'un des plus anciens bâtiments d'Outremont. A ce niveau de la Côte-Sainte-

Catherine se trouvait un péage qui collectait les fonds nécessaires à l'entretien de la route.

L'avenue Bernard

Artère commerçante et résidentielle, l'**avenue Bernard** illustre l'importance qu'Outremont accorde à l'aménagement urbain, avec ses grands terre-pleins de verdure et ses édifices de caractère. Cette rue est l'une des plus agréables de la municipalité et, l'été, le tout-Outremont se donne rendez-vous sur les terrasses de ses cafés.

Les Outremontais se sont battus afin que le **théâtre d'Outremont** (du n°1234 au n°1248, avenue Bernard) survive et ne soit pas transformé en un complexe commercial. Finalement classé monument historique, le théâtre était jadis une populaire salle de cinéma, qui accueillait parfois des opérettes. Des bas-reliefs en ornent l'extérieur, et l'intérieur a été décoré par le Montréalais d'origine maltaise Emmanuel Briffa, qui a aménagé plus

de 200 salles au Canada. Dans la même avenue, on remarquera aussi l'**ancien bureau de poste** (n°1145) et le premier magasin d'alimentation à grande surface de la famille Steinberg, qui posséda plus de 190 magasins à travers le Québec.

De l'église Saint-Germain à l'avenue Claude-Champagne

A l'angle de la Côte-Sainte-Catherine et de l'avenue d'Indy se trouve l'**église Saint-Germain**, érigée en 1931, à la belle rosace et à la longue flèche. Au n°637 de la Côte-Sainte-Catherine, la **maison Aimbault**, qui date des années 1820, rappelle par son style le passé rural d'Outremont.

L'**avenue Claude-Champagne** est bordée par un grand nombre de prestigieuses constructions, qui appartenaient à la **congrégation des Sœurs des Saints-Noms-de-Jésus-et-de-Marie**, dont la vocation principale était l'éducation. Une partie fut rachetée par l'université de Montréal lors de son déménagement à Outremont, dans les années 40. Derrière l'imposant **pensionnat du Saint-Nom-de-Marie** (chemin de la Côte-Sainte-Catherine), au beau portique classique, se dresse le **pavillon Marie-Victorin**, aujourd'hui faculté des sciences de l'éducation de l'université de Montréal. Encore plus haut sur la montagne, le **pavillon Vincent-d'Indy** abrite aujourd'hui la faculté de musique de l'université de Montréal, d'où s'ouvre une magnifique vue sur le nord de l'île. De nombreux concerts sont donnés dans la **salle Claude-Champagne**.

L'Outremont d'en haut

En empruntant l'avenue Maplewood, puis le boulevard du Mont-Royal, les deux axes les plus importants de «l'Outremont d'en haut» qui escaladent les flancs de la Petite Montagne, on découvre les plus belles demeures de la ville. Sur la montagne, en bordure d'Outremont, se trouve le **cimetière protestant du Mont-Royal**, dont les nombreux arbres hébergent les plus beaux oiseaux du mont Royal.

L'église Saint-Germain à Outremont.

SAVEURS QUÉBÉCOISES

Occupés aux durs labeurs des champs ou des bois, dans un climat marqué par des hivers redoutables, les colons de la Belle-Province avaient besoin d'une nourriture riche et consistante qui devait pouvoir mijoter des heures pendant que les cuisinières vaquaient à d'autres tâches.

Ainsi, la pomme de terre (venue d'Amérique du Sud), le maïs (également venu du sud, et qui a sauvé les colons de la famine), les fèves et les haricots (initialement cultivés par les Amérindiens), le lard, le gibier ou le poisson sont-ils les ingrédients principaux des plats traditionnels, dont chaque région possède sa propre variante : la tourtière (tourte à base de viande de porc), les fèves au lard, le pâté chinois (hachis Parmentier agrémenté de grains de maïs), la soupe aux pois, les *cretons* (sortes de rillettes), la *cipaille* ou six-pâtes (pâté à base de plusieurs viandes), les têtes-de-violon (bourgeons de fougères), le ragoût de boulettes, le jambon au sirop d'érable, le ragoût de pattes de cochon, la gibelotte (fricassée de poisson), etc. Les Québécois se délectent également de l'étonnante (et plus récente) *poutine*, composée de frites recouvertes de sauce et de fromage en grains, et les Montréalais de *smoked meat* (viande fumée), introduite par les immigrants juifs au début du siècle. A partir du mois d'août, les familles se réunissent pour les « épluchettes de blé d'Inde » (prononcer « blédaine »), surnom du maïs fleurant bon la Nouvelle-France : les épis sont débarrassés de leurs feuilles, puis mis à bouillir ; chaque convive roule ensuite son épi dans du beurre, puis le sale avant de le croquer avec délice.

Les produits de l'érable (sirop, *tire*, beurre, réduit, sucre) jouent un rôle de premier choix tant dans les plats princi-

paux que dans les desserts. Souvent très sucrés, ces derniers, qui s'accompagnent parfois de « crème glacée » (glace), traduisent la virtuosité des cuisinières québécoises : tartes aux pacanes (noix de pécan), au sucre, au sirop d'érable, aux bleuets (myrtilles), ou pouding-chômeur (pâte cuite accompagnée d'un sirop de sucre) et sucre à la crème.

Les Québécois ont très longtemps consommé de la bière industrielle. Ces dernières années, des « microbrasseries » (brasseries traditionnelles) se sont lancées dans la fabrication de bières aux goûts plus variés et aux noms évocateurs (la Maudite, la Fin du Monde, la Boréale).

Des liqueurs à base de fruits rouges, très abondants dans la forêt québécoise (myrtilles, mûres, fraises, etc.), appelées le Sortilège, la Chicoutée, etc., concurrencent le traditionnel « caribou » (mélange d'alcool et de vin rouge). Mais, attention, l'amateur d'alcools forts ne doit en aucun cas demander une « liqueur » car, sous ce nom, les Québécois désignent les boissons gazeuses non alcoolisées. Enfin, quelques vignobles québécois réussissent même à produire, malgré le climat, des vins de bonne qualité, mais la concurrence des vins de France (voire de Californie, du Chili et d'Afrique du Sud) a limité, pour le moment, leur développement.

Au Québec, la plupart des restaurants sont des « établissements licenciés », c'est-à-dire, comme en France, détenteurs de permis de vente d'alcool. Ceux qui ne possèdent pas cette autorisation permettent généralement à leurs clients d'apporter leur propre vin. Les plats du jour s'appellent les « spéciaux du jour », et se composent habituellement d'une soupe ou d'une salade, d'un plat principal, d'un dessert et d'un café (très léger), le tout proposé à un prix abordable. On peut aussi dîner dans les « tables d'hôte ».

L'ORATOIRE SAINT-JOSEPH

Sur le versant nord-ouest du mont Royal, l'oratoire Saint-Joseph fait face au collège Notre-Dame, duquel son histoire est indissociable. Installé dans une auberge en 1869 par les pères de Sainte-Croix, le premier collège déménagea en 1881 dans un bâtiment de pierre bâti à son intention. En 1904, le frère André, portier de l'institution, érigea une chapelle en bois afin d'établir sur le mont Royal un lieu de prière, de calme et de paix, qu'il dédia au saint patron du Canada. L'action guérisseuse du frère et la dévotion extraordinaire entourant saint Joseph furent à l'origine du succès de l'oratoire.

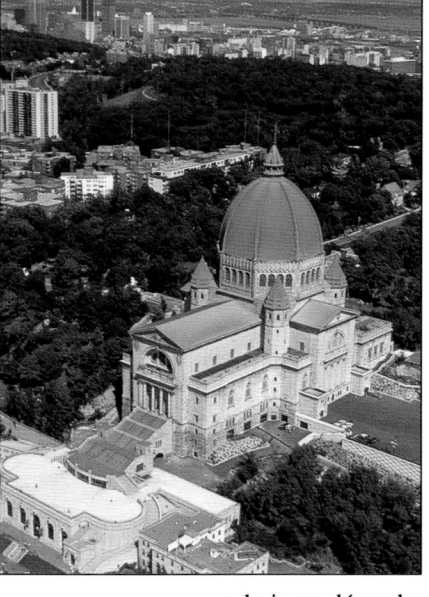

De la grille d'entrée, 99 marches séparent le chemin Queen Mary de la crypte, puis une autre volée de 179 marches mène à la basilique. Achevée en décembre 1917, la crypte est assez vaste pour abriter 1 000 personnes assises. Les vitraux racontent les grands épisodes de la vie de saint Joseph tels que la fuite en Égypte, la Nativité, la Circoncision ou la vie à Nazareth.

Après la construction de la crypte, comme un nombre croissant de visiteurs voulaient exprimer publiquement leur reconnaissance à la suite d'une guérison ou d'une faveur obtenues, un hall de la Reconnaissance fut ajouté à la chapelle votive, où l'on accrocha les ex-voto, les cannes, les béquilles et les autres prothèses laissées sur place à la suite de guérisons. On y ajouta des lampes (10 000) qui brûlent devant des bas-reliefs exécutés en 1948 par le sculpteur canadien Joseph Guardo et illustrant les divers secours de saint Joseph, obtenus en appliquant sur la partie malade du corps l'huile du bassin situé derrière la statue de l'époux de Marie, où l'on peut lire, de part et d'autre, quelques-uns de ses titres : gardien des vierges, protecteur de l'Église, terreur des démons, espoir des malades, patron des mourants, réconfort des affligés, soutien des familles, modèle des ouvriers, etc.

Derrière les milliers de cierges allumés se trouve le tombeau du frère André, déclaré Bienheureux par le pape Jean-Paul II le 23 mai 1982. Le frère André, de son nom Alfred Bessette, est né en 1845 à Saint-Grégoire, un petit village situé à 40 km à l'est de Montréal, dans une famille pauvre et nombreuse (10 enfants) – comme la majorité des familles paysannes canadiennes françaises de l'époque. Son père était menuisier. Orphelin à l'âge de 12 ans, il exerça plusieurs métiers. A 20 ans, à l'instar de nombreux Canadiens français, il tenta sa chance dans les usines de la Nouvelle-Angleterre, mais revint dès 1867. Le curé de sa paroisse, l'abbé André Provençal, qui avait depuis longtemps remarqué sa piété et sa bonté, le présenta aux religieux de la Congrégation de Sainte-Croix (fondée en France par le père Basile Moreau et vouée à l'enseignement), qui tenaient un collège pour garçons à Saint-Césaire. Il fut admis en décembre 1870. Soucieux de préserver sa santé fragile et conscients de son manque d'instruction, les frères lui confièrent la charge de portier du collège Notre-Dame qu'il occupa pendant quarante ans. Par reconnaissance envers l'abbé qui l'avait présenté à l'ordre, Alfred Bessette prit le nom de frère André. A ceux qui souffraient, le frère recommandait la dévotion à saint Joseph et priait le saint avec eux. Des guérisons survinrent. Dans la chapelle, les foules se faisaient sans cesse plus nombreuses. Des malades et des infirmes proclamaient publiquement leur rétablissement.

La réputation du frère grandit et on le surnomma le « thaumaturge du mont Royal ». Avec la célébrité, il dut affronter un flot de sarcasmes et d'attaques, mais il bénéficiait de l'appui populaire et de celui de l'Église diocésaine, en raison des guérisons qui continuaient à se multiplier.

Le frère André menait une vie de pauvreté, d'humilité et de compassion. A ses visiteurs, il apparaissait comme un saint qui leur transmettait l'image d'un Dieu d'amour. Il se défendait de faire des miracles mais reconnaissait que l'intervention auprès de saint Joseph pouvait susciter de grandes faveurs. A sa mort, le 6 janvier 1937, à 91 ans, un million de personnes défilèrent devant son cercueil. Au cours du procès en béatification, l'Église, toujours très prudente dans les cas de guérisons miraculeuses, n'en reconnut que deux. Mais cela n'est certainement pas l'avis des 2 millions de personnes qui viennent chaque année à l'oratoire, ou de celles qui font placer dans les journaux montréalais la photo de frère André à côté d'un remerciement pour leur santé recouvrée.

La basilique, avec son dôme en cuivre qui figure parmi les plus grands du monde après celui de Saint-Pierre de Rome, est une silhouette omniprésente dans la vie des Montréalais. Élevée entre 1924 et 1955, massive, de style néoclassique, elle est l'œuvre de Dalbé Viau et d'Alphonse Venne. Le moine bénédictin dom Paul Bellot, à qui l'on doit également l'abbaye de Saint-Benoît-du-Lac (en Estrie), se substituant aux premiers architectes, conduisit le chantier à partir de 1936, modifiant les plans et employant le béton de préférence au granit. Au sommet de la basilique, l'observatoire, sur lequel il est possible de monter, s'élève à 263 m de haut.

L'intérieur est dû à Lucien Parent et à dom Paul Bellot. Les maîtres d'œuvre ont eu recours à la brique polychrome, aux arcs paraboliques ou polygonaux ; les vitraux sont de Marius Plamondon et le chemin de croix de Roger de Villiers. Des milliers de personnes se rassemblent dans la basilique les dimanches et lors des fêtes, notamment lors de la grande neuvaine qui prépare la Saint-Joseph (19 mars), et à l'occasion de la commémoration de la béatification du frère André (23 mai) et du jour de son anniversaire (9 août). L'été, chaque mercredi, ont lieu les Concerts spirituels, au son des orgues Beckerath. C'est également à l'oratoire que se produisent les Petits Chanteurs du mont Royal.

A l'extérieur de l'édifice, le carillon de la maison Pacard et frères était à l'origine destiné à la tour Eiffel. De beaux jardins entourent la basilique. En 1962, Louis Parent et Ercolo Barbieri y aménagèrent un chemin de croix, où chaque station est marquée par des bas-reliefs en pierre, et que les pèlerins les plus fervents gravissent à genoux en signe de pénitence. La végétation de chaque station symbolise l'événement qu'elle commémore. Ainsi, à la troisième station, lorsque Jésus tombe sous le poids de sa croix, domine le rouge, symbole du sang versé ; à la sixième, où une femme lui essuie le visage, des couleurs pastel rappellent la tendresse ; à la treizième, où Jésus est descendu de la croix et remis à sa mère, les couleurs austères de la végétation suggèrent le deuil. Aux mois de juillet et d'août, les jardins illuminés du chemin de croix s'animent des scènes présentées par le théâtre de plein air.

La petite chapelle bâtie par le frère André a été conservée et se visite. La pièce où il accueillait les pèlerins qui venaient prier avec lui, où il dormait et mangeait, se trouve dans le jubé. Dans le chœur, des plaques de marbre ou de bois expriment la reconnaissance des pèlerins.

Le complexe religieux comporte aussi deux musées, l'un dédié à l'art sacré, l'autre à frère André et dans lequel on voit une réplique de son austère cellule, ainsi qu'une reproduction de la chambre d'hôpital dans laquelle il quitta la terre.

STADES ET JARDINS

Montréal, ville verte ? Du haut de la tour du stade olympique, la vue porte, par temps clair, à 80 km. Au nord-ouest des gratte-ciel du centre des affaires, on découvre les verdures du mont Royal ; au sud-ouest, les bras du Saint-Laurent enserrent de multiples îles teintées de vert ; plus loin, l'horizon se perd dans la brume vert et bleu de la campagne. A quelques minutes de métro du centre-ville commence le deuxième plus grand jardin botanique du monde. Pour l'an 2000, des visionnaires veulent transformer Montréal en un « complexe » de sciences naturelles, référence mondiale en matière d'environnement. Une idée qui pourrait se révéler fructueuse, si l'on se rappelle que la nature est un gigantesque gisement de molécules nouvelles pour les industries pharmaceutique et chimique.

Le parc Olympique

Dominé par la tour penchée de son stade, le **parc Olympique** se trouve au nord du quartier de Maisonneuve, une ancienne municipalité industrielle fondée au début du siècle.

Bâti pour les jeux d'été de 1976, le complexe olympique comprend un stade, un « village », une piscine et un vélodrome – qui a été transformé en Biodôme.

Le **stade Olympique** est l'œuvre de l'architecte français Roger Taillibert. Conçu en forme de soucoupe renversée, il est soutenu par 34 consoles en porte à faux, qui atteignent 60 m de hauteur et supportent la quasi-totalité de la superstructure. La tour penchée de 55 étages et de 175 m de haut a pour rôle de soutenir, grâce à des câbles, un immense toit de toile ; la base abrite la **piscine olympique**, ouverte au public toute l'année.

Le complexe olympique doit son existence à Jean Drapeau, qui fut maire de Montréal entre 1954 et 1986 et avait promis des « jeux modestes ». Mais l'ensemble coûta 1,2 milliard de dollars, que la ville n'a toujours pas fini de rembourser ! Et la construction ne dura pas deux ans, mais quinze : lors des cérémonies d'ouverture des jeux, le stade de 60 000 places n'avait ni sa tour ni son toit. Depuis, la municipalité tente de rentabiliser le complexe : aujourd'hui, en plus des matchs de l'équipe de base-ball de Montréal, les « Expos », le stade accueille des concerts, des foires commerciales, des compétitions de motocross, et attire 7 millions de visiteurs par an, qui viennent y admirer, outre l'exploit architectural, l'un des plus impressionnants panoramas urbains du monde. On atteint le sommet de la tour inclinée par un funiculaire vitré de 90 places, qui passe devant les étages de bureaux avant d'arriver aux trois étages de l'**observatoire**.

Hélas pour ses concepteurs, le stade est aussi célèbre à Montréal pour sa silhouette que pour ses problèmes de toit. Quarante-six treuils, dans un parfait synchronisme, sont censés déployer les 18 500 m² de toile au-

Pages précédentes : détente au Jardin botanique ; les attractions du parc de la Ronde. A gauche, pique-nique sur l'île Sainte-Hélène ; à droite, la tour penchée du parc Olympique.

dessus du terrain. La toile de kevlar, qui pèse 65 t, sort de son logement juste en dessous de la **plate-forme panoramique**. Mais les déchirures lors des manœuvres ou lorsque le toit est tendu, sont nombreuses, et la toile passe la plus grande partie de son temps pliée et rangée, ce qui relance périodiquement la polémique sur la construction d'un toit permanent. En outre, en cas d'averse soudaine, ou de vent soufflant à plus de 25 km/h, le système ne peut être mis en place.

Le Biodôme

A côté du stade, dans l'ancien vélodrome des jeux Olympiques, la ville de Montréal a aménagé en 1992 un musée vivant de l'environnement.

Sous sa coque de béton – prouesse technique pour l'époque –, le **Biodôme** regroupe quatre écosystèmes représentatifs du continent américain, avec leur climat (et leurs saisons), leur végétation, leurs mammifères et leurs oiseaux.

Le premier écosystème est celui de la forêt équatoriale. Le visiteur suit un sentier parmi une végétation luxuriante, dans une chaleur moite, à la recherche des oiseaux exotiques, des singes et des caïmans qu'il entend crier ou voit remuer. Le deuxième écosystème est celui de la forêt laurentienne, typique des bords du fleuve, avec ses loutres, ses castors, ses lynx et ses chats sauvages ; avec un peu de chance, il est possible de découvrir le castor dans son milieu aquatique grâce à des vitres sous-marines. Le troisième écosystème est celui de l'estuaire du Saint-Laurent : derrière de grandes baies vitrées nagent paisiblement des morues, des saumons, des esturgeons et des goberges, tandis que les étranges concombres de mer rampent sur le fond – en tout 500 espèces vivent dans ce bassin de 2,5 millions de litres d'eau de mer fabriquée sur place. Le quatrième écosystème est celui du monde polaire, avec un espace réservé à l'Arctique et un autre à l'Antarctique : dans le premier, les

Sur le point de partir en promenade.

Parc olympique et Jardin botanique

400 m / 0,25 miles

Boul. Rosemont

Boulevard Pie-IX

Arboretum

PARC DE MAISONNEUVE

SERRE

JARDIN DES PLANTES ARBUSTIVES

JARDIN OMBRAGÉ

Rue Viau

JARDIN MONASTIQUE

JARDIN JAPONAIS

RUISSEAU FLEURI

Pavillon japonais

JARDIN DES PLANTES ÉCONOMIQUES

JARDIN ALPIN

Insectarium

JARDIN DES PLANTES VIVACES

JARDIN BOTANIQUE

ROSERAIE

Conservatoire botanique et pavillon Molson

Rue Sherbrooke

Point d'information

JARDIN D'ACCUEIL

R. Rachel

Tour du Parc olympique

Piscine

PARC OLYMPIQUE

Vélodrome

R. Jeanne-d'Arc

Musée des Arts décoratifs

Stade olympique

PIE-IX

VIAU

Rue Pierre-de-Coubertin

pingouins disputent les rochers aux macareux moines; dans le second vivent des manchots. Alors que l'un est éclairé, l'autre est plongé dans l'obscurité... En effet, quand l'hiver règne au pôle Sud, l'été triomphe au pôle Nord.

Le village olympique

A l'est du Jardin botanique, rue Sherbrooke, se dressent les deux édifices pyramidaux de vingt étages du **village olympique**, conçu par les architectes D'Astous et Durand, et où furent logés une dizaine de milliers d'athlètes et d'accompagnateurs des jeux de 1976. A l'issue des compétitions, l'ensemble fut transformé en complexe résidentiel et commercial où 2 000 habitants côtoient un millier d'employés, de cadres et de commerçants.

Le stade olympique, où évoluent les « Expos », l'équipe de base-ball de Montréal.

L'aréna Maurice-Richard

A proximité du parc olympique, et au n°2800 de la rue Viau, l'**aréna** (ou patinoire) **Maurice-Richard** peut être transformée en salle de congrès et d'exposition d'une capacité de 6 000 places. Elle accueille les Concerts populaires créés par la ville de Montréal en 1965. Chaque été, l'Orchestre symphonique de Montréal et d'autres formations québécoises y interprètent les œuvres du répertoire classique. L'*aréna* abrite également l'**Univers Maurice-Richard**, exposition permanente retraçant la vie et les exploits du célèbre joueur de hockey surnommé « Rocket » (la fusée) en raison de sa rapidité sur la glace (voir p. 107). Huit fois détenteur de la coupe Stanley entre 1942 et 1960, le légendaire numéro 9 des Canadiens de Montréal a marqué des générations de Québécois.

Le château Dufresne

A l'ouest du parc olympique, le **château Dufresne** (n°2929, rue Jeanne-d'Arc), inspiré du Petit Trianon de Versailles, domine Maisonneuve.

Ancienne résidence des frères Marius et Oscar Dufresne, influents notables du début du siècle, l'hôtel particulier de 44 pièces a été construit en béton armé entre 1915 et 1918. L'intérieur a été décoré par l'artiste florentin Guido Nincheri. Abandonnée pendant plusieurs années, la demeure fut restaurée à la veille des jeux Olympiques grâce au mécène David M. Stewart qui y fit réinstaller une partie du mobilier d'origine. Depuis 1979, l'édifice abrite le **musée des Arts décoratifs**.

Le Jardin botanique

Au nord du parc olympique, de l'autre côté de la rue Sherbrooke, se trouve le **Jardin botanique**.

C'est grâce au soutien du maire Camilien Houde, qui cherchait à remettre les Canadiens au travail dans les années 30, à la suite de la Grande Dépression, que le frère Marie-Victorin parvint à fonder, en 1931, ce jardin unique. Il figure à présent parmi

les plus grands du monde, après celui de Londres. Botaniste canadien de réputation mondiale, le frère Marie-Victorin (1885-1944), de l'ordre des Frères des Écoles chrétiennes, fut professeur de botanique à l'université de Montréal où il fonda l'Institut de botanique en 1922. Ses travaux restent une référence pour les botanistes spécialistes de la flore canadienne. Le frère fut assisté dans son œuvre par Henry Teuscher, qui fut aussi le premier conservateur du jardin.

Le jardin comprend, sur une superficie de 75 ha, près de 30 000 espèces de végétaux du monde entier, dont environ 3 000 arbres – parmi lesquels d'extraordinaires bonsaïs, visibles dans la serre chinoise.

Une dizaine de serres abritent chacune une famille de plante : broméliacées, bégoniacées, orchidacées (1200 types), gesnériacées (serres ouvertes au public aux périodes de floraison), « plantes économiques » – c'est-à-dire caféiers, arbres à cacao, tecks, acajous, arbres fruitiers tropicaux –, fougères, plantes des régions arides, etc.

A découvrir également, une trentaine de jardins thématiques extérieurs, comme les **jardins anglais, français**, **chinois**, **japonais**, la **roseraie** (avec 8 000 variétés), le **jardin aquatique**, **alpin**, le **ruisseau fleuri**, le **jardin des rhododendrons** et celui des **azalées**, ainsi qu'un **arboretum** où une **Maison de l'arbre** présente la forêt québécoise.

Le **jardin Meng Hu Yuan** – nom qui signifie « Lac de rêve » – a été inauguré en 1991 pour célébrer l'amitié liant les deux villes jumelées de Montréal et Shanghai.

On y trouve sept pavillons (fabriqués en Chine), un rocher et des pièces d'eau. Réplique des jardins « construits » en vogue sous la dynastie Ming (1368-1644), avec ses 2,5 ha, il est le plus grand du genre hors d'Asie. En hiver, des artistes viennent d'Harbin, une localité de la Chine du Nord, pour ciseler d'extraordinaires sculptures de glace.

A l'entrée du **jardin japonais**, un élégant pavillon, de style *sukiya* (architecture résidentielle du Japon),

Le Jardin botanique.

accueille des expositions sur la culture japonaise. Le **bâtiment administratif**, de style Arts déco, abrite depuis les années 40 les laboratoires de recherche de pointe.

L'insectarium

A côté du Jardin botanique, l'**insectarium**, bâtiment en forme d'insecte géant, inauguré en 1990, présente plusieurs centaines de milliers d'insectes du monde entier, vivants ou naturalisés, dont beaucoup viennent de la collection du Québécois Georges Brossard.

En été, de magnifiques papillons aux couleurs chatoyantes, tous originaires du Québec, voltigent librement parmi des plantes nectarifères d'une volière extérieure – à la fin de la saison, les somptueux monarques sont libérés afin qu'ils rejoignent le Mexique où ils passent l'hiver. De nombreuses expositions sont organisées. Chaque année a lieu une spectaculaire dégustation d'insectes...

La maison de thé japonaise au Jardin botanique.

Le parc des Iles

Au milieu du Saint-Laurent, le **parc des Iles** s'étend sur les îles Sainte-Hélène et Notre-Dame, et fut le site de l'Exposition universelle de 1967 – en raison de sa proximité avec le centre-ville. Il est possible de le rejoindre *via* le Vieux Port par la navette fluviale de Sainte-Hélène, ou en voiture par le pont Jacques-Cartier.

Baptisée ainsi par Champlain en 1611 en l'honneur de son épouse, l'île n'avait, à l'origine, qu'une superficie de 50 ha, qui fut portée à 120 ha par les travaux d'aménagement d'Expo 67. Elle fut rattachée à la seigneurie de Longueuil et, en 1720, son propriétaire y fit construire une maison de campagne. En 1760, l'île Sainte-Hélène fut le dernier retranchement des troupes françaises, sous le commandement du chevalier François de Lévis. Un fort y fut construit à la suite du conflit qui opposa, entre 1812 et 1814, les États-Unis à la Grande-Bretagne. Achevé en 1825, il contrôlait l'accès au Vieux

Port. En été, les soldats de la Compagnie franche de la Marine, en uniformes bleu royal du XVIIIᵉ siècle – contrastant avec les uniformes rouges du régiment écossais des Old 78th Fraser Highlanders –, y exécutent des manœuvres sur la place d'Armes. La menace américaine disparue, l'île fut louée par le gouvernement canadien à la ville de Montréal qui créa, sur la partie la plus élevée, le **parc Hélène-de-Champlain**. L'île Sainte-Hélène est dominée par la **tour de Lévis**, château d'eau érigé en 1936. Elle acquit une notoriété internationale quand y fut organisée l'Exposition universelle. Pour les Québécois en pleine Révolution tranquille, cette manifestation, qui attira 50 millions de visiteurs, marqua la fin du duplessisme.

Promenade sur Sainte-Hélène

Dans l'arsenal du **Vieux Fort**, le **musée David-M.-Stewart** illustre l'histoire de la colonie, grâce à des objets rassemblés par cet industriel montréalais et sa femme Lilian (dont des cartes et des instruments de navigation). Sous les voûtes des casernes, le **restaurant le Festin des Gouverneurs** (réservé aux groupes), avec ses serveuses costumées et ses plats traditionnels, recrée l'ambiance des repas de fête au temps de la Nouvelle-France.

Sur la rive nord, non loin de l'amphithéâtre de plein air aménagé à l'ouest de l'île, *L'Homme* est une sculpture d'Alexandre Calder (1967). Dans la partie est de l'île, le **parc d'attractions de la Ronde** fut bâti pour Expo 67 sur l'ancienne île Ronde. Véritable pèlerinage hebdomadaire des familles montréalaises, la Ronde accueille chaque samedi et dimanche des mois de juin et de juillet une compétition internationale de feux d'artifice. Les meilleures places pour assister au spectacle se trouvent sur le pont Jacques-Cartier et le long des rives du fleuve. Sur la rive sud, le **restaurant Hélène-de-Champlain**, inspiré de l'architecture de la Nouvelle-France, et niché dans un site enchanteur, à côté

L'insectarium, fenêtre ouverte sur un monde fascinant.

d'une belle **roseraie** créée pour Expo 67. De tous les pavillons d'Expo 67, la **Biosphère**, ancien dôme géodésique du pavillon des États-Unis, est l'un des rares à être resté en place. Construit par l'architecte américain Richard Buckminster Fuller, ce pavillon fut le premier dôme géodésique à avoir dépassé le stade de la maquette. Sur une structure tubulaire en aluminium, il était à l'origine recouvert d'un revêtement translucide, qui fut détruit par un incendie en 1978.

A l'occasion du 350ᵉ anniversaire de la fondation de Montréal, le ministère fédéral de l'Environnement s'associa à la ville de Montréal pour y installer un **musée de l'Eau**. Celui-ci a pour vocation de promouvoir le développement « durable » et la conservation du bassin du Saint-Laurent et des Grands Lacs, ainsi que de sensibiliser la population aux problèmes de l'eau. Il est aussi le premier centre d'observation environnementale au Canada, et dirige un réseau de mesure dont les membres sont des individus, des municipalités, des écoles et des centres de recherche. Les informations recueillies sont réunies dans une banque de données.

L'île Notre-Dame

Célèbre pour accueillir, chaque hiver, les sculpteurs de glace, l'**île Notre-Dame** fut créée pour Expo 67 au sud de l'île Sainte-Hélène. En dix mois, 15 millions de tonnes de pierres extraites du chantier du métro formèrent une île artificielle. L'ancien pavillon de la France (architecte Jean Faugeron), a été délicatement rénové en 1993 – on a même déménagé en douceur les nids des hirondelles. Le **casino de Montréal**, qui comprend 112 tables de jeu, 2 700 machines à sous, un restaurant et un cabaret, y est à présent installé.

Jardin paradisiaque et voitures de course

Montagnes russes à la Ronde.

Créés à l'occasion des Floralies internationales de 1980, les **jardins des Floralies** s'étendent sur 26 ha à côté du casino. Une quarantaine de jardiniers y cultivent 8 000 rosiers et 100 000 fleurs annuelles. Il est possible de louer de petites embarcations pour se promener le long des canaux, au milieu des fleurs.

A l'ouest de l'île, la **plage de l'île Notre-Dame** permet de se baigner dans un petit lac intérieur dont l'eau est filtrée (attention à l'affluence, au plus chaud de l'été). Non loin de l'entrée de la plage, l'édifice en verre est l'**ancien pavillon du Québec** construit pour Expo 67. Semblant de loin flotter sur l'eau, l'édifice a été conçu par les architectes québécois Papineau, Gérin-Lajoie, Leblanc et Durand. Il fut, à l'époque, le premier édifice de verre réfléchissant du Canada.

Les amateurs de formule 1 feront un tour au **circuit Gilles-Villeneuve**, où se déroule chaque année le Grand Prix du Canada. Les patineurs, quant à eux, chausseront leurs rollers (location au Vieux Port) pour s'en donner à cœur joie sur une piste qui leur est réservée.

Chapelle
Saint
Bernard
1942

LES ENVIRONS DE MONTRÉAL

Montréal est le point de départ idéal pour de courtes excursions dans la nature environnante, dont les attraits ne sont pas tous paysagers. Ainsi, le printemps, lorsque la sève monte, est le « temps des sucres » ; alors, les Montréalais vont déguster, dans les érablières, le sirop de l'arbre-symbole du Canada. Ils vont également admirer le passage des oies sauvages, dont les *voiliers* – ainsi appelle-t-on leurs formations aériennes en « V » – sillonnent le ciel, et qui se posent par dizaines de milliers sur les rives du Saint-Laurent (les mêmes rassemblements marquent le début de l'hiver). Ils prennent d'assaut les parcs naturels, dont le nombre et la proximité de Montréal rappellent qu'au Québec, la nature sauvage et « brute » commence aux portes de la ville. A l'automne, ils montent sur les sommets des Laurentides découvrir les « festivals de couleurs » qu'offrent les arbres embrasés d'ors et de rouges. Lorsque le froid arrive, si de nombreux habitants des forêts hivernent, cela n'est pas le cas des Montréalais pour qui la saison de la neige est l'époque de tous les sports d'hiver : ski de fond, raquettes, ski alpin, motoneige, patinage, luge, et même pêche.

Les Laurentides

Au nord-ouest de Montréal, la partie québécoise du bouclier canadien et les basses terres qui le séparent de la vallée du Saint-Laurent forment une région, nommée les **Laurentides**, qui s'étend de la rivière des Mille-Iles à la vallée de la Lièvre, de l'Outaouais et à la région de Lanaudière. Après les **Basses-Laurentides**, la route gravit les monts arrondis des **Laurentides** proprement dites, les « Pays d'en haut », couverts de forêts mixtes et entrecoupés de milliers de lacs.

Les trois principales rivières de la région (rivières du Lièvre, du Nord et rivière Rouge) furent jadis les routes

Pages précédentes : couleurs de l'automne québécois. A gauche, la chapelle Saint-Bernard au mont Tremblant ; à droite, l'île Sainte-Hélène à Montréal.

du commerce de la fourrure, puis du flottage du bois, tandis qu'autour vivaient les nomades amérindiens. A la fin du XIXe siècle, les Laurentides furent l'objet d'une tentative malheureuse de colonisation qui devait stopper, pensait-on, l'émigration vers les États-Unis. Depuis, préservées, elles sont devenues une vaste zone récréative, à seulement une centaine de kilomètres de Montréal.

D'Oka à Hudson par Rigaud

A partir de la métropole, emprunter l'autoroute des Laurentides 15 nord (sortie 21), prendre la route 640 ouest jusqu'à l'entrée est du parc ; suivre ensuite la route 344 ouest vers Oka, et prendre le *traversier* (ferry) vers Hudson, puis la route 342 ouest vers Rigaud.

Le **parc d'Oka** (n°2 020, chemin d'Oka), en bordure du **lac des Deux-Montagnes**, possède une longue plage de sable à partir de laquelle sont organisées de nombreuses activités nautiques. Des excursions en canot, avec

des naturalistes, ont lieu dans le **marais de la Grande-Baie**, où vivent canards, rats musqués, grands hérons et castors. Il est aussi possible de découvrir cette zone humide à partir d'un sentier de 3 km, qui mène à une tour d'observation. En hiver, les sentiers du parc se transforment en pistes de ski de fond et de raquette.

Le village d'Oka

Sur les rives du lac des Deux-Montagnes, **Oka** (« poisson doré », en algonquin), faisait partie de la seigneurie des Deux-Montagnes concédée par le roi de France aux sulpiciens en 1717, pour qu'ils y établissent une mission « indigène ».

Depuis leur installation sur ces terres en 1721, les Mohawks de la **réserve de Kanesatake** (« le sable forme une croûte »), sur la commune d'Oka, se battent pour qu'on reconnaisse leur propriété sur toute l'ancienne seigneurie (dont ils possèdent légalement une partie depuis 1945).

Pendant l'été 1990, la lutte juridique se transforma en un combat armé contre des promoteurs qui voulaient construire un terrain de golf. L'armée fédérale dut intervenir.

L'abbaye cistercienne d'Oka (n°1 600, chemin d'Oka) est l'un des plus anciens monastères d'Amérique du Nord puisqu'il a été fondé en 1890 par des moines trappistes de l'abbaye française de Bellefontaine. Leurs successeurs fabriquent un fromage selon la recette du port-salut français. Jusqu'en 1962, les moines dirigèrent une école d'agriculture. Seuls la chapelle et les jardins peuvent se visiter.

A 4 km de l'abbaye, un **chemin de croix** de 5,5 km permet de découvrir quatre oratoires, trois chapelles et le **calvaire d'Oka**, d'où le panorama est exceptionnellement beau en automne. Mis en place entre 1739 et 1742, le chemin comptait à l'origine 7 chapelles dont l'intérieur était orné de bas-reliefs en bois polychrome, œuvre de François Guernon (conservées aujourd'hui à l'église d'Oka). Depuis

L'été est bref, mieux vaut en profiter au maximum.

1870, les pèlerins y célèbrent l'Exaltation de la Sainte-Croix, le dimanche le plus proche du 14 septembre.

Hudson

La petite ville résidentielle d'**Hudson**, de l'autre côté de la rivière des Outaouais, très fréquentée pour ses nombreux magasins d'antiquités, est reliée à Oka par un *traversier*.

D'Hudson, on pourra pousser jusqu'à **Rigaud** et à la **sucrerie de la Montagne** (n°300, rang Saint-Georges). Établie au cœur de 44 ha de forêt, l'érablière vend les produits traditionnels de la cuisine québécoise : *tire* (sirop d'érable chauffé versé sur de la neige), fèves au lard, oreilles de *crisse* (couenne de lard grillée), etc.

La rivière Rouge

Pour se rendre à la rivière Rouge et au parc Oméga à partir de Montréal, prendre la route 15 nord, sortie 21 vers 640 ouest, sortie 11 vers 148

Le lac des Sables, à Sainte-Agathe, dans les Laurentides.

ouest ; après Calumet, tourner sur le chemin de la rivière Rouge. Pour le parc Oméga, poursuivre sur la route 148 ouest ; à Montebello, prendre la route 323 vers le nord sur 3 km.

D'avril à octobre, la descente de la **rivière Rouge**, et notamment des 25 km qui séparent Harrington de Calumet, requiert une certaine habitude des rapides, dont les noms – Avalanche, Confusion, Turbomatinal, Machine-à-laver, Monstre, etc. – illustrent la violence. Le moment le plus palpitant est le passage de la **Gorge-raide**, « l'Everest du rafting au Canada », avec ses 4 m de dénivellation. Cependant, certains organisateurs de descente acceptent les débutants.

Non loin de la petite ville de **Montebello**, bisons, cerfs de Virginie, ours bruns et ratons laveurs se promènent librement dans les 600 ha du **parc Oméga**, au milieu duquel sinue une piste de 10 km que l'on parcourt en voiture. Le parc est ouvert toute l'année à partir de 10 h, et ferme une heure avant le coucher du soleil.

De Sainte-Adèle à Val-David et à Sainte-Agathe-des-Monts

De Montréal, prendre l'autoroute des Laurentides 15 nord vers Sainte-Adèle. Un itinéraire plus pittoresque emprunte la route 117 nord vers Val-David et Sainte-Agathe-des-Monts.

Au bord du lac Rond et sur les pentes du mont Sainte-Adèle, la station de ski du même nom est la résidence d'un certain nombre d'écrivains et d'artisans. Le **musée village de Séraphin** (n°297, montée à Séraphin) est la reconstitution d'un petit village du temps de la colonisation des Laurentides, inspiré par le roman de Claude-Henri Grignon *Un homme et son péché* (1933). Chacune des vingt maisons se rapporte à un personnage du livre ou illustre un épisode de la vie de Séraphin Poudrier, le maire avare du roman. Il y a aussi une poste, un magasin général, un cabinet de médecin et une école.

Au cœur des Laurentides et au pied des monts Césaire, Condor et King,

Val-David est réputé pour ses maisons traditionnelles aux toits mansardés, ses auberges et sa cuisine, ses artistes et ses artisans, et ses pistes d'escalade – comme celles du **mont Condor** avec, notamment, un rocher de 38 m, situé entre Val-Morin et Val-David, ou les 22 m de l'aiguille du Condor. Les **petits jardins de rocailles** (n°1319, rue Lavoie) présentent la flore régionale.

Sainte-Agathe-des-Monts, centre de villégiature assez huppé, en plein milieu des montagnes et des forêts, avec ses plages de sable fin et son magnifique **lac des Sables**, est le pôle d'attraction des Laurentides et le village de tous les sports : voile, vélo, randonnée, ski de fond, ski alpin, patin à glace, motoneige. Il s'y tient également un triathlon, un festival de danse et le festival l'Hiver en Nord. De Sainte-Agathe, la route mène vers le nord au mont Tremblant (itinéraire suivant).

De Saint-Faustin au parc du Mont-Tremblant

A partir de Montréal, prendre l'autoroute des Laurentides 15 nord puis la 117 nord ; continuer par le chemin du Tour du lac, le chemin du Lac-Caribou jusqu'aux centres de loisirs de Saint-Faustin ; à Saint-Faustin, quitter la route 117 nord en direction du lac Supérieur jusqu'à l'entrée du parc du Mont-Tremblant.

A **Saint-Faustin**, le **Centre touristique et éducatif des Laurentides** (lac du Cordon) est le point de départ de 6 sentiers de randonnée serpentant à travers montagnes, marécages, tourbières, érablières, sapinières et lacs. Avec l'aide des guides-naturalistes, on peut y observer trois espèces de plantes carnivores, des huttes de castors et des huards à collier dont l'appel solitaire résonne au-dessus de la plupart des lacs québécois. Le **Centre éducatif et écologique de la faune aquatique des Laurentides** (n°747, chemin de la Pisciculture) pratique l'élevage de truites arcs-en-ciel et de saumons. Le petit village de **Lac-Supérieur** est la porte d'entrée du **parc de la Montagne-Tremblante** qui, fondé

Église dans les cantons de l'Est.

en 1894, est le premier et le plus grand parc provincial du Québec. Il compte plus de 400 lacs et 7 rivières répartis sur une superficie de 1 492 km². Pour les guérisseurs algonquins, le site qu'il protège était la Manitonga Soutana, la montagne du Diable, car elle grondait chaque fois que la tranquillité de ses pentes boisées était perturbée. Sous les érables et les pins vivent des ours noirs, des cerfs de Virginie, des castors, des lynx et des dizaines d'espèces d'oiseaux. On y pratique la voile, le canot, le vélo, la pêche à la truite et au saumon, la randonnée, le ski de fond, la motoneige et la raquette.

Avec ses 960 m d'altitude, le **mont Tremblant** est le plus haut sommet des Laurentides et le point culminant d'un vaste domaine skiable – avec un dénivelé de 650 m.

L'Estrie

Une femme ekwantshit de Mingam.

Au sud-est de Montréal, entre la Montérégie et les Appalaches et sur les contreforts de ces derniers, l'**Estrie** est une région de collines boisées. Au détour des routes, on découvre des ponts couverts, des résidences victoriennes, ainsi que des granges – en forme de cercle parce qu'il ne fallait pas que le diable puisse se cacher dans les recoins. Le pays est habité depuis des millénaires par les Amérindiens. Il connut une première vague de peuplement européen à la fin du XVIIIe siècle, lorsque les Loyalistes demeurés fidèles à la Couronne britannique fuirent la Révolution américaine (1775-1782) et s'établirent au Canada, fondant les Eastern Townships.

Ils furent suivis, en 1820, par une première vague d'immigrants irlandais quittant leur pays à la suite de sa réunion à l'Angleterre, puis par une seconde, à la suite de la famine de 1840. Les Eastern Townships étaient une tenure seigneuriale anglo-saxonne, divisée entre les colons en carrés, et non en rangées comme au Canada français. Vers 1850, l'industrie du bois et les chemins de fer amenèrent une population francophone qui devint majoritaire. C'est alors qu'apparut l'appellation « cantons de l'Est », sous la plume de l'écrivain Antoine Gérin-Lajoie, dans son livre *Jean Rivard*. Un siècle plus tard, les cantons furent baptisés du nom d'Estrie.

De Knowlton à Sutton

A partir de Montréal, prendre l'autoroute des cantons de l'Est 10, direction est, sortie 90 vers la route 243 sud jusqu'au lac Brome ; puis la route 104 ouest vers la 215 sud jusqu'à Sutton ; emprunter ensuite la route 139 nord vers West Brome ; puis suivre la route 139 nord vers l'autoroute des cantons de l'Est, direction ouest.

La municipalité de **Lac-Brome** regroupe sept villages (Knowlton, West Brome, Foster, Fulford, Iron Hill, Bondville et East Hill) dont les noms témoignent de l'héritage loyaliste de la région et qui entourent un lac de 20 km de circonférence sur lequel on pratique, en hiver, la pêche blanche (à travers un trou creusé dans le glace).

La principale localité est **Knowlton**, aux belles maisons victoriennes néogothiques et aux nombreuses boutiques de cadeaux, d'artisanat et d'antiquités. Au temps des diligences, **Knowlton** était une étape importante sur la route Boston-Montréal. C'est dans ce village prospère que fut créée, en 1894, la **bibliothèque Pettes Memorial**, l'une des premières bibliothèques gratuites du Québec. Non loin, le **Musée historique du comté de Brome** (n°130, rue Lakeside) a été fondé en 1897 par une société d'histoire régionale.

Il regroupe, dans cinq bâtiments du XIXᵉ siècle, une collection militaire – dont un Fokker DVII de la Première Guerre mondiale –, ainsi que des objets abénakis et loyalistes ; un magasin général et une cour de justice du siècle dernier ont été reconstitués. Une chute d'eau égaye le centre du village, d'où part un circuit pédestre.

Les auberges servent la spécialité locale, le canard de Brome, dont la réputation a franchi les frontières du

Randonnée en canot dans le parc d'Oka.

Canada et auquel est consacré, chaque automne, un festival. Pour obtenir la carte des pistes et des sentiers cyclables de la région, il faut contacter la Chambre de commerce de Lac-Brome.

Dans une zone très enneigée en hiver, la petite station de montagne de **Sutton**, fondée vers 1793, attire les randonneurs et les skieurs de la région sur son domaine qui s'étend sur le mont dont elle porte le nom. Les auberges y sont agréables et leurs brunchs du dimanche matin réputés. Ravagé par un incendie qui détruisit la rue principale à la fin du siècle dernier, Sutton compte encore quelques vieilles maisons, notamment dans les rues Maple et Pleasant. Chaque samedi d'été, un marché aux puces anime la rue Curley. Le **Musée historique de Sutton**, à l'angle de la rue principale et de la rue de la Montagne, est consacré à l'histoire des communications et présente une belle collection de téléphones anciens. A l'automne, le festival de couleurs « Panorama de la côte » célèbre les beautés de la forêt. Du sommet du **mont Sutton**, que l'on rejoint par un téléphérique, le panorama est splendide. Pour des informations et des cartes des pistes cyclables de la région, des sentiers et des chemins de randonnée, il faut contacter la Chambre de commerce du village.

Du mont Orford à Magog et à l'abbaye de Saint-Benoît-du-Lac

A partir de Montréal, prendre l'autoroute des cantons de l'Est 10 direction est, sortie 115 vers la route 141 nord vers le parc du Mont-Orford ; suivre ensuite la route 141 sud vers Magog ; de Magog, emprunter les petites routes jusqu'à Saint-Benoît-du-Lac (rive ouest du lac Memphrémagog).

Dominé par les massifs du mont Orford et du mont Chauve qui culminent respectivement à 853 et 600 m d'altitude, le **parc du Mont-Orford** comprend un réseau de vallées, de lacs et d'étangs propices à la pratique des activités nautiques, de la randonnée pédestre et du ski de fond. Avec l'un des plus hauts dénivelés de l'est du Canada (540 m), la **station touristique**

Le lac Magog, dans les cantons de l'Est.

du mont Orford offre plus de 40 km de pistes de ski alpin. Un télésiège permet d'accéder au sommet.

Le parc du Mont-Orford abrite le **Centre d'arts Orford** (n° 3165, chemin du Parc) qui, fondé en 1951, jouit d'une réputation mondiale, tant pour son cadre enchanteur que pour ses stages musicaux.

Du début du mois de juillet à la mi-août, le festival Orford propose des concerts de musique classique où jouent de jeunes artistes stagiaires et des artistes de renommée mondiale.

Entre le mont Orford et le lac Memphrémagog, la petite ville de **Magog** est un agréable lieu de villégiature aux rues bordées de boutiques, de restaurants et de galeries d'art, et qui fut jadis un centre textile réputé. Elle est au bord d'un lac de 44,5 km de longueur, le **lac Memphrémagog** (« longue étendue d'eau », en abénaki), qui va jusqu'au Vermont (États-Unis). Sur les berges se sont multipliées les résidences secondaires. On y bronze l'été sur une plage de sable fin,

on y fait des excursions en bateau, de la voile, du pédalo, du parachute ascensionnel, et on y pêche, à la belle comme à la mauvaise saison. Memphré, un monstre aquatique semblable à celui du Loch Ness, apparaîtrait sur le lac de temps à autre depuis 1798. Chaque été a lieu la Traversée internationale du lac Memphrémagog, dont Magog est le point d'arrivée.

Le clocher de granit rose de l'**abbaye de Saint-Benoît-du-Lac** domine la rive ouest du Memphrémagog. Œuvre du moine-architecte français dom Paul Bellot (1876-1944), qui dirigea les travaux de 1939 à 1958, le monastère appartient à des moines bénédictins venus de Normandie en 1912. Aux bâtiments initiaux, ils ont ajouté une hôtellerie, ainsi qu'un clocher, sur les plans du frère dom Claude Côté (1909-1986) ; quant à la magnifique église abbatiale, elle fut achevée sur les plans de l'architecte montréalais Dan Hanganu en 1994. Des messes, où l'on entend de splendides chants grégoriens, sont célébrées chaque jour. L'hôtellerie peut accueillir une quarantaine de pèlerins de sexe masculin, désireux de passer quelques jours dans une ambiance de paix et de recueillement. Les femmes, quant à elles, sont hébergées dans une maison voisine tenue par des religieuses. Les moines exploitent un verger et fabriquent du cidre et de délicieux fromages (saint-benoît, ricotta et l'ermite).

A **Austin**, près de l'abbaye, on peut voir une grange en forme de cercle. A l'est du lac Memphrémagog, dans un paysage de douces collines boisées, aux magnifiques panoramas, le **lac Massawipi** est entouré de paisibles villages aux origines anglo-saxonnes. Considéré comme l'un des joyaux des cantons de l'Est, le joli petit village de **North Hatley**, sur la rive nord du lac, est constitué de belles résidences construites pour les aristocrates, les magnats de l'industrie et les grands propriétaires terriens qui ont quitté les États-Unis pendant et après la guerre de Sécession, entre 1861 et 1865.

De Stanstead Plain à Rock Island et Beebe Plain

Toujours à partir de Montréal, prendre l'autoroute des cantons de l'Est 10, sortie 121, vers l'autoroute 55 sud ; puis, de Rock Island, la section ouest de la route 247 vers Beebe Plain, ou sa section nord vers Magog.

Connues pour avoir abrité des contrebandiers, les petites villes frontalières de l'Estrie valent le détour pour leur atmosphère unique. **Stanstead Plain** s'enorgueillit de plusieurs édifices du XIXᵉ siècle : le **collège** (1872), l'**école des Ursulines** (1884), l'**église anglicane Christ Church** (1858) et la **beurrerie** (1866). La maison Carrollcroft, de style néo-Renaissance, abrite le **musée d'histoire locale Colby-Curtis** (n°35, rue Dufferin).

La rue principale de Stanstead Plain mène directement à **Rock Island**, à cheval sur la frontière entre le Québec et le Vermont. Dans certaines maisons, la cuisine se trouve au Canada, alors que la salle à manger est aux États-Unis. Ces absurdités géopoli-

La randonnée à cheval, un sport populaire dans les cantons de l'Est.

tiques sont particulièrement spectaculaires dans le délicieux **opéra Haskell** (à l'angle de la route 143 et de la rue Church), réplique en dimensions réduites de l'opéra de Boston et construit en 1904. Les artistes évoluent au Québec devant un public installé au Vermont. De même, au rez-de-chaussée, dans la **bibliothèque Haskell**, aux belles boiseries et aux nombreux vitraux, on prend les livres sur des étagères qui se trouvent au Vermont pour aller les lire sur des chaises situées au Québec.

Beebe Plain, célèbre pour ses **carrières de granit** (visite possible), est également à cheval entre le Québec et les États-Unis : la frontière, rue Canusa, est matérialisée par une ligne blanche qui barre l'asphalte.

La Montérégie

Cette région est une grande plaine arrosée par de majestueux cours d'eau, notamment la rivière Richelieu. Seuls accidents topographiques, six collines isolées émergent d'un horizon uniformément plat. Formées il y a vingt-cinq millions d'années, elles résultent d'une remontée de magma solidifié en profondeur. Mais l'érosion glaciaire (toute la région était recouverte par les glaces, il y a encore 20 000 ans) a emporté les terrains environnants, faisant apparaître ces formations plus dures – le mont Royal doit son origine à un phénomène semblable. La Montérégie fut le théâtre de batailles décisives dans l'histoire de la Nouvelle-France, notamment au temps de la conquête britannique. En 1837 et en 1838 la vallée du Richelieu fut le lieu de soulèvements armés des francophones.

Centrale hydro-électrique et parc archéologique

L'itinéraire permet de découvrir la centrale hydro-électrique de Beauharnois et le parc archéologique de la Pointe-du-Buisson. De Montréal, prendre la route 138 sud, le pont

Comme le montre la ligne noire qui court au travers de la pièce, la bibliothèque de Rock Island est à cheval sur le Canada et les États-Unis.

Mercier, puis la route 132 ouest jusqu'à Melocheville. Suivre ensuite le boulevard Hébert (route 132) jusqu'à la station hydro-électrique de Beauharnois et la rue Emond à Melocheville.

Près de **Melocheville**, qui occupe un site fréquenté depuis des millénaires par les Amérindiens, des écluses furent bâties au début du siècle pour permettre l'accès au canal de Beauharnois. Entre les lacs Saint-François et Saint-Louis, la **centrale hydro-électrique de Beauharnois** (n°80, rue Edgar-Hébert) est l'une des plus grandes du monde. Aménagée entre 1929 et 1961, elle utilise des chutes de 24 m de hauteur qui, avec un débit de 8 millions de litres par seconde, produit 11,7 milliards de kWh par an. L'hiver, la totalité de la production est consommée par le Québec; en été, les surplus sont vendus à l'Ontario et aux États-Unis.

De la mi-mai au début du mois de septembre, des visites guidées permettent de découvrir l'histoire de l'électrification du Québec, ainsi que la salle où 36 turbines-alternateurs (de 100 t chacune) se succèdent sur 1 km, et entre lesquelles les employés circulent sur de petits véhicules électriques.

Au **parc archéologique de la Pointe-du-Buisson** (n°333, rue Émond), les archéologues estiment qu'il faudra encore des décennies pour étudier les 8 000 objets amérindiens – tomahawks, ustensiles en pierre, pipes, harpons, etc. – déterrés sur les 27 ha du site. Quatre foyers, des cimetières, les traces d'une « maison longue » à 42 piliers ont permis de reconstituer le mode de vie des autochtones qui habitaient les lieux il y a plus de 5 000 ans et y vivaient de la pêche et de la chasse. Plus récemment, l'endroit servit d'étape aux explorateurs, aux missionnaires, aux soldats et aux marchands qui se dirigeaient, par la rivière Richelieu et le lac Champlain, vers New York. On visite deux centres d'exposition et cinq chantiers de fouille. Des spectacles folkloriques amérindiens sont également présentés.

La randonnée à vélo fait de plus en plus d'adeptes dans la région de Montréal.

Chemin de fer, canal et Indiens

L'itinéraire mène de Montréal aux écluses de Sainte-Catherine et à la réserve mohawk de Kahnawake. Prendre la route 15 sud, sortie 42, puis la route 132 ouest et la route 209 sud vers Saint-Constant; suivre ensuite la route 209 nord puis la route 132 ouest vers les écluses de Sainte-Catherine.

Saint-Constant, qui était à l'origine un petit village agricole, s'est rapidement développé grâce à la construction d'un chemin de fer le reliant, *via* un pont, à Montréal. La grande épopée ferroviaire du Canada est racontée au **Musée ferroviaire canadien** (n°120, rue Saint-Pierre) où sont présentées une centaine de locomotives de toutes les époques.

Non loin de Saint-Constant, pétroliers de haute mer, céréaliers et autres navires au long cours transitent par les **écluses de Sainte-Catherine** vers la voie maritime du Saint-Laurent. Après le pont, on découvre l'entrée du **parc de la Côte-Sainte-Catherine**, d'où l'on domine les tumultueux rapides de Lachine, les gratte-ciel de Montréal et les collines montérégiennes.

Au pied du pont Mercier, entre Châteaugay et Sainte-Catherine, se trouve la **réserve mohawk de Kahnawake**. Elle est issue d'une mission jésuite qui, d'abord établie en 1667 à Kentake (« la Prairie »), se fixa sur son site actuel au début du XVIIIᵉ siècle. Dans le transept droit de l'église repose la bienheureuse Kateri Tekakwitha (1656-1680). Surnommée le « Lys des Agniers » (traduction française du surnom mohawk), ou la « Geneviève du Canada », Kateri Tekakwitha est la première Amérindienne déclarée vénérable par l'Église catholique. Le **centre culturel Kanien'kehaka Raotitiohkwa** a pour vocation de préserver et promouvoir l'identité de la communauté.

De Fort Chambly à Saint-Jean-sur-Richelieu et à Fort Lennox

Le lac des Sables à Sainte-Agathe.

De Montréal, prendre l'autoroute 20 ou route 112 est, puis la route 223 sud; continuer par la route 223 sud vers Saint-Jean-sur-Richelieu et Saint-Paul-de-l'Ile-aux-Noix.

L'histoire de la ville de **Chambly** est intimement liée à celle du **fort** du même nom (n°2, rue Richelieu). Le premier fort – premier établissement européen sur la rivière Richelieu – fut construit en 1665, afin de protéger Montréal contre les attaques des Iroquois, par les soldats du régiment de Carignan-Salières sous le commandement du capitaine Jacques Chambly – en signe de reconnaissance, la seigneurie du lieu fut attribuée à ce dernier. En 1709-1711, le fort en bois fut remplacé par la structure massive aux bastions pentagonaux à la Vauban visible aujourd'hui. Le fort fut occupé par les Français jusqu'en 1760, par les Anglais jusqu'au XIXᵉ siècle – à l'exception d'une brève année, en 1776, quand les Américains sous les ordres du général Montgomery l'envahirent. Des prisonniers américains y furent emprisonnés pendant la guerre de 1812 et des Patriotes québécois pendant la rébellion de 1837-38.

Aujourd'hui, seules les Compagnies franches de la marine du **centre d'interprétation** continuent à l'animer, présentant des manœuvres en costumes d'époque. On peut également visiter un **musée**.

Chambly, qui s'est développée autour du fort, compte plusieurs beaux édifices, notamment, rue Bourgogne, l'**église anglicane Saint-Stephens** (1820), la **maison Saint-Hubert** (1760), la **maison Maigneault** et la **maison Laureau** (1775). Les trois écluses du **bassin de Chambly** ont conservé leurs mécanismes manuels et le chemin de halage du **canal de Chambly** a été transformé en une agréable piste cyclable.

Saint-Jean-sur-Richelieu est un ancien port fluvial, qui jouait un rôle important dans le commerce avec les États-Unis. Le village était aussi le terminus de la première ligne de chemin de fer du Canada, qui la reliait à La Prairie (1836). Elle conserve, des prospères années 1870, un vieux quartier bordé de maisons victoriennes. En août, le ciel est envahi pendant quinze jours par les ballons du Festival de montgolfières. Des croisières sont organisées sur la rivière Richelieu à partir du quai qui se trouve au bas de la rue Saint-Georges.

L'Ile aux Noix tire son nom de la rente annuelle d'une « pochée de noix » que son premier habitant, Pierre Jourdanet, devait remettre au seigneur Pierre-Jacques Payan. En 1759, les Français construisirent un fort pour protéger Montréal des Anglais, qui venaient de conquérir Québec, mais ils ne purent achever sa construction avant la conquête de 1760. L'ouvrage fut rasé par les conquérants. En 1775, lors de la guerre d'indépendance (1775-1783), les Américains s'emparèrent de l'Ile aux Noix qu'ils voulaient utiliser comme base pour attaquer Montréal et Québec. Mais, l'année suivante, une épidémie de variole les força à abandonner le lieu, que les Britanniques fortifièrent et où ils installèrent un chantier de construction navale (pour créer et entretenir la flottille du lac Champlain, chargée de tenir en respect les bateaux américains). Devenu inutile quand des routes furent tracées, le fort, appelé Lennox, servit de prison pour les Patriotes en 1837-38, avant d'être abandonné en 1870. L'ouvrage, protégé par des fossés remplis d'eau et des levées de terre, est en forme d'étoile. Dans l'enceinte, un **musée** en retrace l'histoire. Ouvert de la mi-mai à la fin septembre, le fort est facilement accessible par le *traversier* des croisières Richelieu à partir du **village de Saint-Paul-de-l'Ile-aux-Noix**.

En remontant la rivière, le « **blockhaus** » **de Lacolle** est une maison fortifiée en bois à deux niveaux, datant de 1781, et qui était un poste de défense avancé établi par l'armée britannique contre les Américains.

Le **lac Champlain**, à seulement une cinquantaine de kilomètres de Montréal, et situé pour la majeure partie aux États-Unis, est en amont de l'Ile aux Noix. Avec ses magnifiques paysages, ses nombreuses petites îles, c'est un lieu de villégiature apprécié des Montréalais.

Vergers en fleurs dans la vallée de la rivière Richelieu.

Le mont Saint-Hilaire

Pour cette destination, prendre depuis Montréal l'autoroute 20 est, sortie 113, 133 sud, à partir de laquelle le mont Saint-Hilaire est bien indiqué.

Du haut de ses 375 m, le **mont Saint-Hilaire** est la plus haute des collines montérégiennes. Déclaré réserve mondiale de la biosphère par l'Unesco en 1978, le **Centre de conservation de la nature du mont Saint-Hilaire** abrite 180 espèces d'oiseaux et 45 espèces de mammifères. Du haut du **Pain de Sucre**, le plus grand des trois sommets du mont, on peut jouir d'une belle vue sur la vallée du Richelieu, la plaine du Saint-Laurent et les autres collines alentour. La montagne est parcourue de nombreux sentiers de randonnée qui deviennent des pistes de ski de fond dès les premières neiges. En hiver, lorsque la glace est suffisamment ferme, une patinoire est aménagée sur le **lac Hertel**, dans un cadre féerique.

Les flancs du mont Saint-Hilaire, à l'image de ceux de Rougemont, sont célèbres pour leurs vergers. La Montérégie produit environ 90 % des pommes du Québec. Les arbres y furent acclimatés à partir de 1620 par Louis Hébert ; mais il fallut attendre les années 20 pour que les sulpiciens créent la première pommeraie. La cueillette est une activité familiale très prisée en automne. Les exploitations vendent également des jus de pomme frais et du cidre.

Sainte-Anne-de-Sorel et l'île de Sorel

A partir de Montréal, sortir par le pont Champlain et emprunter l'autoroute 30 nord-est vers Sorel ; ensuite, prendre la route 132 est vers Sainte-Anne-de-Sorel.

Quatrième ville du Canada pour l'ancienneté de sa création (1642), **Sorel** est un port fluvial réputé pour ses chantiers navals, implanté au débouché de la rivière Richelieu dans le Saint-Laurent. Un *traversier* relie la ville à **Saint-Ignace-de-Loyola**, sur la

Les îles de Sorel.

rive nord du fleuve. Huit kilomètres plus loin, au large de Sainte-Anne-de-Sorel, les îles de Sorel ont servi de toile de fond au *Survenant* (« invité non attendu », en québécois), roman de Germaine Guèvremont (1893-1968). Le **musée de l'Écriture** (n°3139, chemin Chenal-du-Moine), installé dans la maison de Germaine Guèvremont, sur la petite **île au Pé**, présente l'univers de l'écrivain.

Le long du **chenal du Moine** qui sépare les îles de la rive droite du Saint-Laurent, un chemin mène à l'**île aux Fantômes**, dont les maisons ont été bâties sur pilotis pour les protéger des crues. De là, on peut aller visiter l'**île d'Embarras** et son village de pêcheurs où les filets sèchent à l'air. Les Croisières des îles de Sorel (n°1665, chemin Chenal-du-Moine) organisent des mini-croisières qui permettent de découvrir l'archipel, de la mi-mai à la fin de la première semaine de septembre. Plus à l'est, sur la route 132, se trouve la communauté amérindienne abénaki d'**Odanak**. Odanak,

qui signifie « chez nous » en abénaki, fut construite au XVIIᵉ siècle par les jésuites le long de la rivière Saint-François. Alliés aux Français, les Abénakis, dont le territoire s'étendait de la rivière Saint-François aux Provinces Maritimes, protégeaient la colonie de Trois-Rivières. Quand ils furent chassés de Nouvelle-Angleterre, ils furent accueillis au Québec. Un **musée des Abénakis** (n°108, rue Waban-Aki) expose des objets rituels et traditionnels. Chaque premier dimanche de juillet, la communauté célèbre sa fête.

Plus en aval, le village de **Baie-du-Febvre** (route 132) accueille, deux fois par an, au printemps et à l'automne, des centaines de milliers d'oies des neiges, de bernaches du Canada et de canards sauvages qui viennent se nourrir et se reposer dans les *battures*, ces marais salés du bord du Saint-Laurent. Leur aspect, leurs mœurs et leurs migrations sont décrits au **Centre d'interprétation de Baie-du-Febvre** (situé au n°420 de la route Marie-Victorin).

Les eaux des environs de Montréal sont très appréciées des kayakistes.

Le Village québécois d'antan

A partir d'Odanak, prendre la route 143 vers le sud, puis l'autoroute 20 est, sortie 181. A partir de Montréal, emprunter l'autoroute 20, sortie 181, direction Village québécois d'antan.

Situé à quelques kilomètres de Drummondville, le **Village québécois d'antan** (n°1425, rue Montplaisir, ouvert du 1er juin au 1er septembre) est une reconstitution du XVIIIe siècle. Il se compose d'une cinquantaine de maisons, éparpillées dans un cadre enchanteur, et illustrant la succession des styles architecturaux de 1810 à 1910. Des artisans en costume d'époque animent une vingtaine d'ateliers où sont présentés les métiers traditionnels.

Le Village du bûcheron et le parc national de la Mauricie

De Montréal, prendre la route 40 est jusqu'à la 55 nord (à Trois-Rivières), puis suivre la 55 nord jusqu'à la 155 nord (à Grandes-Piles); l'entrée du parc est à Saint-Jean-des-Piles.

Perché sur une colline surplombant la rivière Saint-Maurice, le **village de Grandes-Piles** – dont le nom a été inspiré par d'immenses rochers – fut un port de transbordement pour le bois des forêts voisines. Un camp de bûcherons du début du siècle a été reconstitué au **Village du bûcheron** (n°780, 5e avenue; ouvert toute l'année).

Les beaux jours de l'industrie du bois dans la vallée de la Saint-Maurice (1850-1950) sont évoqués dans des bâtiments en bois renfermant des centaines de photos et 5 000 objets. On visite la *limerie* (où étaient aiguisées les haches), la tour des garde-feu et une vingtaine d'autres bâtiments dont la *cookerie*, où sont servis les repas que mangeaient les bûcherons : fèves au lard, tourtières, ragoûts, crêpes au sirop d'érable, etc.

Le **parc national de la Mauricie** (près de 550 km²), ouvert de la mi-mai à la mi-octobre, protège la partie la plus sauvage des Laurentides. Le parc s'étend sur la zone de transition entre la forêt laurentienne, aux sous-bois denses et aux nombreux et hauts feuillus, domaine privilégié de l'érable, et la forêt boréale, aux sols acides, où prédominent le sapin baumier, les épinettes noires et le bouleau à papier. Orignaux, ours noirs, coyotes, loups, lynx, ainsi que 193 espèces d'oiseaux – dont 77 de migrateurs – y vivent. Le parc est un paradis pour les amateurs de plein air et de camping-canoë, ainsi que pour les pêcheurs à la truite.

Ces étendues sauvages et aquatiques, avec leurs 34 lacs parsemés d'îles – comme la magnifique **île aux Pins** – et d'îlots recouverts d'arbres, sont interdites aux embarcations à moteur. Tous les lacs sont accessibles par des *portages* (chemins) bien aménagés, le plus beau étant celui qui longe les falaises et les forêts touffues du **lac Wapizagonke**. Ce dernier, très apprécié pour la solitude paisible de ses plages de sable blanc, a conservé son appellation abénaki qui désigne la bernache cravant, une espèce d'oiseau en voie de disparition.

Ci-dessous, les lacs des environs de Montréal font le bonheur des amateurs de voile. Page suivante : le parc d'attraction de la Ronde, ou un autre regard sur Montréal.

INFORMATIONS PRATIQUES

PRÉPARATIFS ET FORMALITÉS DE DÉPART

PASSEPORT ET VISA

Les ressortissants français, belges, suisses et luxembourgeois peuvent entrer au Canada sans visa, sur simple présentation d'un passeport valide s'ils effectuent un voyage de tourisme ou d'affaires de moins de 90 jours. Les personnes ayant un permis de résidence aux États-Unis doivent être en possession de leur permis ou de leur carte verte. Au-delà de trois mois, ou pour tout autre motif de séjour, il est nécessaire d'obtenir un visa ou une autorisation de séjour spéciale de l'ambassade ou du consulat du Canada, ou du Département de l'emploi et de l'immigration à Ottawa.

● **Ambassades du Canada**
Belgique
2, avenue de Tervuren, 1040 Bruxelles
tél. (2) 741 06 11
France
35, avenue Montaigne, 75008 Paris
Tél. 01 44 43 29 00
Suisse
Kirchenfeldstrasse 88, 3005 Berne
Tél. (31) 352 63 81

SANTÉ

Il est conseillé de souscrire une assurance-voyage, les frais de médecine pour les non-résidents pouvant être élevés.

QUAND PARTIR ET QUE FAUT-IL EMPORTER ?

La meilleure saison pour partir au Canada reste juin-juillet-août, quand la moyenne des températures atteint environ 20 °C. Si vous comptez passer quelques jours au grand air, emportez des vêtements chauds et imperméables. En été, les orages sont fréquents. Une protection contre les moustiques et les minuscules mouches noires est indispensable. Les moyennes hivernales s'échelonnent entre -15 °C et +10 °C, des provinces maritimes au sud de l'Ontario. Le vent peut faire chuter les températures de plus de 20 °C. Si vous désirez faire du ski, du scooter des neiges (*skidoo*), de la randonnée pédestre ou passer du temps dehors, en hiver, prévoyez des vêtements très chauds. A Montréal, Les skieurs prennent le chemin des pistes dès la fin de novembre, ou sillonnent les parcs et les golfs de la ville jusqu'au mois d'avril.

DÉCALAGE HORAIRE

Montréal se trouve dans le même fuseau horaire que New York et Boston. Le dernier dimanche d'avril, les Québécois passent à l'heure d'été, pour revenir à l'heure d'hiver le dernier dimanche d'octobre. Il y a six heures de décalage entre le Québec, la France, la Suisse et la Belgique. Ainsi, lorsqu'il est midi à Montréal, il est 18 h dans ces trois pays.

SE RENSEIGNER SUR MONTRÉAL ET LE QUÉBEC

● **Par courrier**
Tourisme Québec
Centre de distribution Woelh
BP 25, 67161 Wissembourg Cedex
(joindre un chèque de 21 F à l'ordre de « Destination Québec »)
● **Par téléphone**
Tél. 0800 90 77 77 (numéro vert, répond 7 jours sur 7 de 15 h à 23 h, le mercredi de 16 h à 23 h).
● **Par minitel**
3615 Québec
● **Par Internet**
//WWW. tourisme. gouv. QC. CA
● **Organismes**
Association France Québec
24, rue Modigliani, 75015 Paris
tél. 01 45 54 35 37
Centre culturel canadien
5, rue de Constantine, 75007 Paris,
tél. 01 45 51 35 73
Centre culturel québécois
117, rue du Bac, 75007 Paris,
tél. 01 42 22 50 60
Délégation générale du Québec
66, rue de Pergolèse, 75116 Paris
tél. 01 40 67 85 00
36 15 Québec (1,29 F la minute)
Office franco-québécois de la jeunesse
5, rue de Logelbach, 75847 Paris
tél. 01 40 54 67 67
Office du tourisme du Québec
11bis, rue de Presbourg, 75016 Paris
tél. 01 45 00 95 55

ALLER A MONTRÉAL

EN AVION

Les grandes compagnies aériennes desservent Montréal, notamment **Air France** et **Air Canada** (une fois par jour) et **British Airways** (mais *via* Londres). En outre, de nombreux voyagistes organisent des vols charters directs.

De mai à octobre, des charters partent de Nantes, Toulouse, Bordeaux, Marseille, Nice, Lyon, Bâle/Mulhouse/Strasbourg et Bruxelles et, toute l'année, de Paris.

● **Compagnies aériennes en France**
Air France
74, boulevard Auguste-Blanqui, 75013 Paris, tél. 01 44 08 22 22
Air Canada
31, rue Falguière, 75015 Paris, tél. 01 42 18 19 20
British Airways
12, rue de Castiglione, 75001 Paris, tél. 01 47 78 14 14
Nouvelles Frontières
87, boulevard de Grenelle, 75015 Paris, tél. 08 03 333 333
Vacances Air Transat
44, boulevard Diderot, 75012 Paris, tél. 01 53 02 23 00

EN TRAIN

La société Amtrak (*tél. 1 800 872 7245*) organise des services quotidiens à partir des États-Unis, ainsi que Via Rail (*tél. 1 800 361 5390*). Le terminus des deux sociétés se trouve au *935 rue de La Gauchetière Ouest, Bonaventure.*

EN VOITURE OU EN AUTOCAR

Des États-Unis, plusieurs autoroutes mènent à Montréal. A la frontière, le passeport, ainsi que les papiers du véhicule sont demandés. Pendant les vacances ou lors des jours fériés, des files d'attente d'une demi-heure sont fréquentes.

A partir de New York, il faut prendre la route I-87, qui devient l'autoroute 15 à la frontière, laquelle n'est qu'à 47 km de Montréal. De la Nouvelle-Angleterre, prendre l'I-89, puis la route 133, qui se transforme en une route à deux voies à partir des « lignes » (la frontière). Depuis le Vermont, il est nécessaire de prendre l'I-91, qui devient l'autoroute 55 au Canada, et de la suivre jusqu'à l'autoroute des Cantons de l'Est 10 direction Montréal. Enfin, depuis Toronto, il faut prendre l'autoroute 401 qui mène directement à la métropole québécoise. Au Québec, la vitesse est limitée à 100 km/h sur les autoroutes (nombreux contrôles). La ceinture est obligatoire.

La société de bus Greyhound/ Trailways (*tél. (514) 842 2281*) relie Montréal et plusieurs villes d'Amérique du Nord. La société Vermont Transit relie Boston, New York et d'autres villes de la Nouvelle-Angleterre à Montréal. Le terminus des deux sociétés est situé au Terminal Voyageur (*505 boulevard de Maisonneuve Est*).

A L'ARRIVÉE

DOUANES

La douane canadienne (*tél. 283 9900*) se contente, le plus souvent, de vérifications rapides. Les visiteurs âgés de plus de 16 ans peuvent introduire sans payer de droits jusqu'à 200 cigarettes, 50 cigares, 1 kg de tabac, un fusil de chasse (avec 200 cartouches), appareils photo, des équipements sportifs et une radio. Si on passe la frontière américaine avec une voiture de location, il est prudent de conserver le contrat avec soi. Il est possible (mais coûteux) d'amener sa voiture personnelle pour une durée maximum de six mois.

MONNAIE

La monnaie canadienne est le dollar canadien ($), qui se divise en 100 cents. Les coupures sont de 2, 5, 10, 20, 50 et 100 $; les pièces sont de 1, 5, 10 et 25 cents ainsi que de 1 et 2 $.

Les chèques de voyage et les cartes de crédit les plus courantes sont acceptés à Montréal. De nombreux établissements prennent les dollars américains. Certains petits restaurants ou magasins peuvent exiger du liquide. Il est possible de se procurer des chèques de voyage en devise canadienne, qui seront souvent acceptés comme de l'argent liquide, à condition qu'ils soient contresignés et accompagnés d'un document d'identification. Certaines cartes de crédit permettent de retirer directement des dollars canadiens dans les guichets automatiques. Les banques sont ouvertes de 10 h à 15-16 h.

Une taxe provinciale de 6,5 % (« TVQ »), qui s'ajoute à une taxe fédérale de 7 % (« TPS »), s'applique à la majorité des biens et services. Les livres et les aliments ne sont taxés qu'à 7 % et les plats préparés ne sont pas taxés. Lorsqu'ils quittent le pays, les non-résidents peuvent récupérer les taxes payées sur leurs achats, à condition de conserver les factures, et en remplissant des formulaires pour chaque type de taxe, disponibles aux aéroports et dans certaines boutiques. Pour toute information sur les taxes, contacter Revenu Québec (*tél. 873 4692*).

● **Change**
Bank of America Canada
Ouvert tous les jours de 9 h 30 à 17 h.
1250 rue Peel, tél. (514) 393 1855
Thomas Cook
Ouvert tous les jours de 5 h 30 à 20 h 30 pour toutes les devises, de 5 h 30 à minuit pour les dollars américains.
Aéroport de Dorval, tél. (514) 636 3582

National Commercial
Ouvert du lundi au vendredi de 8 h à 17 h, les samedis de 8h à 15h.
1240 rue Peel, tél. (514) 879 1300

LIAISONS AVEC L'AÉROPORT

Jusqu'à l'été 1997, deux aéroports desservaient Montréal : l'aéroport international de Dorval, à l'ouest de la ville, par lequel transitaient les vols intérieurs et la plupart des vols vers l'Amérique du Nord ; l'aéroport international de Mirabel, à 55 km au nord-ouest de la ville, qui accueillait les vols en provenance et à destination des autres continents. Tous les vols intérieurs et internationaux arrivent désormais à Dorval, Mirabel ne conservant que certains charters.

Les Autocars Connaisseur (*tél. 934 1222*) effectuent des navettes entre Montréal, Mirabel (14,50 $) et Dorval (9 $). Plusieurs sociétés de taxi font également le trajet pour environ 25 $ à partir de Dorval et 55 $ à partir de Mirabel. Un service de limousine est désormais disponible entre l'aéroport de Dorval et le centre-ville de Montréal pour 40 $. A partir de Mirabel, Montréal Limousine Inc. (*tél. 333 5466*) assure le même service, pour environ 70 $. En voiture, le trajet de Mirabel à Montréal dure entre 45 et 60 mn, et de Dorval à Montréal de 20 à 30 mn.

A SAVOIR SUR PLACE

ORIENTATION

L'axe du boulevard Saint-Laurent divise la ville en un quartier est et un quartier ouest. Dos au fleuve, on est censé regarder le nord et, face à lui, le sud. En fait, ces directions sont une convention locale et ne correspondent pas aux directions géographiques réelles (l'ouest est en fait le nord-ouest, et l'est le sud-est). Les rues sont numérotées à partir du fleuve vers le « nord » ; dans le sens « est-ouest », la numérotation va en croissant de part et d'autre de la « Main » (principale), surnom du boulevard Saint-Laurent.

SE RENSEIGNER

Infotourist, principal office du tourisme de Montréal, et sa succursale du Vieux Montréal sont indiqués par des panneaux bruns portant un grand point d'interrogation. Tous diffusent d'excellentes cartes de la ville. Les retraités et les étudiants, pour lesquels la plupart des musées et des sites touristiques ont concocté des réductions, peuvent se renseigner chez Infotourist.

Bureau du tourisme et des congrès du Grand Montréal
1010 rue Sainte-Catherine Ouest, Suite 410, tél. (514) 844 4056, fax (514) 844 7141
Infotouriste
- 1001 rue du Square-Dorchester (angle de la rue Metcalfe), tél. (514) 873 2015
- Vieux Montréal, 174 rue Notre-Dame Est, tél. (514) 873 2015
Tourisme Québec
CP 979, Montréal H3C 2W3, tél. 1 800 363 7777

Pour les handicapés, le Bureau des congrès et des visiteurs de Montréal (*tél. (514) 844 4056, fax (514) 844 714*) diffuse un dépliant. Ou contacter :

Association régionale pour les loisirs des personnes handicapées de l'île de Montréal
525 Dominion, Suite 340, tél. (514) 933 2739
Institut national canadien pour les aveugles
1010 rue Sainte-Catherine Est, tél. (514) 284 2040
Institut Raymond Dewar
3600 rue Berri, tél. (514) 284 2581
Bibliothèque et centre de documentation pour les sourds-muets.
Bell Canada
Téléphones spéciaux pour malentendants. Appeler le *tél. 1 800 363 6511* (avec système d'aide auditive) ou le *tél. 1 800 363 6600* (sans aide auditive).
Keroul
4545 avenue Pierre-de-Coubertin, tél. (514) 252 3104
Propose de l'aide aux personnes handicapées.

POIDS ET MESURES

Depuis 1982, Le Canada a achevé sa conversion au système métrique. Les rapports météorologiques sont donnés en Celsius, l'essence est indiquée en litres, le lait et le vin en millilitres et en litres, les articles d'épicerie en grammes et en kilogrammes. Les mensurations pour les vêtements sont inscrites en centimètres, le tissu se vend au mètre et les panneaux routiers indiquent les vitesses et les distances en kilomètres. Néanmoins, de nombreux Canadiens utilisent l'ancien système britannique.

● **Longueur**

1 cm = 0,39 in (inch)	2,54 cm = 1 in
1 m = 3,38 ft (feet)	0,3048 m = 1 ft
1 km = 0,62 mi (mile)	1,609 km = 1 mi

● **Capacité**

1 l = 35 oz (33,8 US oz)
1 l = 0,22 gal (0,26 US gal)

● Température

$0\,°C = 32\,°F$ et $212\,°F = 100\,°C$

Pour convertir les Celsius en Fahrenheit, multipliez par 9, divisez par 5 et ajoutez 32.

Pour convertir les Fahrenheit en Celsius, soustrayez 32 des degrés Fahrenheit, multipliez par 5 et divisez par 9.

● Superficie

1 ha = 2,47 acres	0,405 ha = 1 acre
1 km² = 0,3861 mi²	2,59 km² = 1 mi²

● Poids

1 kg = 2,2046 lbs (pounds)	0,454 kg = 1 lb

COURANT ÉLECTRIQUE

Le courant est en 110 V au Canada (au lieu du 220 V en Europe) et la fréquence utilisée est de 60 Hz, au lieu de 50 Hz. En conséquence, munissez-vous d'un transformateur-adaptateur pour vos appareils électriques.

HEURES D'OUVERTURE

Bureaux de poste, banques, bureaux et musées ouvrent de 9 h à 17 h. La plupart des magasins sont ouverts du lundi au mercredi de 10 h à 18 h, le jeudi et vendredi de 10 h à 21 h, le samedi de 10 h à 17 h et ferment le dimanche (à l'exception des supermarchés et des centres d'achats – ou centres commerciaux).

FÊTES ET JOURS FÉRIÉS

Jour de l'an : 1ᵉʳ janvier.
Vendredi saint
Lundi de Pâques
Fête de la Reine : 3ᵉ lundi de mai.
Saint-Jean-Baptiste (fête nationale des Québécois) : 24 juin.
Fête nationale du Canada : 1ᵉʳ juillet.
Fête du Travail : 1ᵉʳ lundi de septembre.
Action de grâces : 2ᵉ lundi d'octobre.
Jour du Souvenir : 11 novembre
(seuls les services gouvernementaux fédéraux et les banques sont fermés).
Noël : 25 et 26 décembre.

POURBOIRES

Il convient de laisser un pourboire équivalant à 10-15 % de la note aux serveurs et aux chauffeurs de taxi. De rares restaurants incluent le pourboire dans la note, mais en général il faut l'ajouter soi-même à l'addition. Pour les porteurs, on donne 1 $ par bagage. Pour les portiers d'hôtel ayant appelé un taxi ou effectué d'autres tâches, il faut donner 1 $.

POSTES ET TÉLÉCOMMUNICATIONS

● Courrier

En plus des postes, on peut se procurer des timbres dans des machines placées dans les aéroports, les gares routières et les hôtels. Il est possible de recevoir du courrier en poste restante au bureau de poste situé *1025 rue Saint-Jacques*. American Express (*1141 boulevard Maisonneuve Ouest*) réceptionne le courrier de ses clients.

Poste centrale
1025 rue Saint-Jacques, tél. (514) 846 5390
Du lundi au vendredi, de 8 h à 17 h 45.
Autres bureaux de poste :
1250 rue University, tél. (514) 395 4539
Ouvert du lundi au mercredi, de 8 h à 17 h 45,
les jeudi et vendredi de 8 h à 21 h,
les samedis de 9 h 30 à 17 h.
1250 rue Sainte-Catherine Est, tél. (514) 522 3220
Ouvert du lundi au vendredi de 9 h à 17 h 30.

● Téléphone

Un appel local à partir d'un téléphone public coûte 25 cents (gratuit d'un poste privé). Les cartes téléphoniques sont vendues dans les téléboutiques (*place Alexis-Nihon, 1500 Atwater*, et *place Dupuis, 1475 Saint-Hubert – tél. 1 800 363 2609*), les kiosques à journaux, ainsi que divers magasins, au prix de 10, 20 et 50 $. L'indicatif de Montréal et de sa région est le 514 (en 1998, certaines zones se verront attribuer le 540). Pour la France, faire le 011 + 33, pour la Belgique le 011 + 32, et pour la Suisse le 011 + 41.

Antipoison : *1 800 463 5060*
Consommateurs : *1 800 567 8552*
Informations touristiques : *873 2015*
Météo : *283 4006*
Renseignements : *411*
Urgences médicales et police : *911*

● Télégrammes et télex
CNCP Télécommunications
740 rue Notre-Dame Ouest, tél. 861 7311
Renseignements téléphoniques 7 jours/7 de 8 h à 23 h 30, ou aux guichets la semaine de 8 h à 16 h 30.

HÔPITAUX, PHARMACIE ET DENTISTE

● Hôpitaux
Centre hospitalier J.-Henri-Charbonneau
3095 rue Sherbrooke Est, tél. 523 1173
Centre hospitalier Jacques-Viger
1051 rue Saint-Hubert, tél. 842 7181
Centre hospitalier Saint-Charles-Borromée
66 boulevard René-Lévesque Est, tél. 861 9331

Hôpital Catherine-Booth
4375 rue Montclair, tél. 481 0431
Hôpital général juif
3755 chemin de la Côte-Sainte-Catherine,
tél. 340 8222
Hôpital Maisonneuve-Rosemont
5415 boulevard de l'Assomption, tél. 252 3400
Hôpital général de Montréal
1650 avenue Cedar, tél. 937 6011
Hôpital Royal Victoria
687 rue Pine Ouest, tél. 842 1231
Hôpital Saint-Luc
1058 rue Saint-Denis, tél. 281 2121
Hôpital Villa Medica
225 rue Sherbrooke Est, tél. 288 8201

● **Pharmacie Jean Coutu**
Ouverte 24h/24.
1370 avenue Mont-Royal Est, tél. 527 8827

● **Clinique dentaire**
Ouverte 24 h/24.
3546 rue Van Home, tél. 342 4444

SÉCURITÉ

Montréal est une ville sûre. Cependant, il faut être vigilant le soir rue Sainte-Catherine Est, où sont concentrés les sex-shops, et dans les parcs Mont-Royal et Lafontaine. Il est conseillé de mettre son argent ou ses biens de valeur dans les coffres-forts des hôtels.

MÉDIAS

Les grands quotidiens de Montréal sont *La Presse*, *The Gazette* et le populaire *Le Journal de Montréal*, réputé pour ses pages sportives. Trois hebdomadaires gratuits donnent le programme des activités culturelles : *Voir* (français), *Mirror* et *Hour* (anglais), qu'on trouve dans les restaurants, boutiques et magasins de journaux.

COMMENT SE DÉPLACER A MONTRÉAL

EN VOITURE

Les grandes compagnies de location de voitures, outre leurs bureaux dans le centre-ville, ont des comptoirs dans les aéroports et grands hôtels. Les tarifs varient selon la compagnie, le modèle du véhicule et la durée de location. La voiture est fournie avec un plein et une assurance. La taxe sur la location est de 10 %.

● **Quelques agences de location**
Avis
1225 rue Metcalf,
tél. 866 7906 ou tél. 1 800 879 2847
Ouvert du lundi au vendredi de 7 h à 22 h, le samedi de 7 h à 20 h, le dimanche de 8 h à 22 h.
Budget
Gare centrale, 895 rue de La Gauchetière Ouest,
tél. 1 800 268 8900
Du lundi au vendredi de 7 h à 21 h 30, les week-ends de 9 h à 17 h.
Hertz
1475 rue Aylmer, tél. 842 8537 ou
tél. 1 800 263 0600
Ouvert de lundi à vendredi de 7 h à 21 h, les week-ends de 8 h à 21 h.
Thrifty/Viabec
1600 rue Berri, Suite 9, tél. 845 5954
Ouvert de lundi à vendredi de 7 h 30 à 20 h 30, les week-ends de 8 h à 17 h.
Tilden
1200 rue Stanley, tél. 878 2771
ou 1 800 387 4747
Ouvert tous les jours de 7 h à 23 h.
Via Route
1255 Mackay, tél. 871 1166
Ouvert du lundi au vendredi de 7 h à 21 h, le samedi de 7 h 30 à 17 h, le dimanche de 9 h à 21 h.

EN TAXI

Le tarif est de 1$ le kilomètre (minimum : 2,25 $). La lumière orange ou blanche indique un taxi libre.

● **Quelques compagnies de taxis**
Champlain : *tél. 273 2435*
Coop : *tél. 725 988*
La Salle : *tél. 277 2552*
Vétérans : *tél. 2736351*

EN AUTOBUS

Le réseau de bus dessert toute l'île de Montréal, Laval au nord, et Longueil au sud. Les arrêts sont au coin des rues. A défaut de ticket, il faut avoir de la monnaie sur soi.

● **Informations**
Tél. 288 6287
De 7 h à 20 h 30 du lundi au vendredi, et de 8 h 30 à 16 h 30 les week-ends et jours fériés.

EN MÉTRO

Le métro fonctionne de 5 h 30 à 1 h du matin. Aux heures de pointe, les rames se succèdent toutes les trois minutes sur les lignes les plus fréquentées. Comme à Paris, les lignes, de couleurs différentes, sont indiquées par leur terminus. Il y a 65 stations, réparties le long d'un axe nord-sud et d'un axe est-ouest. Un billet coûte 1,85 $, les « lisières » (carnets) de douze billets 16 $ et les abonnements mensuels 45 $. Des plans gratuits sont disponibles dans les kiosques de vente de billets (renseignements : *tél. 288 6287*)

EXCURSIONS THÉMATIQUES

● Montréal vue du ciel
Delco Aviation
Tél. 663 4311
Tous les jours de 8 h à 20 h.
Survol de Montréal en hydravion. La société propose également d'autres destinations. Le vol coûte 200 $ (de 1 à 5 personnes).

● Excursions fluviales
Amphi Tour
Vieux-Port, tél. 386 1298
Du 1ᵉʳ mai au 31 octobre, de 10 h à minuit.
On prend place dans l'*Amphibus*, un bus amphibie se déplaçant sur terre et sur fleuve.
Bateau-Mouche
Tél. 849 9952 ou tél. 1 800 361 9952
De mai à octobre.
Excursion d'une heure ou dîner-croisière (trois heures).
Croisières Bellevue
Départ des écluses de Sainte-Anne-de-Bellevue, tél. 455 4036 ou 457 5245
De mai à fin septembre, tous les jours sauf lundi, à 13 h 30, 15 h 30 et 19 h 30.
Croisières Nouvelle-Orléans
Tél. 842 7655 ou tél. 1 800 667 3131
Croisières à bord d'une réplique d'un bateau à aubes du Mississippi. Souper-croisière dansant.
Croisières du Port-de-Montréal
Départs du quai de l'Horloge et du quai Jacques-Cartier, tél. 842 3871 ou tél. 1 800 667 3131
De mai à octobre.
Souper-croisière dansant avec découverte du fleuve. Réserver.
Expédition sur les rapides de Lachine/ Saute-Moutons
Départ du quai de l'Horloge, tél. 284 9607
L'été de 10 h à 18 h.
Pendant près d'une heure et demie, descente en hors-bord des rapides de Lachine. Environ 50 $ par personne. Tarifs de groupe. Réserver.

● Excursions en bus
Gray Line
1001 rue du Square-Dorchester au centre Infotouriste, tél. 934 1222

Guidatour
Tél. 844 4021
Guides touristiques Hertz
Tél. 739 7454
Taxis Lasalle
Tél. 277 2552
Visites de Montréal
Tél. 933 6674

● Promenades en calèche
Calèches Biosvert
Départs de la rue Notre-Dame, du square Dorchester, du parc Mont-Royal, des places d'Armes et Jacques-Cartier, tél. 653 0751
Environ 50 $ par heure.

● Promenades à pied
Héritage Montréal
Tél. 875 2985
A la découverte de l'architecture montréalaise.
Step on Guides
Tél. 935 5131
Visites guidées de trois heures du Vieux Montréal et de la ville souterraine.

POUR MIEUX CONNAÎTRE MONTRÉAL

GOUVERNEMENT DU CANADA

Le pouvoir réel est entre les mains du Premier ministre, qui réside à Ottawa, la capitale. Chef du parti majoritaire au Parlement, il dirige le cabinet composé de parlementaires de ce parti. Le régime parlementaire canadien est bicaméral, avec une Chambre des députés de 282 membres élus et un Sénat de 104 membres nommés.

Le Sénat est essentiellement un organe délibératif avec très peu de pouvoir. A la Chambre des députés, le multipartisme est de rigueur : Parti libéral, auquel appartient Pierre Elliott Trudeau, Nouveau parti démocratique, Bloc québécois, etc.

Le Canada est un État fédéral, le gouvernement national et les provinces se partageant le pouvoir. Le gouvernement fédéral d'Ottawa est responsable de la Défense, du Commerce et des Affaires étrangères, des Finances, de la Justice criminelle, des Pêcheries, etc. Les gouvernements national et provinciaux se partagent l'agriculture et supportent ensemble la charge de l'indemnisation du chômage.

Les institutions provinciales sont de type parlementaire, mais sans chambre haute. Responsables de la santé, de l'éducation, des ressources naturelles et des routes, les provinces disposent d'un pouvoir important, certainement plus étendu que celui d'un État américain, et les lois diffèrent d'une province à l'autre, qu'il s'agisse des limites de vitesse sur route ou des taxes.

MONTRÉAL : GÉOGRAPHIE ET POPULATION

Située dans la province du Québec, au confluent de l'Outaouais et du Saint-Laurent, Montréal occupe une île de 40 km de long et 16 km de large, dominée par le mont Royal.

Deuxième ville du Canada après Toronto, Montréal est, avec deux tiers de francophones et 3,1 millions d'habitants, la plus grande métropole parlant français après Paris. Les anglophones, au nombre de 500 000, représentent 15 % de la population.

Le reste de la population, soit 15 %, sont des allophones, immigrés plus ou moins récents qui sont de plus en plus nombreux à opter pour le français comme langue quotidienne et viennent de toutes les parties du monde : Juifs d'Europe de l'Est, d'Afrique du Nord, Italiens, Haïtiens, Irlandais, Chinois, Libanais, Vietnamiens, Grecs, Portugais et quelques Français de France. Montréal est dirigée par un maire, un conseil municipal de 56 membres élus pour une durée de quatre ans, ainsi qu'un comité exécutif de 6 membres nommé par le conseil.

SHOPPING

De l'artisanat inuit aux mocassins amérindiens, en passant par les produits de l'érable, les chemises à carreaux des bûcherons, les chandails des Canadiens ou les casquettes aux couleurs des Expos (les plus grandes équipes du pays en hockey sur glace et en base-ball), les tentations québécoises ne manquent pas.

Les maisons victoriennes de la rue Sherbrooke et l'ancien Mille Carré Doré, quartier huppé du flanc sud du mont Royal, abritent de nombreuses galeries d'art. Les objets artisanaux québécois sont vendus par les boutiques de la rue Saint-Paul (Vieux Montréal), dans les magasins le Rouet ou à la Guilde canadienne des métiers d'arts (rue Peel).

La rue Prince-Arthur est une rue piétonne bordée de restaurants grecs, vietnamiens et italiens. Quant à la rue Crescent, elle est réputée pour ses galeries d'art, ses magasins d'antiquités, ses bijouteries, ses boutiques de cadeaux et ses restaurants. La rue Notre-Dame, à l'est de la rue Atwater, regorge d'antiquaires spécialisés dans les meubles victoriens et les antiquités euro-

péennes. Les jeunes créateurs québécois ont pignon sur rue principalement rue Sainte-Catherine (Ogilvy's), places Ville-Marie et Montreal Trust, rue Sherbrooke (Holt Renfrew), ou dans les centres commerciaux de Westmount Square et de Rockland – les quartiers huppés anglophones de Westmount.

Pour les fouineurs à la recherche de bonnes occasions, les surplus d'usine de la rue Chabanel, à l'ouest du boulevard Saint-Laurent, sont une providence – les hauts immeubles regorgent de jeans, maillots de bain, lingerie, pulls, etc. Le jour des habitués est le samedi matin. Le dimanche, la rue Notre-Dame, à l'est de la rue McGill, dans le Vieux Montréal, est une véritable foire aux vêtements d'occasion.

Dans la rue Laurier, à Outremont, le quartier chic francophone accroché sur le flanc nord du mont Royal, les boutiques ont la réputation d'être toujours à la pointe de la mode européenne, qu'il s'agisse de vêtements, d'alimentation ou de décoration (c'est ici que le pâtissier Lenôtre a ouvert sa première boutique en Amérique du Nord).

La rue Saint-Denis, au cœur du quartier Latin, avec ses terrasses de café et de restaurant, est fréquentée par les étudiants et les amateurs de décoration pour ses boutiques de design. A ne pas manquer Arthur Quentin et, pour les amateurs de café, La Brûlerie. La plaza Saint-Hubert est fréquentée par les familles grecques, italiennes et arabes des environs. Le centre déborde d'activité au printemps, période des mariages.

Boulevard Saint-Laurent, les épiceries chinoises sont réputées ; les restaurants grecs sont désormais rares, la communauté s'étant déplacée vers l'avenue du Parc et la rue Jean-Talon, ils ont été remplacés par les Portugais, avec leurs boutiques de vêtements et de céramiques.

Au nord de la rue Sherbrooke, de nombreuses boutiques proposent des produits d'Europe de l'Est. A ne pas manquer, le Montreal Pool Room, pour ses saucisses, et chez Schwartz's, pour ses sandwichs à la viande fumée. Plus au nord, autour de la rue Jean-Talon se trouve la Petite Italie avec ses *espressos*, ses *gelateria* (glaciers) et ses *pasticerie* (pâtisseries) ; le marché Jean-Talon est une attraction appréciée, où l'on peut se procurer des saris, des tchadors et des chemises à col Mao.

● Quelques adresses
Complexe Desjardins

2 complexe Desjardins, tél. 281 1870
Avec ses nombreuses boutiques, bars et cinémas, ce centre commercial souterrain est décoré de fontaines, d'arbres et de cascades et accueille des activités culturelles.

Faubourg Sainte-Catherine
1616 rue Sainte-Catherine Ouest, tél. 939 3663
Restauration rapide de tous les coins du monde, boutiques de fruits, de fromages et de produits d'importation.

Grand magasin Eaton's
677 rue Sainte-Catherine Ouest, tél. 284 8484
Fondé en 1869, réputé pour sa qualité et ses prix. Au dernier étage, le restaurant vaut un détour pour sa décoration Arts déco, reproduction de la salle à manger du paquebot Ile-de-France.

Grand magasin Holt Renfrew
1300 rue Sherbrooke Ouest, tél. 842 5111
Mode huppée pour hommes et femmes, par des créateurs européens, canadiens et américains.

Grand magasin la Baie
585, rue Sainte-Catherine Ouest, tél. 281 4422
Grand magasin proposant des articles de qualité, la Baie tient son nom de la célèbre Compagnie de la baie d'Hudson.

Grand magasin Ogilvy
1307 rue Sainte-Catherine Ouest, tél. 842 7711
Grand magasin de luxe.

Marché Atwater
138 rue Atwater, tél. 937 7754
Très animé le week-end, quand 60 agriculteurs viennent y vendre les produits de leur ferme.

Marché Jean-Talon
7075 rue Casgrain, tél. 937 7754
Célèbre pour ses fromageries, ses poissonniers et ses bouchers. Plus de 100 producteurs viennent y vendre leurs produits.

Marché Maisonneuve
4375 rue Ontario Est, tél. 937 7754
Marché extérieur ouvert de mai à octobre.

Marché Saint-Jacques
Angle Amherst et Ontario, tél. 937 7754
Ouvert toute l'année, on y trouve des fruits et des légumes au printemps et en été, des fleurs et des plantes en automne et en hiver.

Place Bonaventure
Tél. 397 2205
Centre commercial souterrain avec restaurants, cinémas, banques, poste, supermarché et 135 boutiques.

Place Montréal Trust
Rues McGill College et Sainte-Catherine, tél. 843 8000
Cinq étages de boutiques et services. Accès direct au métro.

ACTIVITÉS CULTURELLES

Une activité culturelle permanente règne à Montréal. L'été est la saison des festivals. Le Vieux Port est devenu une zone de loisirs, sans cesse animée par des manifestations artistiques. Toute l'année, théâtres, musées, galeries d'art, cinémas, opéras, salles de concerts, boîtes à chansons proposent un programme qui fait de Montréal la seconde capitale culturelle de la francophonie.

MUSÉES, MONUMENTS ET DIVERS

Basilique Notre-Dame
Place d'Armes, tél. 849 1070
En semaine et samedi : de 8h30 à 18h d'octobre à juillet, de 8h30 à 20h de juillet à octobre. Le dimanche : de 13h30 à 18h d'octobre à juillet, de 13h30 à 20h de juillet à octobre.
Concerts toute l'année. Visites organisées de juillet à octobre.

Biodôme
4777 avenue Pierre-de-Coubertin, tél. 868 3000
Ouvert tous les jours de 9h à 18h.
Quatre écosystèmes y sont reconstitués : forêt tropicale, forêt laurentienne, Saint-Laurent et monde polaire.

Biosphère
Parc-des-Îles, île Sainte-Hélène, tél. 283 5000 ou tél. 496 8300
Ouvert de 10h à 17h, du mardi au dimanche. Gratuit pour les enfants de moins de 6 ans. Musée sur le Saint-Laurent et les Grands-Lacs.

Casino de Montréal
1 avenue du Casino, île Notre-Dame, tél. 392 2746
Ouvert tous les jours 24h/24.
Les 4 étages du pavillon de la France d'Expo 67 abritent aujourd'hui un casino. Plus de 2500 bandits manchots, jeux électroniques, blackjack, roulette, baccarat. Jeans et chaussures de sport interdits. De nombreux hôtels proposent des forfaits pour le casino.

Centre canadien d'architecture
1920 rue Baile, tél. 939 7000
Du mercredi au vendredi de 11h à 18h, jeudi de 11h à 20h, samedi et dimanche de 11h à 17h.
Près de 20000 gravures et dessins, 45000 photos d'architecture.

Centre d'histoire de Montréal
335 place d'Youville, tél. 872 3207
Du 6 mai au 21 juin, ouvert tous les jours de 9h à 17h; du 22 juin au 8 septembre, tous les jours de 10h à 17h; du 9 septembre au 8 décembre, du mardi au dimanche de 10h à 17h.
Petite histoire de Montréal de 1642 à nos jours.

Chapelle Notre-Dame-de-Bonsecours
400 rue Saint-Paul Est, tél. 845 9991
Du 1er novembre au 30 avril, ouverte de 10h à 15h; du 1er mai au 31 octobre de 9h à 17h.
Église des marins, la chapelle Notre-Dame-de-Bonsecours a été érigée sur l'emplacement d'une

chapelle en bois construite sous l'impulsion de Marguerite Bourgeoys en 1657. Belle vue de la plate-forme de la chapelle aérienne.

Jardin botanique et insectarium
4101 rue Sherbrooke Est, tél. 872 1400
Les jardins sont ouverts de 8 h au coucher du soleil. Les serres sont ouvertes de 9 h à 18 h, la boutique de 10 h à 17 h.
Troisième jardin du monde après Londres et Berlin, ses 73 ha accueillent un magnifique jardin japonais, avec ses serres d'exposition et la plus grande collection de bonzaïs et de penjings hors d'Asie. Dans l'insectarium, on peut voir près de 350 000 spécimens issus du monde entier. Des expositions sont organisées à Noël, à Pâques et à Halloween.

Monde virtuel
2 complexe Desjardins, tél. 281 1870
Ouvert du dimanche au mercredi, de 12 h à 24 h ; du jeudi au samedi, de 12 h à 1 h du matin.
Centre thématique avec cabines de pilotage individuelles et jeux tridimensionnels et interactifs.

Musée d'Art contemporain de Montréal
185 rue Sainte-Catherine Ouest, tél. 847 6226 et tél. 847 6906 (centre de référence)
Ouvert du mardi au dimanche de 10 h à 18 h, et le mercredi de 11 h à 21 h. Le centre de « référence » (de documentation) ferme tous les jours à 17 h et n'est pas ouvert le week-end.
Œuvres d'art d'après 1940.

Musée des Arts décoratifs
Château Dufresne, 2929 rue Jeanne-d'Arc, tél. 259 2575
Ouvert du mercredi au dimanche de 11 h à 17 h. Fermé le lundi et le mardi.
Dans un hôtel particulier de style Beaux-Arts, collection de design international rassemblé par Liliane et David Stewart à partir de 1940. Expositions sur les meubles, la verrerie, les textiles et la céramique. Gratuit pour les enfants de moins de 12 ans.

Musée d'art de Saint-Laurent
615 boulevard Sainte-Croix, Saint-Laurent, tél. 747 7367
Ouvert du jeudi au dimanche de 13 h à 17 h, le mercredi de 13 h à 21 h. Fermé lundi et mardi.
Aménagé dans l'ancienne chapelle du collège Saint-Laurent. Abrite une collection permanente d'objets et artisanat du Québec, sculptures en bois, tissus traditionnels et art amérindien. Des concerts y sont organisés le dimanche.

Musée des Beaux-Arts de Montréal
1379 rue Sherbrooke Ouest, tél. 285 1600
Pavillon sud : ouvert du mardi au dimanche de 11 h à 18 h, et jusqu'à 21 h le mercredi, jeudi et vendredi du 11 mai au 15 octobre. Pavillon nord, ouvert du mardi au dimanche de 11 h à 18 h, et le mercredi jusqu'à 21 h du 11 mai au 15 octobre.

Fondé en 1860, ce musée est le plus ancien du Canada. Collection d'art canadien et québécois, gravures, sculptures, tableaux, meubles et argenterie. Expositions temporaires sur les grands maîtres de la peinture. Conférences, films, et concerts dans l'auditorium. Ateliers. Activités spéciales pour les enfants et visites guidées.

Musée ferroviaire canadien
122 rue Saint-Pierre, Saint-Constant, tél. 632 2410
Ouvert tous les jours du 5 mai au 2 septembre, de 9 h à 17 h ; du 2 septembre au 20 octobre, fermé les week-ends et jours fériés.
Locomotives à vapeur, trams, etc. Le musée organise des tours en tram tous les jours et en train le dimanche.

Musée du château Ramezay
280 rue Notre-Dame Est, tél. 861 7182
Ouvert tous les jours, du 1er juin au 30 septembre, de 10 h à 18 h, tous les jours sauf le lundi, du 1er octobre au 1er juin, de 10 h à 16 h 30.
Installé dans une demeure de 1705, ce musée ethnographique présente des expositions sur les objets, les peintures et les costumes de la Nouvelle-France.

Musée David M.-Stewart
Fort de l'Ile-Sainte-Hélène, tél. 861 6701
Ouvert tous les jours de 10 h à 17 h. Fermé les mardis de septembre à avril.
Musée d'histoire canadienne, collection unique d'armes à feu, de cartes anciennes, d'instruments de navigation, d'instruments scientifiques et d'objets usuels des colons de la Nouvelle-France.

Musée Marc-Aurèle-Fortin
118 rue Saint-Pierre, tél. 845 6108
Ouvert du mardi au dimanche, de 11 h à 17 h.
Consacré à l'œuvre du peintre québécois Marc-Aurèle Fortin, organise des expositions sur les peintres québécois.

Musée Marguerite-Bourgeoys
Au sous-sol de la chapelle Notre-Dame-de-Bonsecours, 400 rue Saint-Paul Est, tél. 845 9991
Ouvert tous les jours sauf le lundi. Du 1er mai au 31 octobre, ouvert de 9 h à 16 h 30 ; du 1er novembre au 30 avril, ouvert de 10 h à 15 h.

Musée Marguerite-d'Youville
1185 rue Saint-Mathieu, tél. 932 7724
Ouvert du mercredi au dimanche, de 13 h 30 à 16 h. Entrée gratuite.
Objets religieux, meubles et objets d'art datant du début de la colonisation. La tombe de Marguerite d'Youville s'y trouve.

Musée McCord d'histoire canadienne
690 rue Sherbrooke Ouest, tél. 398 7100
Ouvert le mardi, mercredi et vendredi, de 10 h à 18 h, le jeudi de 10 h à 21 h, le samedi et dimanche de 10 h à 17 h.

ACTIVITÉS CULTURELLES 235

L'un des plus importants musées d'histoire du Canada. Présente des collections de tableaux, gravures, dessins, tissus, arts décoratifs, etc. du XVIIIe siècle à nos jours.

Musée Notre-Dame
Basilique, 110 rue Notre-Dame Ouest.
Ouvert le week-end de 9 h 30 à 16 h.
Objets, habits et tableaux religieux.

Musée de la Pointe-à-Callière
Vieux Montréal, 350 place Royale,
tél. (514) 872 9150
Ouvert pour le 350e anniversaire de Montréal, il présente l'histoire de la ville ; son sous-sol permet de découvrir l'ancien cimetière, le lit à sec d'une petite rivière, une crypte archéologique. L'ancienne douane, raccordée au musée, termine le parcours.

Musée Redpath
859 rue Sherbrooke Ouest, tél. 398 4087
Ouvert du lundi au vendredi de 9 h à 17 h, le dimanche de 13 h à 17 h. Fermé le vendredi de juin à septembre. Entrée gratuite
Musée d'histoire naturelle abritant des animaux modernes et préhistoriques et une collection anthropologique.

Musée de la ville de Lachine
110 chemin La Salle, Lachine, tél. 634 3471
Ouvert du mercredi au dimanche, de 11 h 30 à 16 h 30. Entrée gratuite.
Dans un ancien comptoir de traite des fourrures (1669), ce joli musée regroupe des objets et meubles de la Nouvelle-France et illustre l'histoire de Lachine.

Parc et ferme Angrignon
Tél. 872 4689 ou tél. 872 3816
Ferme ouverte tous les jours, de juin à la Fête du Travail (1er lundi de septembre). Entrée gratuite.
Le parc est ouvert toute l'année.
La ferme regroupe plus de 100 animaux. Visites guidées et activités pour les enfants. En hiver, on y fait du ski de fond ou du patin à glace.

Oratoire et musée Saint-Joseph
3800 rue Queen Mary, tél. 733 8211
Oratoire ouvert tous les jours de 6 h à 21 h 30, entrée gratuite. Musée ouvert tous les jours de 10 h à 17 h. Les dons sont les bienvenus.

Parc d'attraction de la Ronde
Ile-Sainte-Hélène, tél. 872 4537
ou 1 800 3618020

Parc du Mont-Royal
Voie d'accès : chemin Camillien-Houde ou
rue Remembrance, tél. 872 6559
Les 200 ha de ce parc, d'où s'ouvre une magnifique vue sur Montréal et la plaine du Saint-Laurent, constituent l'un des lieux de détente favori des Montréalais. Plusieurs activités récréatives, allant du ski de fond à l'observation des oiseaux, y sont organisées.

Parc olympique
3 200 Viau, tél. 252 8687
Site des jeux Olympiques de 1976, le parc olympique comprend la plus haute tour inclinée du monde, un stade où joue l'équipe de baseball de Montréal (les Expos) et où sont organisés des concerts de rock, ainsi qu'une piscine publique.

Planétarium de Montréal
1000 rue Saint-Jacques Ouest, tél. 872 4530
Ouvert de 12 h 30 à 20 h 30. Réservations spéciales pour les handicapés.
Les étoiles sont projetées sur un dôme de 20 m de diamètre. Des spectacles thématiques sont présentés pendant plusieurs mois.

GALERIES D'ART

Centre d'Art Morency
2180 rue de la Montagne, tél. 845 6442
Art primitif, traditionnel et contemporain.

Guilde canadienne des métiers d'art Québec
2025 rue Peel, tél. 849 6091
Art inuit et artisanat canadien (verre soufflé, porcelaine et céramique).

Galerie Dominion
1438 rue Sherbrooke Ouest, tél. 845 7471
Tableaux et sculptures canadiens et internationaux des XIXe et XXe siècles.

Galerie Simon Blais
4521 rue Clark, tél. 849 1165
Art canadien contemporain

Optica
3981 Saint-Laurent, tél. 287 1574
Art canadien contemporain

BALLETS, CONCERTS ET OPÉRAS

Des concerts de musique classique aux spectacles de musiques du monde, la scène montréalaise est très active.

● Ballets
Les Grands Ballets canadiens
Tél. 849 8681
Répertoire classique ou chorégraphies et musiques d'auteurs canadiens.

● Opéra
Opéra de Montréal
Place des Arts, salle Willfried Pelletier,
tél. 985 2258
Présente de 4 à 5 opéras par an. Considéré comme l'un des 10 meilleurs opéras d'Amérique du Nord.

● Musique classique
Orchestre de chambre de l'université McGill
Se produit place des Arts et dans l'église
Saint-Jean-Baptiste, tél. 487 5190
L'un des plus anciens ensembles de la ville.

Orchestre métropolitain de Montréal
Se produit au théâtre Maisonneuve, tél. 598 0870
Orchestre de jeunes musiciens.
Orchestre symphonique de Montréal
Se produit sur la place des Arts et dans les parcs de la ville en été, tél. 842 3402
Dirigé par Charles Dutoit.

THÉÂTRE

● **Théâtres anglophones**
Centaur Theater
453 rue Saint-François-Xavier, tél. 288 3161
Saidye Bronfman Center
5170 chemin de la Côte-Sainte-Catherine, tél. 739 2301

● **Théâtres francophones**
Théâtre Saint-Denis
1594 rue Saint-Denis, tél. 849 4211
Théâtre d'aujourd'hui
3888 rue Saint-Denis, tél. 282 3908
Théâtre de la Chapelle
3700 rue Saint-Dominique, tél. 843 7738
Théâtre du Nouveau Monde
84 rue Sainte-Catherine Ouest, tél. 866 8667
Théâtre du Rideau Vert
4664 rue Saint-Denis, tél. 845 0267
Théâtre de Quat' Sous
100 rue des Pins Est, tél. 845 7277

CINÉMA

Voici une sélection de salles où l'on peut donc voir autre chose que les productions holywoodiennes qui règnent sur les écrans.

Cinéma Imax
Vieux Port de Montréal, angle des rues Saint-Laurent et de la Commune
Films en trois dimensions.
Cinéma du Parc
3575 Park, tél. 287 7272
Cinéma Ouimetoscope
1204 rue Sainte-Catherine Ouest, tél. 525 8600
Cinémathèque québécoise
335 bd de Maisonneuve Est, tél. 842 9763

BIBLIOTHÈQUES

● **Bibliothèque centrale de Montréal**
1210 rue Sherbrooke Est, tél. 872 5923
● **Bibliothèque nationale du Québec**
Édifice Aegidius Fauteux, *4499 avenue de L'Esplanade, tél. 873 4404*
Édifice Marie-Claire Daveluy,
125 rue Sherbrooke Ouest, tél. 873 0270

Édifice Saint-Sulpice
1700 rue Saint-Denis, tél. 873 4553
Collections spéciales et archives privées
125 rue Sherbrooke Ouest, tél. 873 1100

FESTIVALS

Le calendrier des festivals est disponible dans les centres d'information touristique, comme Infotouriste, ou à la Société des fêtes et festivals du Québec (*tél. 252 3037*).

● **Janvier–Février**
Fête des Neiges
Tél. 872 4537
Mi janvier à début février.
Sculptures de glace, compétitions de ski de fond, courses de traîneaux à chiens, en canoë, etc.

● **Avril**
Festival de théâtre des Amériques
Tél. 842 0704

● **Mai**
Festival international de feux d'artifice
Pour tout renseignement, tél. 872 6093.
Festival international du théâtre pour enfants du Québec
Festival international du cinéma pour les jeunes
Meeting aérien de Montréal
Festival international de Montréal du film chinois
Festival international du mime de Montréal
Complexe Desjardins et rue Saint-Denis.
Jour des musées
Portes ouvertes dans 16 des musées de la ville.
Carnaval

● **Juin**
Francofolies de Montréal
Chanson francophone internationale
Antiques Bonaventure
Journée des antiquaires
Mondial de la bière
Dégustation de plus de 250 marques de bières.
International Benson and Hedges
Concours de feux d'artifice.
Carifête
Festival de danse et musique des Caraïbes
Festival du Nouveau Cinéma de Montréal
Fringe Festival
Œuvres théâtrales de jeunes artistes internationaux.
Saint-Jean-Baptiste
Le 24 juin. Fête nationale du Québec.
Festival de Danse folklorique de Lachine
La Classique cycliste de Montréal
Le tour de l'île de Montréal

Grand Prix Molson
Championnat de formule 1.
Concours international de musique de Montréal
Rendez-vous mondial du cerf-volant.

● **Juillet**
Festival de Folklore du monde
de Drummondville
Festival Juste pour rire
Festival de musique de Lachine
Festival international de Lanaudière
Musique classique
Festival international de Jazz de Montréal

● **Août**
Omnium du Maurier
Tournoi international de tennis.
Festival des Montgolfières de Saint-Jean-sur-Richelieu
Festival des Automobiles de Lasalle
Fêtes gourmandes internationales de Montréal
Festival des films du monde
Rock sans frontière

● **Septembre**
Festival international de Nouvelle Danse
Les années impaires.
Marathon de l'Ile de Montréal
Marathon international de Montréal
Avec de très grands professionnels.
Festival international de rock de Montréal
Festival international de musique de Montréal
Musique classique

● **Octobre**
Festival de la Lune d'automne
Quartier chinois, début du mois
Début de la saison des Canadiens au centre Molson
Festival international du Nouveau Cinéma et de la Vidéo.
Festival international du Film scientifique
Festival des Musiques nouvelles de Montréal

SPORTS ET DÉTENTE

Pour toute information, contacter le département des Sports et des Loisirs de la ville de Montréal (*tél. 872 6211*).

BAIGNADE

De nombreuses piscines sont ouvertes au public, dont une sélection est donnée ci-dessous. Pour les autres piscines, appeler au *tél. 872 6211*.

Cégep du Vieux-Montréal
255 rue Ontario Est, tél. 872 1178
Bassin couvert.
Centre Claude-Robillard
1000 rue Émile-Journault, tél. 872 6900
Bassin couvert.
Université de Montréal
2100 boulevard Édouard-Montpetit,
tél. 343 6150
Bassin couvert.
Collège John-Abbott
21275 Lakeshore Rd, Sainte-Anne de Bellevue,
tél. 457 6610
Bassin couvert.
Parc olympique
4141 Avenue Pierre de Coubertin, tél. 2524737
Bassin couvert.
Ile-Sainte-Hélène
Tél. 872 6093
Bassin extérieur.

BASEBALL

Parc olympique
4141 avenue Pierre-de-Coubertin, tél. 253 3434 (informations), tél. 790 1245 (billets) ou tél. 1 800 361 4595
Billets adultes : de 7 à 28 $; billets enfants : de 5 à 26 $. C'est ici que jouent les Expos.

CHEVAL

● **Courses de chevaux**
Hippodrome de Montréal
7440 boulevard Décarie, tél. 739 2741
Ouvert le lundi, mercredi, vendredi et samedi à 19 h 30 ; dimanche à partir de 13 h 30 ; fermé le mardi et jeudi. C'est ici qu'ont lieu le Prix de l'Avenir et l'Amble Blue Bonnet. Billets pour le clubhouse et les tribunes : 4 $.

● **Randonnée équestres**
Québec à Cheval
Tél. 252 3005
Fédération équestre du Québec
Tél. 252 3055

COURSE À PIED

Le marathon international de Montréal a lieu en septembre. Le départ est donné du pont Jacques-Cartier, mais le tracé de la course varie selon les années (renseignements, *tél. 284 5272*).

COURSE AUTOMOBILE

Le Grand Prix Molson du Canada fait partie du circuit mondial des grands prix de formule 1.

L'événement se déroule en juin au circuit Gilles-Villeneuve, sur l'Ile-Notre-Dame *(tél. 392 0000)*.

FOOTBALL

Les matchs des Impacts de Montréal se déroulent le mercredi et vendredi au centre Claude-Robillard *(100 rue Émile-Journault, tél. 328 3668)*. Après l'été, l'équipe joue à l'intérieur selon des règles légèrement différentes. Billet pour adulte : 8 $; billet pour enfant de moins de 12 ans : 4 $. Abonnements : de 107 à 205 $.

FOOTBALL AMÉRICAIN

L'équipe des Alouettes joue au stade du parc olympique de juillet à novembre *(tél. 252 4141)*.

GOLF

Les terrains ci-dessous, situés près de Montréal, acceptent les non-membres :

Fresh Meadows Golf Club
505 Elm Avenue, Beaconsfield, tél. 697 4036
Neuf trous
Golf Dorval
2000 rue Reverchon, Dorval, tél. 631 6624
Réservations indispensables les week-ends. Trente-six trous.
Golf municipal de Brossard
4705 rue Lapinière. Brossard, autoroute 10 Est, sortie 9, tél. 676 0201
Golf municipal de Montréal
Rue Viau, au nord de Sherbrooke, tél. 872 4653
Accessible par métro. Réserver 24 h à l'avance.

HOCKEY SUR GLACE

Les légendaires Canadiens de Montréal ont été transférés du vieux Forum au nouveau centre Molson (visites guidées : *tél. 932 2582* ; billets : *tél. 790 1245*).

PATIN À GLACE

Les patinoires découvertes, et couvertes (21), sont nombreuses à Montréal. L'hiver, on patine sur l'Ile-Notre-Dame (l'une des plus grandes patinoires de la ville), ou dans les parcs Lafontaine, Angrignon et Mont-Royal.

ROLLER

Le roller fait de plus en plus d'adeptes à Montréal. Les patineurs sont interdits dans les rues mais tolérés sur la plupart des pistes cyclables. Les boutiques de location sont sur le Vieux-Port. Les pistes les plus agréables vont au canal de Lachine ou longent la rive sud du fleuve.

SKI

Le ski de fond est très populaire dans les parcs et jardins montréalais ou les pistes sont nombreuses (comme au jardin botanique). Pour le ski alpin, les débutants se lancent à l'assaut des pentes du mont Royal, du parc des Hirondelles et du parc Ignace-Bourget. Pour les plus avancés, les pistes les plus proches de Montréal se trouvent dans les Laurentides ou en Estrie. Pour de plus amples renseignements sur l'état des pistes et les conditions météorologiques, contacter Sports et loisirs *(tél. 872 6211)*.

TENNIS

Les parcs Somerled, Lafontaine, Jeanne-Mance et Kent disposent de courts publics. Pour tout renseignement, contacter Montréal Sports et activités récréatives *(tél. 872 6211)*. L'Omnium Du Maurier attire chaque année, en août, les meilleurs joueurs du monde au parc Jarry (billets et information, *tél. 2731515*).

VÉLO

Un réseau de pistes cyclables de 225 km couvre l'île de Montréal (cartes des pistes dans les magasins de sport). Les parcours les plus populaires sont ceux du canal de Lachine, du Vieux-Port, des rues Christophe-Colomb, Berri et Rachel, des parcs Angrignon et Mont-Royal.

● **Quelques adresses**
Bicycletterie J.R. Cyclery
151 Rachel Est, tél. 843 6989
Ouvert du lundi au mercredi de 9 h à 18 h, le jeudi et vendredi de 9 h à 21 h, le samedi de 10 h à 17 h, le dimanche de 10 h à 15 h.
La Cordée plein air
2159 rue Sainte-Catherine Est, tél. 524 1515
Ouvert du lundi au mercredi de 9 h 30 à 18 h, le jeudi de 9 h à 21 h, le samedi de 10 h à 17 h, le dimanche de 10 h à 17 h.
Quadricycle international
Tél. 849 9953
De juin à septembre, ouvert tous les jours de 9 h 30 à 24 h ; de septembre à octobre et d'avril à mai, ouvert les week-ends de 10 h 30 à 20 h.
Promenade dans le Vieux-Port.
Vélo Aventure
Tél. 847 0666
Ouvert du lundi au vendredi de 11 h à 18 h, le week-end de 9 h à 18 h.
Promenade dans le Vieux-Port.

Vélo Québec
La Maison des cyclistes, 1251 rue Rachel Est,
tél. 521 8356
Brochures, guides et informations sur les pistes cyclables.

La voile et le rafting se pratiquent de mai à septembre. Pour les pêcheurs, les environs de Montréal sont synonymes de bonheur. Mais chaque rivière possédant sa réglementation, pour de plus amples informations, il est nécessaire de contacter, 24 h ou 48 h avant d'aller sur les lieux, le ministère de l'Environnement et de la Faune (*tél. 873 3636*).

● **Voile**
École de voile de Lachine
2105 boulevard Saint-Joseph, Lachine,
tél. 634 4326
Cours privés ou collectifs sous l'égide de la Fédération de voile du Québec. Location de petits voiliers et de planches à voile possible.
● **Expédition dans les rapides de Lachine**
Nouveau Monde
105 rue de la Commune Ouest, tél. 284 9607
● **Expédition en rivière**
100 rivière Rouge, Calumet (à une heure de voiture au nord-ouest de Montréal),
tél. 1 800 361 5033

OÙ SE RESTAURER

Pour les restaurants très haut de gamme, il faut compter environ 30 $ par personne ; pour le niveau intermédiaire, de 20 à 30 $; pour le moyen de gamme, de 10 à 20 $ et pour la cuisine bon marché, moins de 10 $.

TRÈS HAUT DE GAMME

Auberge Le Vieux Saint-Gabriel
420 rue Saint-Gabriel, tél. 878 3562
Spécialités québécoises.
Beaver Club
Hôtel Reine-Elizabeth, 900 boulevard René-Lévesque Ouest, tél. 861 3511
Cuisine française.
Café de Paris
Hôtel Ritz-Carlton, 1228 rue Sherbrooke Ouest,
tél. 842 4212
Cuisine française.
Les Chenets
2075 rue Bishop, tél. 844 1842
Cuisine française.

Les Halles
1450 rue Crescent, tél. 844 2328
Cuisine française.
L'Habitant
5010 boulevard Lalande, Pierrefonds,
tél. 684 4398
Cuisine française.
Chez Delmo
211 rue Notre-Dame Ouest, tél. 849 4061
Fruits de mer.
Chez la Mère Michel
1209 rue Guy, tél. 934 0473
Cuisine française.
Chez Pauze
1657 rue Sainte-Catherine Ouest, tél. 932 6118
Fruits de mer.
Chez Pierre
1263 rue Laballe, tél. 843 5227
Cuisine française.
Le Festin du Gouverneur
Ile Sainte-Hélène, tél. 879 1141
Banquets du XVIIᵉ siècle.
Gibby's
298 place d'Youville, tél. 282 1837
Viandes et fruits de mer.
Mediterraneo
3500 boulevard Saint-Laurent, tél. 844 0027
Cuisine italienne.
Moishe's
3961 boulevard Saint-Laurent, tél. 845 3509
Viandes.
Le Latini
1130 rue Jeanne-Mance, tél. 861 3166
Cuisine italienne.
Rib'n'Beef
8105 boulevard Décarie, tél. 735 1601
Viandes et fruits de mer.
Le Saint-Amable
401 place Jacques-Cartier, tél. 866 3471
Cuisine française.
Le Saint-Honoré
1616 rue Sainte-Catherine Ouest, tél. 932 5550
Le Tour de Ville
Radisson Gouverneurs, 777 rue University,
tél. 879 1370
Cuisine française.
Troïka
2171 rue Crescent, tél. 849 9333
Cuisine russe.

PRIX INTERMÉDIAIRES

Abacus
2144 rue Mackay, tél. 933 8444
Cuisine chinoise.
Alexandre
1454 rue Peel, tél. 288 5105
Cuisine française.

Au Bain Marie
1214 rue Saint-André, tél. 286 9011
Cuisine française
Bayou Brasil
4552 rue Saint-Denis, tél. 847 0088
Spécialités brésiliennes.
Biddle's Jazz and Ribs
2060 Aylmer, tél. 842 8656
Spécialité de côtes de porc.
La Bodega
3456 avenue du Parc, tél. 849 2030
Spécialités espagnoles.
La Boucherie
343 rue Saint-Paul Est, tél. 866 1515
Viandes et fruits de mer.
La Campagnola
1229 de la Montagne, tél. 866 3234
Spécialités italiennes.
La Campanina
2022 rue Stanley, tél. 845 1852
Spécialités italiennes.
Casa de Mateo
440 rue Saint-Francois-Xavier,
tél. 844 7448
Cuisine mexicaine authentique.
Casa Napoli
6728 boulevard Saint-Laurent, tél. 274 4351
Cuisine italienne.
Le Caveau
2063 rue Victoria, tél. 844 1624
Cuisine française.
Le Centaure
Hippodrome Blue Bonnets, 7440 boulevard
Décarie, tél. 739 2741
Cuisine française.
C'est La Vie
Hôtel La Citadelle, 410 rue Sherbrooke Ouest,
tél. 844 8851
Cuisine française.
Chez Antoine Grill
Radisson Gouverneurs, 777 rue University,
tél. 879 1370
Café.
Chez Bernard
275 rue Notre-Dame Ouest, tél. 288 4288
Cuisine française.
Chez Desjardins
1175 rue Mackay, tél. 866 9741
Fruits de mer.
Chez Queux
158 rue Saint-Paul Est, tél. 866 5194
Cuisine française.
L'Express
3927 rue Saint-Denis, tél. 845 5333
Bistro.
Le Fripon
436 place Jacques-Cartier, tél. 861 1386
Cuisine française.

Guillaume Tell
2055 rue Stanley, tél. 288 0139
Spécialités suisses.
Hélène de Champlain
200 Tour de l'Isle, Ile Sainte-Hélène,
tél. 395 2424
Cuisine française.
Ile de France
801 boulevard de Maisonneuve Ouest,
tél. 849 1172
Cuisine française.
Katsura
2170 rue de la Montagne, tél. 849 1172
Cuisine japonaise.
La Louisiane
5850 rue Sherbrooke Ouest, tél. 369 3073
Cuisine cajun.
La Lutetia
1430 rue de la Montagne, tél. 288 5656
Cuisine française.
La Marée
404 place Jacques-Cartier, tél. 861 8126
Cuisine française.
Le Mas des Oliviers
1216 rue Bishop, tél. 861 6733
Cuisine française.
La Menara
256 rue Saint-Paul Est, tél. 861 1989
Spécialités marocaines.
La Mer à Boire
429 rue Saint-Vincent, tél. 397 9610
Cuisine française
Le Pavillon de l'Atlantique
1188 rue Sherbrooke Ouest, tél. 285 1636
Viandes et fruits de mer.
La Piazzetta
4097 rue Saint-Denis, tél. 847 0184
Porto Fino
2040 rue de la Montagne, tél. 849 2225
Spécialités italiennes.
Les Quatre Canards
Le Château Bronont, 90 rue Stanstead, Bromont,
tél. 534 3433
Cuisine internationale.
La Rapière
1155 Metcalf, tél. 871 8920
Cuisine française
Le Relais Terrapin
295 Saint-Charles Ouest, Longueuil, tél. 677 6378
Cuisine internationale.
Le Rustic
47 boulevard Saint-Jean-Baptiste, tél. 691 2444
Viandes et fruits de mer.
Restaurant Szechuan
400 rue Notre-Dame Ouest, tél. 844 4456
Cuisine chinoise.
Resto-Bistro La Chronique
99 rue Laurier Est, tél. 271 3095

La Sila
2040 rue Saint-Denis, tél. 844 5083
Spécialités italiennes
Les Trois Arches
11131 rue Meighen, Pierrefonds, tél. 683 8200
Cuisine française.
Ty-Breiz Crêperie bretonne
433 rue Rachel Est, tél. 521 1444
Vaudeville
361 rue Bernard Ouest, tél. 495 8258
Cuisine française.
La Venture
438 place Jacques-Cartier, tél. 866 9439
Cuisine française.

MOYEN DE GAMME

Alpenhaus
1279 rue Saint-Marc, tél. 935 2285
Spécialités suisses.
Asha
3490 rue Park, tél. 844 3178
Spécialités indiennes.
Le Bifthèque
6705 Côte de Liesse, tél. 739 6336
Le Bistro d'Autrefois
1229 rue Saint-Hubert, tél. 842 2808
Cuisine française.
La Bourgade
Hôtel Bonaventure Hilton, 1 place Bonaventure, tél. 878 2332
Cuisine française.
Brisket
1073 Côte du Beaver Hall, tél. 878 3641
Delicatessen.
Brochetterie du Vieux-Port
39 rue Saint-Paul Est, tél. 866 3175
Viandes et fruits de mer.
Café Ciné Lumière
5163 boulevard Saint-Laurent, tél. 495 1796
Café Laurier
394 rue Laurier Ouest, tél. 273 2484
Cuisine française.
Café Sarejevo
2080 rue Clark, tél. 284 5629
Spécialités bosniaques.
La Cage aux Sports
395 Le Moyne, tél. 288 1115
Grillades et côtes de porc.
La Casa Grècque
200 Prince-Arthur Est, tél. 842 6098
Cuisine grecque.
Chez la mère Tucker/Mother Tucker's
1175 place du Frère-André, tél. 866 5525
Viandes et fruits de mer.
El Coyte Restaurant-Bar
1202 rue Bishop, tél. 875 7082
Spécialités mexicaines.

El Toro
1647 rue Fleury Est, tél. 388 8676
Viandes.
L'Étoile des Indes/Star of India
1806 rue Sainte-Catherine Ouest, tél. 932 8330
Spécialités indiennes.
Les Filles du Roy
415 rue Bonsecours, tél. 849 3535
Spécialités québécoises.
Le Keg
21-25 rue Saint-Paul Est, tél. 871 9093
Spécialités canadiennes.
La Lucarne d'Outremont
1030 rue Laurier Ouest, tél. 279 7355
Cuisine française.
La Maison vip
1077 rue Clark, tél. 861 1943
Cuisine chinoise.
La Marguerite
1472 rue Crescent, tél. 284 0307
Cuisine française.
Le Montréalais
Hôtel Reine-Elizabeth, 900 boulevard René-Lévesque Ouest, tél. 861 3511
Bistrot.
Nil Bleu
3706 rue Saint-Denis, tél. 285 4628
Spécialités éthiopiennes.
Le Paris
1812 rue Sainte-Catherine Ouest, tél. 937 4898
Le Piémontais
1145A rue de Buillion, tél. 861 8122
Pizza Mella
107 Prince-Arthur Est, tél. 849 4680
Publix Bar Resto Café
3554 boulevard Saint-Laurent, tél. 284 9233
Bistro.
Restaurant Eduardo
404 rue Duluth Est, tél. 843 3339
Spécialités italiennes.
Restaurant des Gouverneurs
458 Place Jacques-Cartier, tél. 861 0188
Cuisine internationale.
Restaurant Les Trois frères
8625 boulevard Saint-Laurent, tél. 381 5490
Cuisine internationale.
Restaurant Witloof
3619 rue Saint-Denis, tél. 281 0100
Spécialités belges.
Solmar
111 rue Saint-Paul Est, tél. 861 4562
Spécialités portugaises.

BON MARCHÉ

Bar-restaurant Pizzelli
4250 rue Saint Denis, tél. 849 6620
Spécialités italiennes.

Ben's Delicatessen
990 boulevard Maisonneuve Ouest,
tél. 844 1000
Café Santropol
3990 rue Saint-Urbain, tél. 842 3110
Sandwiches, plats végétariens.
Le Commensal
2115 rue Saint Denis, tél. 845 0248
Plats végétariens.
Euro-Deli
3619 boulevard Saint-Laurent, tél. 843 7853
(spécialités italiennes.
Frites alors
5235 Avenue du Parc, tél. 948 2219
Spécialités belges.
Il était une fois
600 rue Youville, tél. 842 6783
Spécialités canadiennes.
La Tulipe noire
2100 rue Stanley, tél. 285 1225
Cuisine international.
Schwartz's
3895 rue Saint Laurent, tél. 842 4813
Viande fumée

OÙ LOGER

La plupart des hôtels de Montréal sont haut de gamme, notamment dans le Centre-ville. Les prix varient de 55 à 75 $ la nuit pour une chambre double dans un hôtel à prix modéré, et de 200 à 300 $ pour un hôtel haut-de-gamme à 300 $ dans un hôtel de luxe – qui proposent souvent des tarifs spéciaux pour les week-ends ou les familles.

Les gîtes permettent de retrouver le confort et l'ambiance d'une maison à des prix variant entre 50 à 150 $ la nuit. Pour les auberges de jeunesse et les résidences universitaires, il faut compter de 16 à 40 $ la nuit. Il est également possible de louer, mais pour une durée assez longue, des petits appartements, dont les prix varient de 65 à 200 $ la nuit.

HÔTELS DE LUXE

Le Méridien
4 Complexe Desjardins, Montréal,
Québec H5B 1E5, tél. 285 1450, fax 285 1243
Jouit d'une agréable situation au centre-ville, près du quartier chinois et de l'effervescente place des Arts.
La Reine Elizabeth
900 boulevard René Lévesque Ouest, Montréal,
Québec H3B 4A5, tél. 861 3511, fax 954 2256
Au cœur de la ville. Excellente cuisine.

Ritz Carlton
1228 rue Sherbrooke Ouest, Montréal, Québec
H3G 1H6, tél. 842 4212 ou tél. 1 800 363 0366,
fax 842 3383
Westin Mont Royal
1050 rue Sherbrooke Ouest, Montréal, Québec
H3A 2R6, tél. 284 1110, fax 845 3025
Salle de sport, bonne cuisine et service 24 h/24, excellente situation.

HÔTELS HAUT DE GAMME

Best Western Ville Marie Hôtel et suites
3407 rue Peel, Montréal, Québec H3A 1W7,
tél. 288 4141 ou tél. 1 800 528 1234,
fax 288 3021
Bien situé au centre ville, salle de sport.
Le Bonaventure Hilton
1 Place Bonaventure, Montréal, Québec H5A
1E4, tél. 878 2332 ou tél. 1 800 445 8667,
fax 878 1442
Un hectare de jardins juste au dessus de la ville souterraine. Deux restaurants, salle d'exercice et piscine au dernier étage, service aux chambres 24h/24.
Le Centre Sheraton
1201 boulevard René-Lévesque Ouest, Montréal,
Québec H3B 2L7, tél. 878 2000 ou
tél. 1 800 325 3535, fax 878 3958
Restaurant pour fins gourmets, piscine intérieure, centre de sport, massages shiatsu et boutiques spécialisées. Agréablement situé près du centre des affaires.
Days Inn
1005 rue Guy, Montréal, Québec H3H 2K4,
tél. 938 4611, fax 938 8718
Récemment rénové. Deux restaurants, bar et salles de réunions.
Holiday Inn
420 rue Sherbrooke Ouest, Montréal, Québec
H3A, tél. 1 800 4654329
Deux bars, café restaurant, centre de sport et piscine intérieure. Tarifs spéciaux disponibles.
Hôtel la Barre
2019 boulevard Taschereau Est, Longueuil,
Québec J4K 2Y1, tél. 677 9101, fax 677 5514
Piscine extérieure et jardins.
Hôtel La Citadelle
410 rue Sherbrooke Ouest, Montréal, Québec
H3A 1B3, tél. 844 8851 ou tél. 1 800 449 6654,
fax 844 0912
Piano bar, centre de santé, piscine intérieure.
Hôtel des Gouverneurs
1415 rue Saint-Hubert, Montréal, Québec H2L
3Y9, tél. 842 4881 ou tél. 1 800 463 2820,
fax 842 1584
Toutes les chambres ont vue sur Montréal, le mont Royal ou le Saint-Laurent.

Hôtel du Parc
3625 avenue du Parc, Montréal,
Québec H2X 3P8, tél. 288 6666, fax 288 2469
Sur le mont Royal. Terrains de squash et de tennis, centre de sport et piscine à toute saison.

Hôtel Ruby Foo's
7655 boulevard Décarie, Montréal, Québec
H4P 2H2, tél. 731 7701 ou tél. 1 800 361 5419,
fax 731 7158
Décor oriental, piscine extérieure, salle de sport, centre de santé et salon de beauté.

Howard Johnson's
475 rue Sherbrooke Ouest, Montréal, Québec
H3A 2L9, tél. 842 3961 ou tél. 1 800 842 3961,
fax 842 0945
Sauna et salle d'exercice. A quelques pas du métro et de la ville souterraine.

Le Pavillon
7700 Côte de Liesse, rue Saint-Laurent,
Montréal, Québec H4T 1E7, tél. 731 7821 ou
tél. 1 800 361 6243, fax 731 7267
A quelques minutes de l'aéroport de Dorval. Salle pour réunions et banquets pouvant accueillir jusqu'à 250 personnes.

Radisson Gouverneurs
777 rue University, Montréal, Québec H3C 3Z7,
tél. 879 1370 ou tél. 1 800 361 8155, fax 879 1370
Restaurant tournant et panoramique au dernier étage, centre de santé, piscine chauffée et cours d'aérobic.

Travelodge Montréal Centre
50 boulevard René-Lévesque Ouest, Montréal,
Québec H2Z 1A2, tél. 874 9090 ou
tél. 1 800 578 7878, fax 874 0907
Hôtel de style européen au centre-ville. Service de messagerie vocale.

HÔTELS À PRIX MODÉRÉS

Auberge de la Fontaine
1301 rue Rachel Est, Montréal, Québec H2J
2K1, tél. 597 0166 ou tél. 1 800 597 0597,
fax 597 0496
Hôtel calme donnant sur le parc Lafontaine. Des chambres avec terrasse ou balcon.

Auberge des Glycines
819 boulevard de Maisonneuve Est, Montréal,
Québec H2L 1Y7, tél. 526 5511
ou tél. 1 800 361 6896, fax 523 0143
Situation pratique au cœur du centre-ville.

Château de l'Argoat
524 rue Sherbrooke Est, Montréal, Québec
H2L 1K1, tél. 842 2046, fax 286 2791
Petit hôtel de style européen dans le quartier latin. Petit déjeuner à la française offert.

Château Versailles
1659 rue Sherbrooke Ouest, Montréal, Québec
H3H 1E3, tél. 933 3611 ou tél. 1 800 361 3664,
fax 933 7102 ou fax 933 6867,
Internet : versailles@montreal.net.ca
Deux manoirs édouardiens convertis en hôtel das le centre-ville. D'octobre à mai, prix spéciaux pour les week-ends.

Days Inn Montréal Berri
1199 rue de Berri, Montréal, Québec H2L 4C6,
tél. 845 9236 ou tél. 800 3297 466,
fax 849 9855
Au cœur du quartier Latin.

Hôtel Atlantian du Parc
4544 avenue du Parc, Montréal,
Québec H2V 4E3, tél. 274 5000, fax 274 1414
Prix abordables. Toutes les chambres possèdent des petites cuisines.

Hôtel Crescent
1366 boulevard René-Lévesque Ouest, Montréal,
Québec H3G 1T4, tél. 938 9797
Petit et intime, au cœur du centre-ville.

Hôtel de l'Institut
3535 rue Saint-Denis, Montréal, Québec
H2X 3P1, tél. 282 5120 ou tél. 1 800 361 5111,
fax 873 9893
Propriété de l'Institut du tourisme et des hôtels du Québec, les gérants d'hôtels et de restaurants s'y forment. Service excellent.

Hôtel Manoir des Alpes
1245 rue Saint-André, Montréal, Québec
H2L 3T1, tél. 845 0373, fax 845 9886
Situé dans une maison victorienne rénovée.

Hôtel Maritime
1155 rue Guy, Montréal, Québec H3H 2K5,
tél. 932 1411 ou tél. 1 800 363 6255, fax 932 0446
Pour les hommes d'affaires, les voyageurs à la recherche de tarifs abordables et les passionnés de hockey. Prix forfaitaires incluant billets de hockey sur glace.

Hôtel de Paris
901 rue Sherbrooke Est, Montréal, Québec H2L
1L3, tél. 522 6861, fax 522 1387
Près du cœur du quartier latin. Prix abordables.

Hôtel Saint-André
1285 rue Saint-André, Montréal, Québec
H2L 3T1, tél. 849 7070 ou tél. 1 800 265 7071
Petit déjeuner à la française servi dans les chambres gratuitement.

Hôtel Viger Centre-ville
1001 rue Saint-Hubert, Montréal, Québec
H2L 3Y3, tél. 845 6058 ou tél. 1 800 845 6058,
fax 844 6068
Chambres à bas prix.

La Résidence du voyageur
847 rue Sherbrooke Est, Montréal, Québec
H2L 1K6, tél. 527 9515, fax 526 1070

Thrift Lodge
1600 rue Saint-Hubert, Montréal, Québec
H2L 3Z3, tél. 849 3214 ou tél. 1 800 613 3383,
fax 849 9812

YMCA (Young Men Catholic Association)
1450 rue Stanley, Montréal, Québec H3A 2W6,
tél. 849 5331, fax 849 7821
Pour les hommes exclusivement. Bien situé.
Équipements sportifs variés et cafétéria mixte.

YWCA (Young Women Catholic Association)
1355 boulevard René-Lévesque Ouest, Montréal,
Québec H3G 1T3, tél. 866 9941
Uniquement pour les femmes. Chambres simples
et doubles à des prix abordables. Possibilité de
location à plus long terme (minimum huit
semaines). Cafétéria, piscine, sauna et bains à
tourbillons.

APPARTEMENTS À LOUER

Manoir Le Moyne
2100 boulevard de Maisonneuve Ouest Montréal
H3 1K6, tél. 931 8861 ou tél. 1 800 361 7191,
fax 931 7726
Chambres et petits appartements à deux niveaux
avec cuisines équipées ; bains à tourbillons, restaurant et bar, terrasse d'été.

Le Montford
1975 boulevard de Maisonneuve Ouest,
Montréal H3 1K4, tél. 934 0916, fax 939 2552
Studios, petits appartements à une ou deux
chambres bien situés dans un quartier central et
animé.

La Tour Belvédère
2175 boulevard de Maisonneuve Ouest,
Montréal H3H 1L5, tél. 935 9052, fax 935 9532
Studios loués à la semaine ou au mois.

GÎTES

A Bed and Breakfast
3458 avenue Laval, Montréal, Québec H2X 3C8,
tél. 289 9749 ou tél. 1 800 267 5780
Prix spéciaux familles et longs séjours.

Bed and Breakfast Network
B.P. 575, gare de Snowdon, Montréal H3X 3T8,
tél. 738 9410 ou tél 1 800 738 4338, fax 735 7493
Hébergement dans des gîtes francophones ou
anglophones du Centre-ville. Prix abordables.
Location de courte durée possible.

Gîte Chez Nous
3717 rue Sainte-Famille, Montréal, Québec
H2X 2L7, tél. 845 7711
Hébergement pour une nuit ou plus.

Hospitality Montréal Relay
3977 rue Laval Street, Montréal, Québec
H2W 2H9, tél. 287 9635, fax 287 1007
Tous les renseignements sur les gîtes.

La Maison de Grand Pré
4660 rue Grand-Pré, Montréal, Québec
H2T 2H7, tél. 843 6458, fax 843 8691
Douillet et tranquille, près de la rue Saint-Denis.

AUBERGES DE JEUNESSE ET CITÉS UNIVERSITAIRES

Auberge internationale de Montréal
1030 Mackay, Montréal, Québec H3G 2H1,
tél. 843 3317, fax 934 3251
Location de chambres toute l'année.

Collège Français
5155 rue de Gaspé, Montréal, Québec H2T 2A1,
tél. 495 2581, fax 271 2823
Location de chambres toute l'année.

Université Concordia
7141 rue Sherbrooke Ouest, Montréal,
Québec H4B 1R6, tél. 848 4756
Location de chambres de la mi mai à la fin du
mois d'août.

Université de Montréal
2350 rue Édouard-Montpetit, Montréal, Québec
H3T 1J4, tél. 343 6531, fax 343 2353
Chambres de la mi mai à la fin août.

Université McGill
3935 rue University, Montréal, Québec H3A
2B4, tél. 398 6367, fax 398 6770
Chambres de la mi-mai à la fin août.

VIE NOCTURNE

La Montréal nocturne, très animée l'été, l'est
aussi l'hiver. De nombreux clubs et bars proposent des spectacles de chansons, de blues, de jazz
et d'humoristes. Le magasine *Voir* (gratuit)
informe sur les derniers lieux à la mode. Les bars
et cabarets sont ouverts jusqu'à 3 h du matin. Les
grands hôtels possèdent souvent des discothèques et présentent diverses attractions.

LE JAZZ

L'Air du Temps
191 rue Saint-Paul Ouest, tél. 842 2003
Dès 17 h. Musiciens locaux et internationaux.

Biddle's
2060 rue Aylmer, tél. 842 8656

Cleo's Jazz Bar
4062 boulevard Saint-Laurent, tél. 287 1533

Grand Café
1720 rue Saint-Denis, tél. 289 9945

Quai des Brumes
4481 rue Saint-Denis,
tél. 499 0467

LES BOÎTES DE NUIT

Balattou
4372 boulevard Saint-Laurent, tél. 845 5447
Mélange tropical et chaud de soca, de salsa, de
raï, de reggae et de zouk.

Bar Minuit
115 rue Laurier Ouest., tél. 271 3109
Le Belmont
4423 boulevard Saint-Laurent, tél. 845 8443
Passeport
4156 rue Saint-Denis, tél. 842 6063
Voltaire
11 rue Prince-Arthur Ouest, tél. 843 6760
Groupes de funk et de soul presque tous les soirs.

LES BARS

L'âge légal pour consommer de d'alcool est 18 ans. Certains restaurants (notamment rue Prince-Arthur) ne possèdent pas de permis de vente d'alcool et permettent à leurs clients d'apporter leur vin. Les bières des « microbrasseries » sont très appréciées, comme la *Boréale*, la *Brasal*, la *Maudite*, la *Fin du Monde*, la *Blanche de Chambly*, la *Cheval Blanc*. On trouve de nombreux bars boulevard Saint-Laurent entre les rues Sherbrooke et mont Royal, ainsi que rues Saint-Denis et Crescent.

Bar Saint-Sulpice
1680 rue Saint-Denis, tél. 844 9458
Au cœur du quartier Latin. Terrasse.
La Cervoise
4457 boulevard Saint-Laurent, tél. 843 6586
Bière brassée sur place. Prix spéciaux en fin d'après-midi.
Jello Bar
151 Ontario Est, tél. 285 2621
Spécialisé dans les cocktails à base de Martini. Blues et jazz.
Shed Cafe
3515 boulevard Saint-Laurent, tél. 842 0220
Incontournable. Terrasse en été.

LA LANGUE

Si l'on apprécie la saveur qu'il redonne au français, le français du Québec a son accent (qu'il est très mal vu d'imiter) et ses quelques faux amis (quelqu'un de « cassé » est-il simplement quelqu'un de fauché).

Avoir du petit change	Avoir de la monnaie
Bienvenu	De rien
Bicycle	Bicyclette
Blonde	Petite amie
Bonjour	Au revoir
Centre d'achat	Centre commercial
Change (du)	Monnaie
Char	Voiture
Chauffer	Conduire
Chum	Petit ami, ami
Débarbouillette	Serviette
Déjeuner	Petit-déjeuner
Dépanneur	Épicerie de quartier
Dîner	Déjeuner
Donner un bec	Faire une bise
Écœurant	Excellent
Engagé (être)	Occupé (pour un téléphone)
Gaz	Essence
Faire du magasinage	Faire des courses
Fève	Haricot
Fin	Gentil
Joual	Argot québécois
Liqueur	Boisson gazeuse non alcoolisée
Maganer	Abîmer
Magasinage	Courses
Piastre	Dollar
Placoter	Parler
Pouce (faire du)	Faire de l'auto-stop
Poudre	neige
Prendre une brosse	Prendre une cuite
Rôtie	Toast
Se faire passer pour un sapin	Se faire avoir
Souffleuse	Chasse-neige
Souper	Dîner
Tabagie	Débit de tabac
Traversier	Ferry-boat
Truck	Camion
Ustensiles	Couverts (à table)
Vidanges	Ordures
Waiter	Garçon de café

ADRESSES UTILES

AMBASSADES FRANCOPHONES À MONTRÉAL

● **Consulat de Belgique**
999, boulevard de Maisonneuve Ouest, suite 850, H3A3L4, Montréal, tél. 849 7394
● **Consulat de France**
1, place Ville-Marie, bureau 2601, H3B 453, Montréal, tél. 878 4385
● **Consulat de Suisse**
1572, rue du Docteur-Penfield, H3G IC4 Montréal, tél. 932 7181

DIVERS

Infotouriste
- 1001 rue du Square-Dorchester (angle de la rue Metcalfe), tél. 873 2015
- Vieux-Montréal, 174 rue Notre-Dame Est, tél. 873 2015

BIBLIOGRAPHIE

HISTOIRE

Bideaux (M.), *Jacques Cartier, Relations (1536),* Presses de l'université de Montréal, 1986.

Brébeuf (J. de), *Écrits en Huronie,* Bibliothèque québécoise.

Champlain (S. de), *La France d'Amérique. Voyages de Champlain, 1604-1629,* Imprimerie nationale, Paris, 1994.

Collectif, *Rêves d'Empire, le Canada avant 1760,* Les documents de notre histoire, Archives publiques du Canada.

Collectif, *L'enracinement, le Canada de 1700 à 1760,* Les documents de notre histoire, Archives publiques du Canada.

Collectif (Linteau P.-A., Durocher R., Robert F.-C., Ricard F.), *Histoire du Québec contemporain, Le Québec depuis 1930,* tome II, Boréal Compact, 1994.

Cornevin (R. et M.), *La France et les Français d'outre-mer,* Collection Approches, Tallandier, 1990.

Dickinson (J.A.), Young (B.), *Brève histoire socio-économique du Québec,* Septentrion, 1992.

Dumont (F.), *Genèse de la société québécoise,* Boréal, 1993.

Lacoursière (J.), Provencher (J.), Vaugeois (D.), *Canada-Québec, synthèse historique,* Éditions du renouveau pédagogique, 1978.

Lafleur (N.), *La vie traditionnelle d'un coureur de bois aux XIXᵉ et XXᵉ siècles,* Leméac, 1973.

Lévesque (R.), *Attendez que je me rappelle,* Québec/Amérique, 1986.

Provencher (J.), *Chronologie du Québec (1534-1995),* Bibliothèque québécoise, 1997.

Rioux (M.), *Les Québécois,* Le temps qui court, 1974.

Trudel (M.), *Histoire de la Nouvelle-France,* Fides, 1979.

Trudel (M.), *Initiation à la Nouvelle-France,* Fides, 1968.

Turner (G.), *Les Indiens d'Amérique du Nord,* Armand Colin, 1985.

DIVERS

Collectif (Lavoie A., Marcotte G., Ouellet M., Thiffault C.), *Le hockey sur glace,* Gaëtan Morin, 1983.

Revue, *Historiens et Géographes,* septembre/octobre 1991.

Richler (M.), *Joshua Then and Now,* éditions Les Quinze, Montréal, 1989.

Robinson (S.), Smith (D.), *Dictionary of Canadian French,* National Textbook Company, 1992.

CRÉDITS PHOTOGRAPHIQUES

Illustration de couverture : © H. Hughes, Visa
Port de Montréal, la nuit

30-31, 34, 36, 37, 38, 39, 40, 43,49, 50, 51, 52, 58-59, 60, 61, 64, 65, 66, 68-69, 72, 73, 104-105, 106, 107, 108, 109, 111	**Archives Canada**
23, 83, 98, 133, 144, 145	**Nancy Hoyt Belcher**
25, 70, 77, 90, 112, 113, 163, 206-207	**Dirk Buwalde**
20-21, 180-181	**Lee Foster**
213, 220, 221, 222, 223	**Gouvernement du Québec**
48, 53, 54, 55, 56, 57, 62-63	**Illustrated London News Photo Library**
179	**Jean-François Leblanc**
94, 134, 209, 212, 214, 217	**Nancy Lyon**
7, 14-15, 74, 114-115, 148-149, 177	**Donald G. Murray**
132	**Anita Peltonen**
2	**Photothèque Robert Harding**
33, 41, 44, 143, 146, 182, 185, 190, 193	**Ann Purcell**
1, 12-13, 16-17, 18-19, 20-21, 22, 24, 26, 27, 28, 45, 46-47, 71, 75, 76, 78-79, 81, 82, 84-85, 86, 88, 89, 92-93, 95, 97, 99, 100, 120, 124, 125, 127, 129, 130, 135, 136, 137, 138G-D, 139, 140, 141, 142, 147, 150, 151, 153, 154, 155, 156, 157, 158, 159, 160, 162, 164G-D, 165, 166G-D, 167, 168, 169, 170-171, 172, 174, 175, 176, 178, 183, 184, 187, 188, 189, 191, 194-195, 198, 199, 200, 203, 204, 210, 218	**Carl Purcell**
29, 34, 80, 101, 128, 131, 161, 173, 186, 196-197, 201, 202, 205, 208, 211, 215, 219	**Réflexion**
96, 110, 216, 224	**David Simson**
102, 103	**Topham Picture Source**
116-117, 118-119, 192	**Ville de Montréal**

Cartes	**Berndston & Berndston**
Conseiller artistique	**V. Barl.**

INDEX